A-Z STOKE-

CONT

Key to Map Pages	2-3
Large Scale Centres	4-7
	8-49
	0-72

REFERENCE

Motorway	M6
A Road	A50
Proposed	
B Road	B5040
Dual Carriageway	
One Way Street Traffic flow on A Roads is indicated by a heavy line on the driver's left.	
Pedestrianized Road	
Restricted Access	
Track	
Footpath	
Residential Walkway	
Railway	Tunnel / Station / Level Crossing
Built Up Area	GLOVER ST.
Local Authority Boundary	
Posttown Boundary By arrangement with the Post Office	
Postcode Boundary Within Posttowns	

Map Continuation	12 / Large Scale Centres 4
Car Park	P
Church or Chapel	†
Fire Station	■
Hospital	H
House Numbers A and B Roads only	128 / 460
Information Centre	i
National Grid Reference	350
Police Station	▲
Post Office	★
Toilet	▽
Toilet with Disabled Facilities	

Large Scale Centres Only

One Way Roads Traffic flow is indicated by a blue arrow.	
Educational Establishments	
Hospitals & Health Centres	
Leisure & Recreational Facilities	
Places of Interest	
Public Buildings	
Shopping Centres & Markets	
Other Selected Buildings	

SCALE

Map Pages 8-49
1:19,000 3⅓ inches to 1 mile

0 ¼ ½ Mile
0 250 500 750 Metres

Map Pages 4-7
1:7920 8 inches to 1 mile

0 ⅛ ¼ Mile
0 100 200 300 400 Metres

Head Office : Fairfield Road, Borough Green, Sevenoaks, Kent TN15 8PP Tel: 01732 781000
Showrooms : 44 Gray's Inn Road, London WC1X 8HX Tel: 0171 242 9246

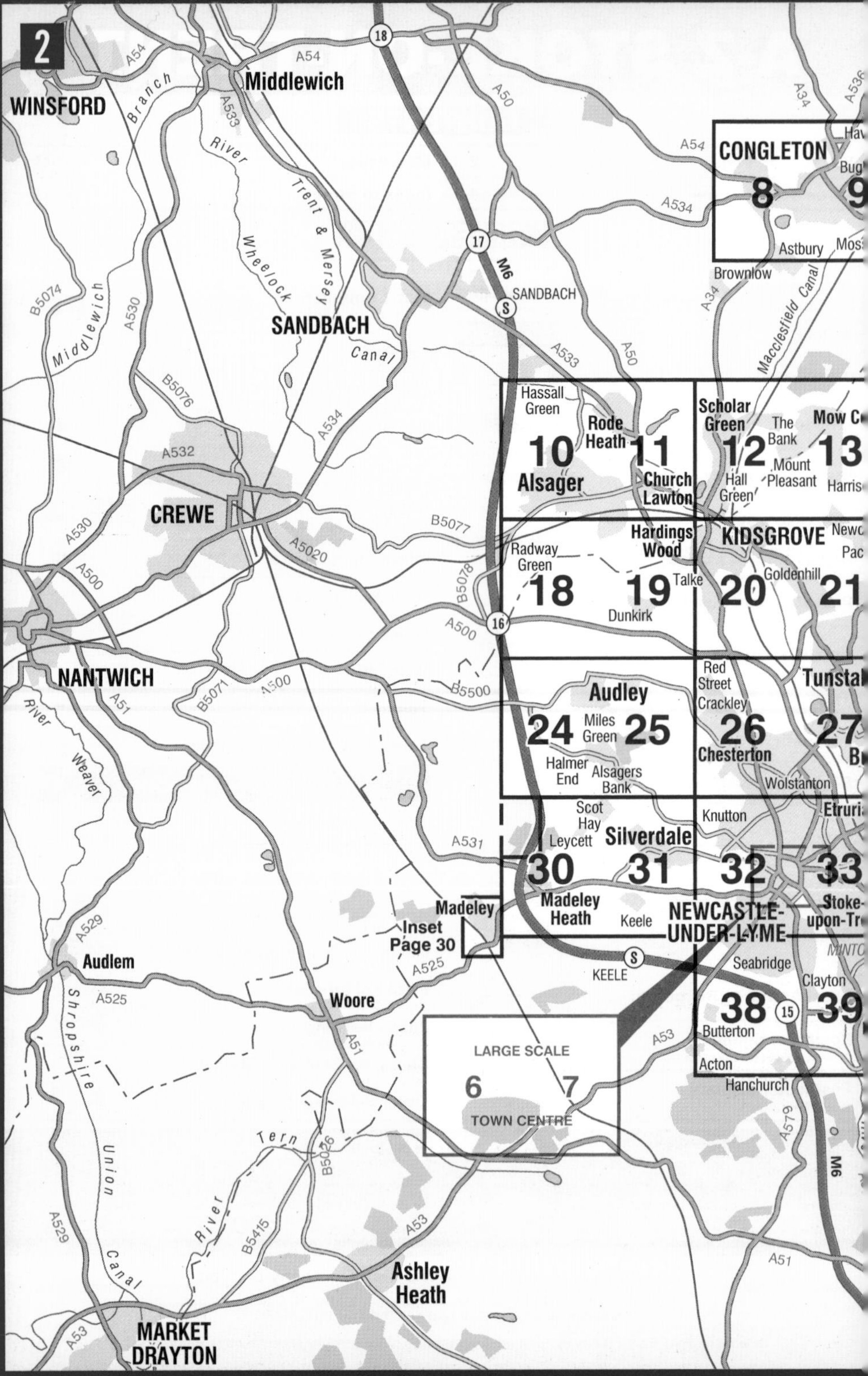
WINSFORD
Middlewich
A54
18
A50
A533
Branch
River
Trent & Mersey
Wheelock
Canal
Middlewich
B5074
A530
SANDBACH
17
M6
S
A534
A54
CONGLETON
8
9
Astbury
Brownlow
A34
Macclesfield Canal
A533
A50
B5076
A534
A532
CREWE
A530
A500
A5020
B5077
Hassall Green
Rode Heath
10
11
Alsager
Church Lawton
Scholar Green
The Bank
12
13
Mount Pleasant
Hall Green
KIDSGROVE
Hardings Wood
Radway Green
18
19
Talke
20
Goldenhill
21
B5078
Dunkirk
16
A500
NANTWICH
B5071
A500
B5500
A51
River
Weaver
Red Street
Crackley
Audley
Tunstall
24
Miles Green
25
26
Chesterton
27
Halmer End
Alsagers Bank
Wolstanton
Scot Hay
Knutton
Leycett
Silverdale
A531
30
31
32
33
Madeley
Madeley Heath
Keele
NEWCASTLE-UNDER-LYME
Stoke-upon-Trent
A529
Audlem
Inset Page 30
A525
KEELE
Seabridge
Clayton
A525
Woore
38
15
39
Butterton
A51
A53
Acton
LARGE SCALE
6
7
TOWN CENTRE
Hanchurch
Shropshire
Union
Canal
Tern
B5026
River
A579
M6
A529
B5415
A53
Ashley Heath
A51
A53
MARKET DRAYTON

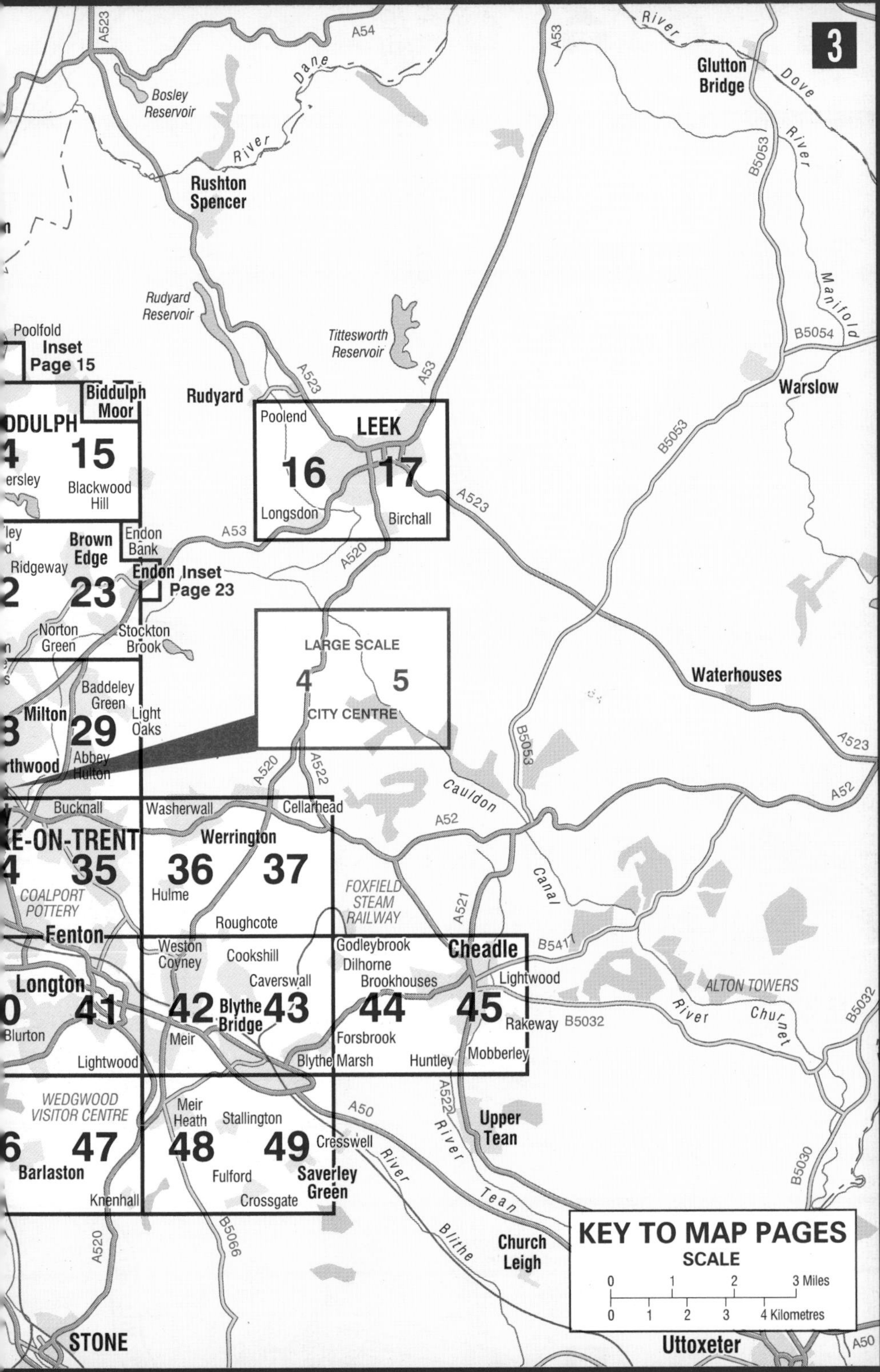

KEY TO MAP PAGES
SCALE
0 1 2 3 Miles
0 1 2 3 4 Kilometres
Glutton Bridge
River Dove
River Dane
River Manifold
A523
A54
A53
Bosley Reservoir
Rushton Spencer
Rudyard Reservoir
Tittesworth Reservoir
B5053
B5054
Warslow
Poolfold
Inset Page 15
Biddulph Moor
BIDDULPH
15
Rudyard
LEEK
Poolend
16
17
Longsdon
Birchall
Blackwood Hill
Brown Edge
Endon Bank
Ridgeway
Endon
Inset Page 23
23
Norton Green
Stockton Brook
A520
LARGE SCALE
4
5
CITY CENTRE
Waterhouses
Baddeley Green
Milton
29
Light Oaks
Abbey Hulton
Cauldon Canal
A52
A522
Bucknall
Washerwall
Cellarhead
STOKE-ON-TRENT
Werrington
35
36
37
COALPORT POTTERY
Hulme
FOXFIELD STEAM RAILWAY
A521
Roughcote
Fenton
Weston Coyney
Cookshill
Godleybrook
Dilhorne
Cheadle
B5417
Longton
Caverswall
Brookhouses
Lightwood
ALTON TOWERS
41
42
Blythe Bridge
43
44
45
River Churnet
B5032
Rakeway
Blurton
Meir
Forsbrook
Lightwood
Blythe Marsh
Huntley
Mobberley
WEDGWOOD VISITOR CENTRE
Meir Heath
Stallington
A50
River Tean
Upper Tean
47
48
49
Cresswell
Barlaston
Fulford
Saverley Green
River Blithe
B5030
Knenhall
Crossgate
B5066
Church Leigh
STONE
Uttoxeter

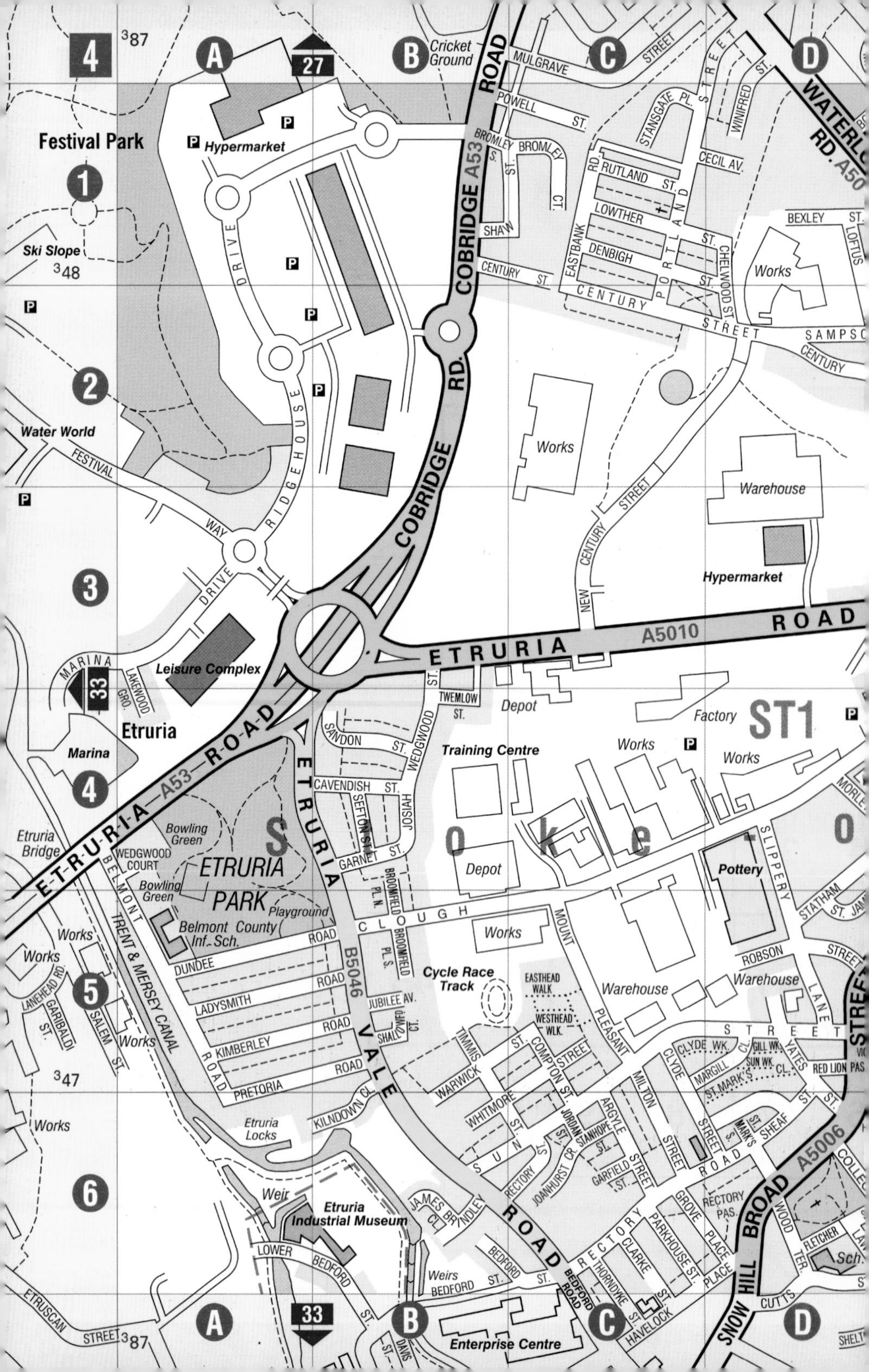
4
387
A
27
B
Cricket Ground
C
D
Festival Park
Hypermarket
1
Ski Slope
348
2
Water World
FESTIVAL
WAY
DRIVE
RIDGEHOUSE
DRIVE
3
MARINA
33
LAKEWOOD GRO.
Leisure Complex
Etruria
Marina
4
ETRURIA ROAD A53
ROAD
COBRIDGE A53
COBRIDGE RD.
COBRIDGE
MULGRAVE
STREET
POWELL ST.
BROMLEY S.
BROMLEY CT.
ST.
SHAW
CENTURY ST.
STANSGATE PL.
STREET
WINIFRED ST.
WATERLOO RD. A50
RD. RUTLAND ST.
CECIL AV.
LOWTHER
PORTLAND
EASTBANK
DENBIGH
ST.
ST.
CHELWOOD ST.
CENTURY
STREET
SAMPSON
CENTURY
BEXLEY ST.
LOFTUS
Works
Works
Warehouse
NEW CENTURY STREET
Hypermarket
ETRURIA A5010 ROAD
ST.
TWEMLOW ST.
Depot
Factory
ST1
Training Centre
Works
Works
SANDON ST.
WEDGWOOD
CAVENDISH ST.
SEFTON ST.
JOSIAH
GARNET ST.
ETRURIA
Stoke-on-Trent
Depot
Pottery
MORLEY
SLIPPERY
STATHAM ST. JAMES
Etruria Bridge
Bowling Green
WEDGWOOD COURT
ETRURIA PARK
Bowling Green
Playground
BELMONT
Belmont County Inf. Sch.
BROOMFIELD PL. N.
BROOMFIELD PL. S.
CLOUGH
Works
MOUNT PLEASANT
STREET
ROBSON
Works
Works
ROAD
DUNDEE
ROAD
LADYSMITH
ROAD
KIMBERLEY
ROAD
PRETORIA
ROAD
B5046
TRENT & MERSEY CANAL
5
LANEHEAD RD.
GARIBALDI ST.
SALEM ST.
Works
Cycle Race Track
EASTHEAD WALK
WESTHEAD WLK.
Warehouse
Warehouse
LANE
STREET
JUBILEE AV.
SHALLOWFIELD CT.
VALE
TIMMIS ST.
COMPTON ST.
STREET
CLYDE WK.
MARGILL CL.
GILL WK.
SUN WK.
ST. MARK'S CL.
YATES
RED LION PAS.
ST.
ST.
STREET
VIC
347
Works
WARWICK
WHITMORE
ST.
SUN
RECTORY
JORDAN ST.
STANHOPE ST.
JOANHURST CR.
ARGYLE
GARFIELD ST.
STREET
MILTON
STREET
CLYDE
STREET
ST. MARK'S ST.
SHEAF
ROAD
A5006
COLLEGE
KILNDOWN CL.
Etruria Locks
6
Weir
Etruria Industrial Museum
JAMES BRINDLEY CL.
ROAD
LOWER BEDFORD ST.
BEDFORD ST.
Weirs
BEDFORD ST.
BEDFORD ROAD
RECTORY
CLARKE
THORNDYKE ST.
PARKHOUSE ST.
GROVE PLACE
RECTORY PAS.
PLACE
BROAD
SNOW HILL
WOOD TER.
FLETCHER
Sch.
CUTTS
HAVELOCK
ETRUSCAN STREET
387
A
33
B
Enterprise Centre
C
D
DAVIS
SHELTON

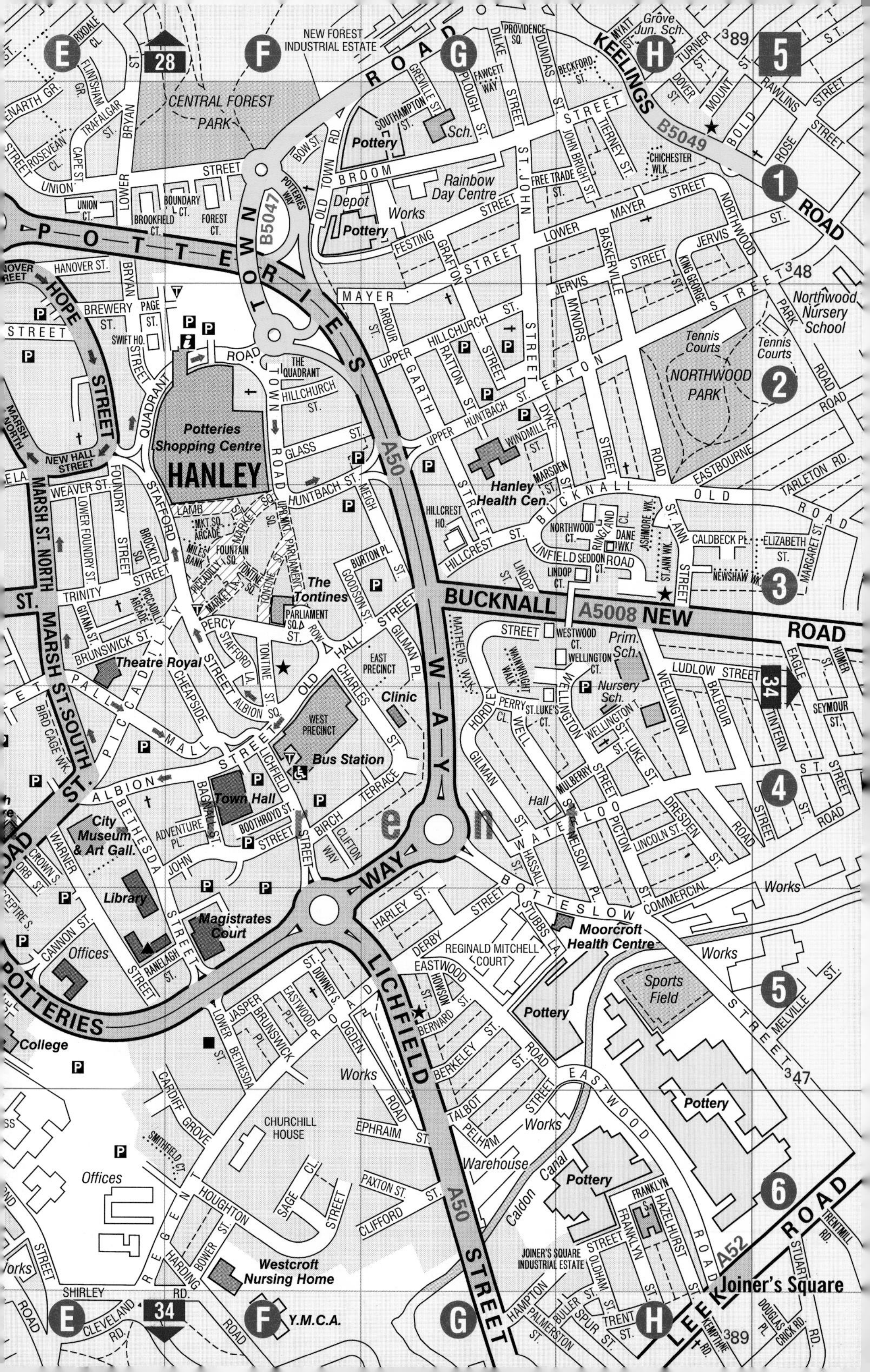

E
F
G
H
28
5
NEW FOREST INDUSTRIAL ESTATE
CENTRAL FOREST PARK
KEELINGS ROAD
B5049
Grove Jun. Sch.
PROVIDENCE SQ.
DILKE ST.
DUNDAS ST.
PLOUGH ST.
FANCETT WAY
BECKFORD ST.
MYATT ST.
TURNER ST.
DOVER ST.
MOUNT
RAWLINS ST.
BOLD ST.
ROSE ST.
389
1
2
3
4
6
GREVILLE ST.
SOUTHAMPTON ST.
Sch.
Pottery
BOW ST.
OLD TOWN RD.
BROOM STREET
POTTERIES WAY
B5047
TOWN ROAD
Rainbow Day Centre
Depot
Works
FREE TRADE ST.
JOHN BRIGHT ST.
TIERNEY ST.
CHICHESTER WLK.
MAYER STREET
LOWER MAYER ST.
NORTHWOOD ST.
FESTING ST.
GRAFTON STREET
JERVIS STREET
KING GEORGE ST.
348
Northwood Nursery School
Tennis Courts
NORTHWOOD PARK
PARK ROAD
MAYER ST.
ARBOUR ST.
UPPER HILLCHURCH ST.
RATTON ST.
MYNORS ST.
BASKERVILLE ROAD
EATON STREET
UPPER HUNTBACH ST.
DYKE ST.
WINDMILL ST.
MARSDEN ST.
EASTBOURNE RD.
TARLETON RD.
OLD BUCKNALL ROAD
Hanley Health Cen.
HILLCREST HO.
HILLCREST ST.
NORTHWOOD CT.
RINGLAND CL.
DANE WK.
ASHMORE WK.
ST. ANN WK.
ST. ANN ST.
CALDBECK PL.
ELIZABETH ST.
MARGARET ST.
NEWSHAW WK.
LINFIELD ROAD
SEDDON CT.
LINDOP CT.
LINDOP ST.
BUCKNALL NEW ROAD
A5008
POTTERIES WAY
UNION ST.
UNION CT.
BOUNDARY CT.
BROOKFIELD CT.
FOREST CT.
LOWER BRYAN ST.
BRYAN ST.
CAPE ST.
ROSEVEAN CL.
TRAFALGAR ST.
FLINTSHAM GR.
BIXDALE CL.
PENARTH GR.
HANOVER ST.
HOPE STREET
BREWERY ST.
PAGE ST.
SWIFT HO.
QUADRANT ROAD
THE QUADRANT
HILLCHURCH ST.
GLASS ST.
HUNTBACH ST.
MEIGH ST.
Potteries Shopping Centre
HANLEY
NEW HALL STREET
MARSH ST. NORTH
WEAVER ST.
LOWER FOUNDRY ST.
FOUNDRY ST.
STAFFORD ST.
LAMB ST.
MKT. SQ. ARCADE
MARKET SQ.
UPR. MKT. SQ.
MILES BANK
FOUNTAIN SQ.
PICCADILLY
TONTINE SQ.
PARLIAMENT ROW
The Tontines
BURTON PL.
GOODSON ST.
TRINITY ST.
BROCKLEY SQ.
GITANA ST.
PICCADILLY ARCADE
BRUNSWICK ST.
PERCY ST.
STAFFORD LA.
TONTINE ST.
PARLIAMENT SQ.
OLD HALL STREET
GILMAN PL.
EAST PRECINCT
Clinic
Theatre Royal
PALL MALL
CHEAPSIDE
ALBION SQ.
CHARLES ST.
WEST PRECINCT
Bus Station
BIRD CAGE WK.
MARSH ST. SOUTH
ALBION ST.
Town Hall
BAGNALL ST.
LICHFIELD ST.
BOOTHROYD ST.
BIRCH TERRACE
CLIFTON ST.
City Museum & Art Gall.
BETHESDA ST.
ADVENTURE PL.
JOHN STREET
WARNER ST.
CROWN S.
ORB ST.
SCEPTRE S.
CANNON ST.
Library
Magistrates Court
Offices
RANELAGH ST.
POTTERIES WAY
College
WAY
A50
MATHEWS WK.
STREET
WESTWOOD CT.
WELLINGTON CT.
Prim. Sch.
WAINWRIGHT WALK
Nursery Sch.
WELLINGTON RD.
WELLINGTON T.
LUDLOW STREET
BALFOUR ST.
EAGLE ST.
HOMER ST.
SEYMOUR ST.
TINTERN ST.
34
HORDLEY ST.
PERRY CL.
WELL ST.
ST. LUKE'S CT.
ST. LUKE ST.
GILMAN ST.
MULBERRY ST.
Hall
NELSON PL.
WATERLOO ST.
HASSALL ST.
PICTON ST.
LINCOLN ST.
DRESDEN ST.
ROAD
ST. STREET
COMMERCIAL ST.
BOTTESLOW ST.
Works
HARLEY ST.
DERBY ST.
REGINALD MITCHELL COURT
STUBBS LA.
Moorcroft Health Centre
Sports Field
MELVILLE ST.
347
EASTWOOD ST.
HOWSON ST.
BERNARD ST.
LICHFIELD STREET
DOWNEY ST.
OGDEN ROAD
EASTWOOD PL.
BRUNSWICK PL.
JASPER ST.
LOWER BETHESDA ST.
BERKELEY ST.
EASTWOOD ROAD
TALBOT ST.
PELHAM ST.
Caldon Canal
Warehouse
CARDIFF GROVE
SMITHFIELD CT.
CHURCHILL HOUSE
EPHRAIM ST.
PAXTON ST.
SAGE CL.
CLIFFORD ST.
REGENT ROAD
HOUGHTON ST.
BOWER ST.
HARDING RD.
Westcroft Nursing Home
JOINER'S SQUARE INDUSTRIAL ESTATE
FRANKLYN ST.
HAZELHURST ROAD
OLDHAM ST.
LEEK ROAD
A52
TRENTMILL RD.
STUART RD.
Joiner's Square
SHIRLEY RD.
CLEVELAND RD.
Y.M.C.A.
HAMPTON ST.
PALMERSTON ST.
BULLER ST.
SPUR ST.
TRENT ST.
KEMPTHNE RD.
DOUGLAS PL.
GRICK RD.

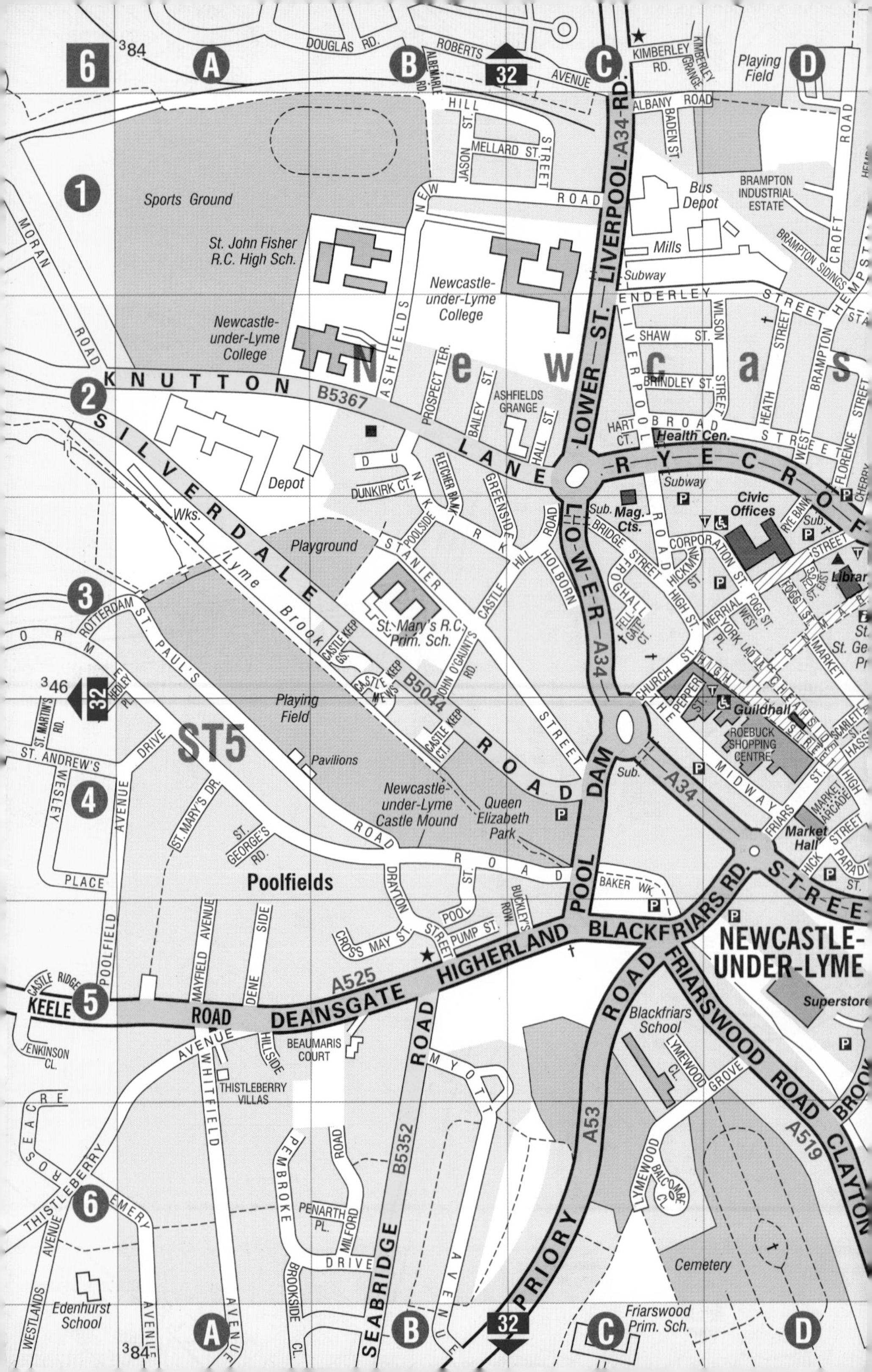

384
A
B
C
D
32
DOUGLAS RD.
ROBERTS AVENUE
ALBEMARLE RD.
KIMBERLEY RD.
KIMBERLEY GRANGE
Playing Field
ALBANY ROAD
BADEN ST.
HILL STREET
JASON ST.
MELLARD ST.
NEW ROAD
LIVERPOOL RD. A34
LOWER ST.
Sports Ground
MORAN ROAD
St. John Fisher R.C. High Sch.
Newcastle-under-Lyme College
Bus Depot
Mills
Subway
BRAMPTON INDUSTRIAL ESTATE
BRAMPTON SIDINGS
CROFT ROAD
HEMPSTEAD
ENDERLEY STREET
SHAW ST.
WILSON STREET
LIVERPOOL
BRINDLEY ST.
HEATH STREET
BRAMPTON
N e w c a s
KNUTTON LANE
B5367
ASHFIELDS
PROSPECT TER.
BAILEY ST.
ASHFIELDS GRANGE
HALL ST.
HART CT.
BROAD STREET
Health Cen.
WEST
FLORENCE
RYECROFT
SILVERDALE ROAD
Depot
Wks.
DUNKIRK
DUNKIRK CT.
FLETCHER BANK
GREENSIDE
POOLSIDE
CASTLE HILL ROAD
HOLBORN
Subway
Mag. Cts.
Civic Offices
RYE BANK
Sub.
BRIDGE STREET
CORPORATION ST.
HICKMAN ST.
FROGHALL
HIGH ST.
FOGG ST.
FOGG ST. EAST
FOGG ST. WEST
Librar
Playground
STANIER STREET
St. Mary's R.C. Prim. Sch.
Lyme Brook
CASTLE KEEP GS.
CASTLE KEEP MEWS
CASTLE KEEP CT.
JOHN O'GAUNT'S RD.
B5044
FELL GATE CT.
MERRIAL ST.
YORK PL.
LAD LANE
MARKET
St. Ge
LOWER A34
CHURCH ST.
PEPPER ST.
Guildhall
ROEBUCK SHOPPING CENTRE
IRONMARKET
SCARLET ST.
HASS
HIGH
ROTTERDAM
ORME ROAD
ST. PAUL'S
HEDLEY PL.
346
32
ST. MARTIN'S RD.
ST. ANDREW'S DRIVE
WESLEY PLACE
AVENUE
ST5
Playing Field
Pavilions
Newcastle-under-Lyme Castle Mound
Queen Elizabeth Park
DAM
Sub.
A34
MIDWAY
FRIARS
MARKET ARCADE
Market Hall
STREET
PARADI
HICK ST.
ST. MARY'S DR.
ST. GEORGE'S RD.
POOL DAM
BAKER WK.
Poolfields
DRAYTON STREET
POOL ST.
BUCKLEY'S ROW
PUMP ST.
CROSS MAY ST.
MAYFIELD AVENUE
DENE SIDE
POOLFIELD
BLACKFRIARS RD.
NEWCASTLE-UNDER-LYME
Superstore
CASTLE RIDGE
KEELE ROAD
A525
DEANSGATE
HIGHERLAND
JENKINSON CL.
BEAUMARIS COURT
HILLSIDE
AVENUE
WHITEFIELD AVENUE
THISTLEBERRY VILLAS
SEABRIDGE ROAD
B5352
MYOTT AVENUE
ROAD
Blackfriars School
LYMEWOOD CL.
LYMEWOOD GROVE
FRIARSWOOD ROAD
A519
BROOK
CLAYTON
PRIORY ROAD
A53
ROSE ACRE
THISTLEBERRY AVENUE
EMERY AVENUE
PEMBROKE
PENARTH PL.
MILFORD DRIVE
BROOKSIDE CL.
BALCOMBE CL.
Cemetery
Edenhurst School
WESTLANDS
Friarswood Prim. Sch.
1
2
3
4
5
6

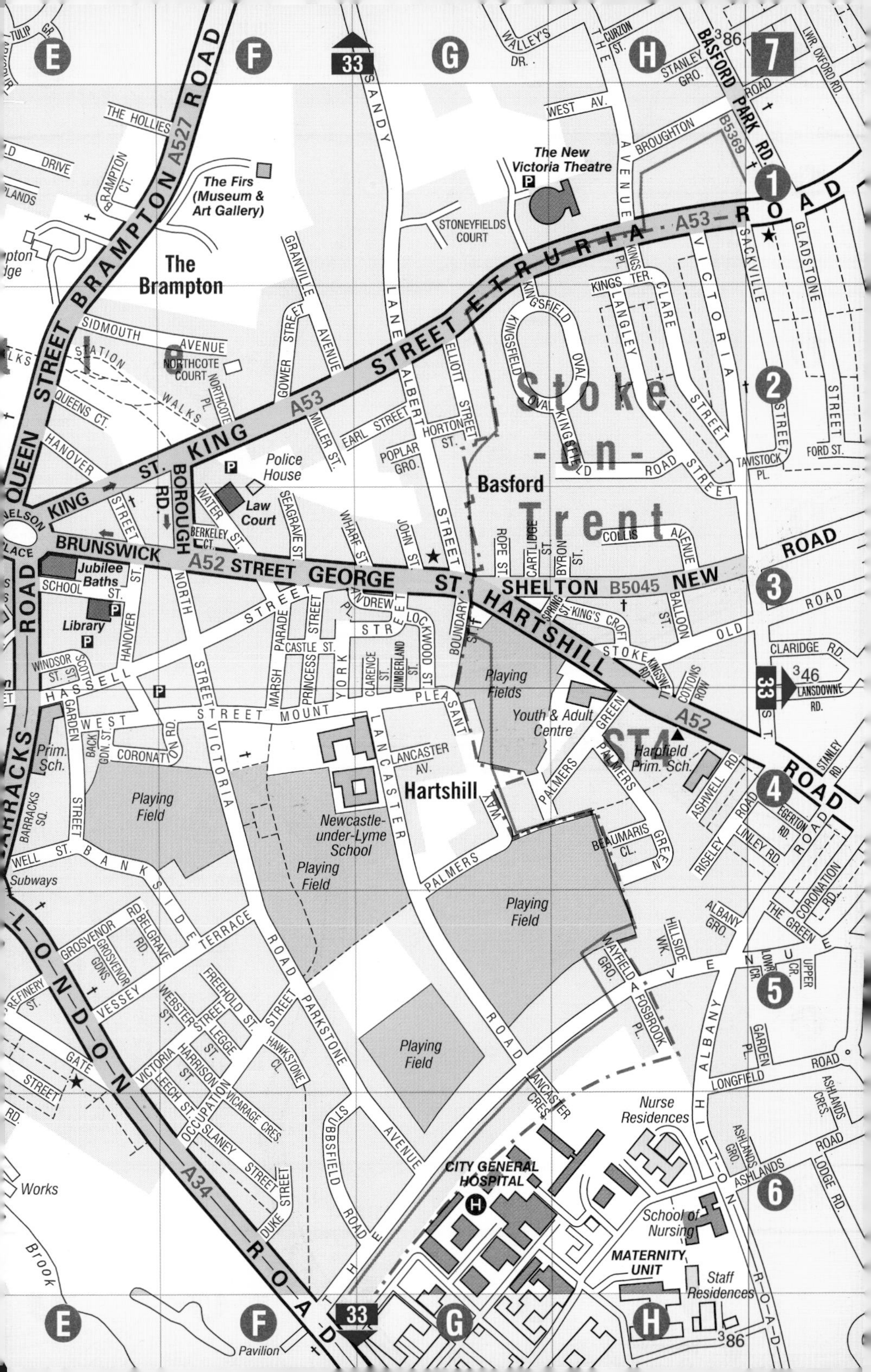

7
33
E
F
G
H
1
2
3
4
5
6
TULIP GR.
BRAMPTON ROAD
A527
QUEEN STREET
THE HOLLIES
BRAMPTON CT.
DRIVE
PLANDS
The Firs (Museum & Art Gallery)
The Brampton
SIDMOUTH AVENUE
STATION WALKS
NORTHCOTE COURT
NORTHCOTE PL.
QUEENS CT.
HANOVER
NELSON PLACE
KING ST.
KING STREET
A53
ETRURIA ROAD
SANDY LANE
GRANVILLE AVENUE
GOWER STREET
MILLER ST.
EARL STREET
ALBERT ST.
POPLAR GRO.
ELLIOTT STREET
HORTON ST.
STONEYFIELDS COURT
WALLEY'S DR.
THE AVENUE
CURZON ST.
STANLEY GRO.
BASFORD PARK RD.
B5369
LWR. OXFORD RD.
ROAD
WEST AV.
BROUGHTON
The New Victoria Theatre
KINGS PL.
KINGS TER.
LANGLEY
CLARE
VICTORIA STREET
SACKVILLE STREET
GLADSTONE
STREET
TAVISTOCK PL.
FORD ST.
KINGSFIELD OVAL
KINGSFIELD RD
ROAD
Stoke -on- Trent
Basford
COLLIS AVENUE
Police House
Law Court
BOROUGH RD.
WATER ST.
BERKELEY CT.
SEAGRAVE ST.
WHARF ST.
JOHN ST.
STREET
BRUNSWICK STREET
A52
GEORGE ST.
SHELTON NEW ROAD
B5045
ROPE ST.
CARTLIDGE ST.
BYRON ST.
SPRING ST.
KING'S CROFT
BALLOON ST.
OLD ROAD
ROAD
CLARIDGE RD.
LANSDOWNE RD.
46
STANLEY RD.
Jubilee Baths
SCHOOL ST.
Library
NORTH STREET
STREET
ANDREW PL.
LOCKWOOD ST.
BOUNDARY ST.
HARTSHILL ROAD
STOKE RD
KINGSWELL RD.
COTTONS ROW
CASTLE ST.
PRINCESS ST.
YORK ST.
CLARENCE ST.
CUMBERLAND ST.
MARSH PARADE
Playing Fields
Youth & Adult Centre
GREEN
ST4
Harpfield Prim. Sch.
ASHWELL RD.
WINDSOR ST.
SCOTT ST.
HASSELL ST.
MOUNT PLEASANT
WEST
GARDEN
BACK GDN. ST.
CORONATION RD.
VICTORIA STREET
LANCASTER AV.
LANCASTER ROAD
Hartshill
PALMERS WAY
PALMERS GREEN
BEAUMARIS CL.
EGERTON RD.
LINLEY RD.
RISELEY ROAD
ROAD
CORONATION RD.
BARRACKS ROAD
Prim. Sch.
Playing Field
BARRACKS SQ.
STREET
Newcastle-under-Lyme School
Playing Field
WELL ST.
BANKSIDE
Subways
Playing Field
ALBANY GRO.
THE GREEN
HILLSIDE WK.
WAYFIELD GRO.
AVENUE
LOWER CR.
UPPER CR.
GROSVENOR RD.
GROSVENOR GDNS.
BELGRAVE RD.
TERRACE
ROAD
VESSEY
REFINERY ST.
FREEHOLD ST.
WEBSTER ST.
STREET
LEGGE ST.
PARKSTONE
Playing Field
ROAD
FOSBROOK PL.
ALBANY ROAD
GARDEN PL.
LONGFIELD ROAD
ASHLANDS CRES.
LONDON ROAD
GATE STREET
VICTORIA ST.
HARRISON ST.
HAWKSTONE CL.
LEECH ST.
OCCUPATION
VICARAGE CRES.
SLANEY STREET
STUBBSFIELD ROAD
AVENUE
LANCASTER CRES.
Nurse Residences
HILTON ROAD
ASHLANDS GRO.
ASHLANDS ROAD
LODGE RD.
CITY GENERAL HOSPITAL
School of Nursing
MATERNITY UNIT
Staff Residences
Works
DUKE STREET
A34
ROAD
Brook
Pavilion
86

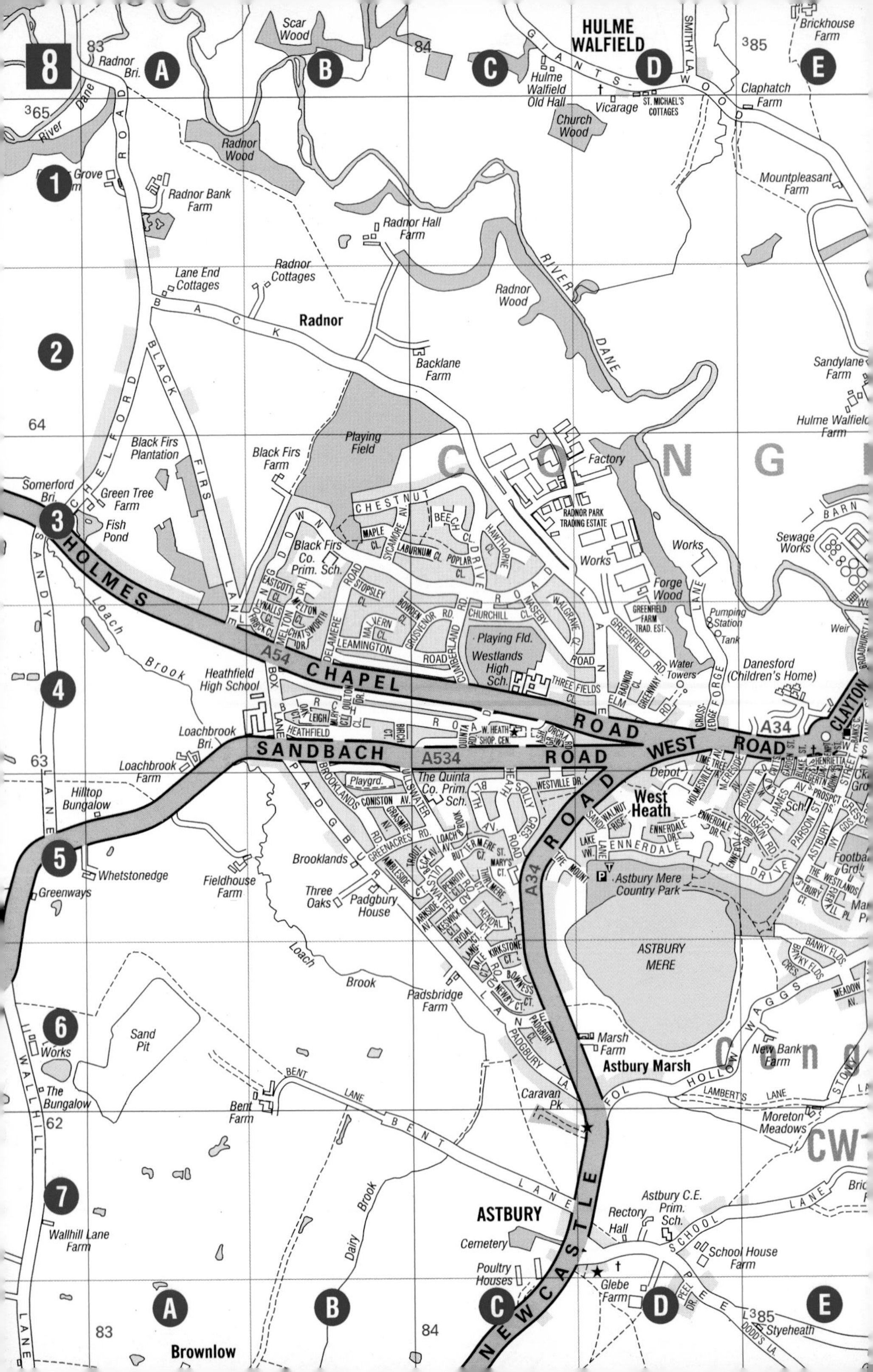

8
A
B
C
D
E
1
2
3
4
5
6
7
HULME WALFIELD
Radnor
CONGLETON
West Heath
Astbury Marsh
ASTBURY
Brownlow
Scar Wood
Radnor Wood
Radnor Bri.
River Dane
Radnor Bank Farm
Radnor Hall Farm
Lane End Cottages
Radnor Cottages
Backlane Farm
Hulme Walfield Old Hall
Vicarage
ST. MICHAEL'S COTTAGES
Church Wood
Claphatch Farm
Brickhouse Farm
Mountpleasant Farm
Sandylane Farm
Hulme Walfield Farm
GIANTS WOOD
SMITHY LA.
BACK LANE
BLACK FIRS LANE
CHELFORD ROAD
Black Firs Plantation
Black Firs Farm
Playing Field
Somerford Bri.
Green Tree Farm
Fish Pond
Factory
RADNOR PARK TRADING ESTATE
Works
Forge Wood
GREENFIELD FARM TRAD. EST.
Pumping Station
Tank
Water Towers
Weir
Sewage Works
Danesford (Children's Home)
HOLMES CHAPEL ROAD
A54
A534
SANDBACH ROAD
WEST ROAD
A34
CLAYTON
Loach Brook
Heathfield High School
Loachbrook Bri.
Loachbrook Farm
Hilltop Bungalow
Whetstonedge
Greenways
Fieldhouse Farm
Brooklands
Three Oaks
Padgbury House
Padsbridge Farm
Black Firs Co. Prim. Sch.
Playing Fld.
Westlands High Sch.
The Quinta Co. Prim. Sch.
Playgrd.
W. HEATH SHOP. CEN.
Depot
Astbury Mere Country Park
ASTBURY MERE
Marsh Farm
New Bank Farm
Moreton Meadows
CW12
Caravan Pk.
Sand Pit
Works
The Bungalow
Bent Farm
BENT LANE
Wallhill Lane Farm
WALLHILL LANE
SANDY LANE
Dairy Brook
Cemetery
Poultry Houses
Rectory Hall
Astbury C.E. Prim. Sch.
School House Farm
SCHOOL LANE
Glebe Farm
PEEL DR.
Styeheath
DODD'S LA.
NEWCASTLE ROAD
PADGBURY LANE
FOLLOW WAGGS
LAMBERT'S LANE
STONE
Football Grd.
Sch.
Playgrd.
365
64
63
62
83
84
385

Midway House Farm
MANCHESTER ROAD
MACCLESFIELD RD.
A536
A34
A54
A527
Cranberry Moss
Eaton Cottage Farm
Moss Farm
Tanhouse
MACCLESFIELD
RIVER DANE
Towing Path
Havannah
HAVANNAH LANE
Factory
Havannah Co. Prim. Sch.
Play Fld.
Lower Heath
Congleton Cattle Mkt.
HEATH
Playing Field
Dane Valley High School
Smithy Farm
Birch Moss Farm
Buglawton
Yewtree Farm
Wharf
The Spinney
MIDDLE LA.
Lane End
The Cotts.
Little Lowe Fm.
Tall-ash Farm
BUXTON ROAD
MACCLESFIELD CANAL
EATON BANK
Eaton Bank Ind. Est.
Daneside Bus. Pk.
RIVERDANE
Park Wood
Works
Hardings Bank
Bank Place Farm
Bath Vale
Wood Farm
Primrose Vale
Timbers Brook
BIDDULPH VALLEY WAY
Brookhouse Cotts.
CONGLETON PARK
Bowling Grn.
Play. Flds.
Leisure Cen.
T.A. Cen.
Paddling Pool
MOUNTBATTEN WY.
ROOD HILL
Dane in Shaw Brook
Viaduct
Brook Ho.
BROOKHOUSE LANE
Bromley Farm
PARK LANE
Clinic
Daven Co. Prim. Sch.
Playing Fld.
Cemetery
Highfield House
Council Offs.
Lib.
Congleton
Factory
RAILWAY COTTS.
Mossleyvale Farm
CONGLETON
CONGLETON WAR MEM. HOSP.
Croft Villa
Canal Villa
Hightown
BIDDULPH ROAD
Grange Farm
Lambert's Lane Farm
LAMBERT'S LANE
The Howty
Mossley House
Dane-in-Shaw
Greenheys
Vic.
READE'S LA.
BOUNDARY ROAD
Back Cross Lane Farm
Crossfields
MOSSLEY
Club House
CONGLETON GOLF CLUB
Mossley Hall
ASTBURY GOLF COURSE
Mount Pleasant Farm
Mossley C.E. Prim. Sch.
Congleton Moss
Little Moss Farm
Whitehouse Farm
Nursery
Cricket Grd.
F G H J K
1 2 3 4 5 6 7
86 87 88
65 64 63 62

A
B
C
D
E
1
2
3
4
5
6
7
78
79
58
57
56
355
Hassall Green
Prim. Sch.
SMITHY GRO.
CHARLES SQ.
Smithy Farm
Betchton Cottage
LOVE LANE
CAPPERS LA.
SANDBACH
Trent & Mersey Canal
Sun Cottage
Lock
Garth
Bracken Lea
ROUGHWOOD
TRENT & MERSEY CANAL
Oaktree Farm
Station Ho.
Lwr. Roughwood Mill
Mill Terrace
Roughwood Cottages
Roughwood Farm
Sandbach
Bank Farm
Higher Roughwood Mill House
Chellshill
HILL
Aqueduct
Fingerpost Fm.
Hillside
ALSAGER
Day Green Ho.
Roughwood Br.
CW11
CHELLS
Chellshill Bridge
BETCHTON
B5078
ROAD
HASSALL
Day Green
Holly Tree Farm
Day Green Fm.
Roughwood Hill Farm
LANE
SALT LINE
MOTORWAY
M6
Hassall Pool
Daygreen Farm
CONGL
Cresswell Farm
Betchton Farm
Bottomless Mere
Sewage Works
Bostock Ho.
LANE
Whartons Pool Farm
Lawton Heath End
DUNWD DR.
ROWAN CL.
DENFRD C'TON
CHERRY LA
WY.
CHERRY
Bridge Farm
Heath End
HEATH
Sandon Ho.
PIKEMERE
GREEN WAY
END
NORTH
ALSAGER
Dunnock's Fold Farm
Prim. Sch.
QUEEN'S WAY
RYDAL WAY
LEICESTER
CAVENDISH CR.
Stoke-
Playgrd.
BROOKFIELD DR.
ASHDALE CL.
GROSVENOR CL.
GROSVENOR AV.
Manchester Metropolitan University (Crewe & Alsager Campus)
COLLEGE
BEDFORD GRO.
HARPUR
Castle Farm
BLADON AV.
RUSSELL AV.
BERKELEY AV.
CURZON AV.
BELGRAVE AV.
Manor Farm
Rose Villa
GRIG PL.
ST. MARY'S CL.
AVON CT.
WINSTON
BLENHEIM CT.
LESTER CT.
Pav
HEATHWOOD DR.
CRESCENT
THE FAIRWAY
MEADS CL.
Wyechila Kennels
Emberton Hall Play. Fld.
Leisure Cen.
Tennis Court
WILBRAHAMS WAY
Lady Farm Bungalow
DUNNOCKSFOLD
CLOSE
Sunnyside Farm
DAISY BANK
Roseheyes
Moss End Farm
Holly Bank
SUNNYSIDE
Kellet Hall
Sports Ground
Alsager Comp. Sch.
Sports Ground
CALDY RD
EATON
STANLEY CT.
Ckt. Gd.
Ten. Cts.
THE PLEX
Alsager Highfields Prim. Sch.
Play. Fld.
SOUTH CL.
LODGE RD.
Boat Ho.
CORONATION GARDENS
The Mere
MERE CT.
GREEN DR.
Civic Cen.
Playgrd.
Lib.
Off.
Yew Tree Farm
WINDSOR DR.
DUNNOCKS-FOLD RD.
LINDSAY WY.
DUNNOCKS WOOD
HELLYAR-BROOK RD.
PARISH CL.
ROAD
CHURCH
BEECHWOOD DR.
SPENCER CL.
KENSINGTON CT.
DERWENT
DART CL.
Orchard Cottage
CRANBERRY
WHEELOCK CL.
WOOD DR.
CRANFIELD DR.
SMITH RD.
CHANCERY LA.
THE GABLES
ROAD
NORTHOLME GARDENS
THE AVENUE
LYNTON PL.
ROAD
LAWTON
CREWE & NANTWICH
Ashfields
BOL CL.
VALLEY CL.
LANE
Cranberry Co. Inf. & Jun. Schs.
RYE CL.
PADSTOW
SINCLAIR
ARROWSMITH DR.
THE CONIFERS
B5077
TATTON
DENNIS ROUND
STATION
CROSS ST.
New Milton Ho. Park
BROOKHOUSE
HOMESHIRE HO.
ASHMORE'S LA.
NURSERY
Works
GOWY CL.
WEAVER CL.
DANE CL.
MARSH CL.
CRANBERRY MOSS LA.
MOSS FIELDS
CRANBERRY
SANDSIDE RD.
192
MORETON DR.
CARLE
GEORGE BATES CL.
THORNE CL.
WELL LA.
CEDAR AV.
WOOLASTON
AVENUE
Oak Lodge
MAWDSLEY CL.
AVENUE
CREWE
Farfield
Jane Maddock Homes
DUNHAM CL.
BEESTON DR.
GAWSWORTH CL.
SWETTENHAM CL.
CAPES-
Prim. Sch.
Hall
Playing Field
Moss Cottage
Cranberry Moss
Playgrd.
CORONATION
PLOUGH CROFT
THE CLOSE
Weir
HALL DR.
HALL
WHITE MOSS
LANE
18
Mill Pond
Alsager Hall
Home Farm
House Farm
Lane-ends Farm

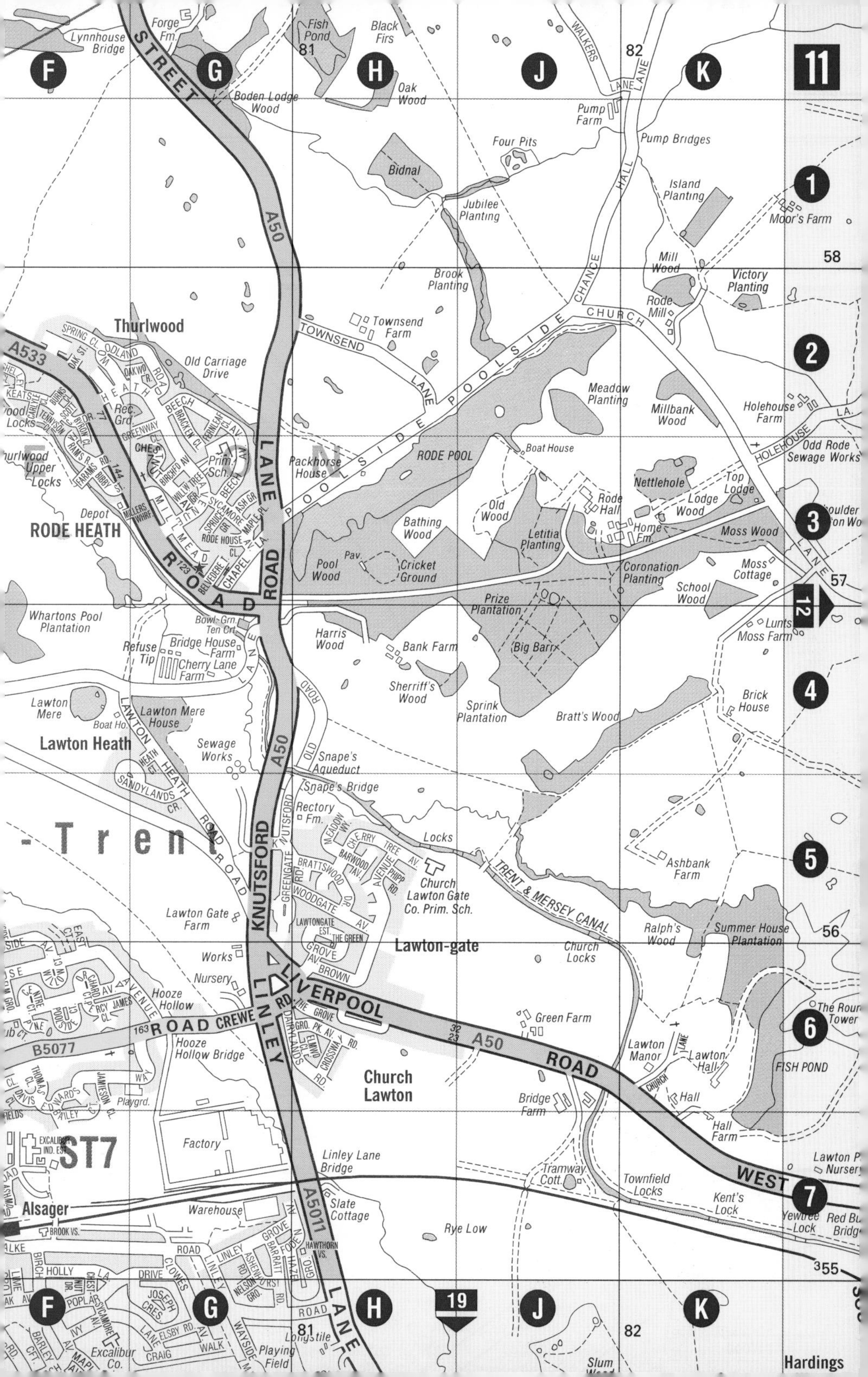
Forge Fm.
Lynnhouse Bridge
Fish Pond
81
Black Firs
WALKERS
82
LANE
F
G
H
J
K
STREET
Oak Wood
Boden Lodge Wood
Pump Farm
Pump Bridges
Four Pits
Bidnal
Jubilee Planting
Island Planting
HALL
1
Moor's Farm
58
A50
Brook Planting
Mill Wood
Victory Planting
CHANCE
Rode Mill
CHURCH
Thurlwood
Townsend Farm
TOWNSEND
LANE
POOLSIDE
A533
SPRING CL.
ODLAND
OAK ST.
Old Carriage Drive
2
Meadow Planting
Millbank Wood
Holehouse Farm
LA.
HEATH
ROAD
OAKWD CR.
Rec. Grd.
BEECH
BRACKEN CL.
FERNLEA
GREENWAY
KEATS
CARLYLE
BURNS
SCOTT
TENNYSON
DR.
Locks
CHESTNUT
BIRCHD AV.
Prim. Sch.
LANE
Packhorse House
RODE POOL
Boat House
HOLEHOUSE
Odd Rode Sewage Works
Thurlwood Upper Locks
RAMS R.
FARMERS RD.
BIBBY ST.
144
WILLOW TREE
SYCAMORE
ASH GR.
Nettlehole
Top Lodge
Lodge Wood
Depot
MILLERS WHRF
MILL MEAD
SPRUCE GR.
MAPLE PL.
Old Wood
Rode Hall
Home Fm.
Moss Wood
3
Shoulder of Mutton Wood
RODE HEATH
Bathing Wood
Letitia Planting
RODE HOUSE CL.
CHAPEL LA.
BELVEDERE
123
Pool Wood
Pav.
Cricket Ground
Coronation Planting
Moss Cottage
School Wood
57
12
Prize Plantation
Whartons Pool Plantation
Bowl. Grn. Ten Crt.
Harris Wood
Lunts Moss Farm
Refuse Tip
Bridge House Farm
Cherry Lane Farm
Bank Farm
Big Barr
Sherriff's Wood
4
Brick House
Lawton Mere
Boat Ho.
Lawton Mere House
LAWTON HEATH ROAD
Sprink Plantation
Bratt's Wood
Lawton Heath
Sewage Works
OLD ROAD
Snape's Aqueduct
HEATH CL.
SANDYLANDS CR.
Snape's Bridge
Rectory Fm.
KNUTSFORD
MEADOW WY.
CHERRY TREE AV.
Locks
Trent
ROAD
KNUTSFORD
BRATTSWOOD
BARWOOD AV.
AVENUE
PHIPP RD.
Church
Lawton Gate Co. Prim. Sch.
TRENT & MERSEY CANAL
Ashbank Farm
5
GREENGATE RD.
WOODGATE DR.
AV.
Lawton Gate Farm
LAWTONGATE EST.
THE GREEN
Ralph's Wood
Summer House Plantation
56
Works
GROVE AV.
Lawton-gate
Church Locks
BROWN
Nursery
LIVERPOOL
LINLEY
Hooze Hollow
AVENUE
JAMES
163
ROAD CREWE
RD.
THE GROVE
Green Farm
The Round Tower
6
B5077
Hooze Hollow Bridge
DAIRYLANDS
GRO. PK. AV.
ELMWD CT.
CROSSWAY
RD.
32
23
A50
ROAD
Lawton Manor
LANE
Lawton Hall
FISH POND
THOMAS CL.
EDWARDS
JAMIESON CL.
Playgrd.
Church Lawton
CHURCH
Hall
Bridge Farm
Hall Farm
EXCALIBUR IND. EST.
ST7
Factory
Linley Lane Bridge
A5011
Tramway Cott.
Townfield Locks
WEST
Lawton Park Nursery
7
Alsager
Warehouse
Slate Cottage
Kent's Lock
Yewtree Lock
Red Bull Bridge
BROOK VS.
Rye Low
ROAD
LINLEY
GROVE
BARRATT
FODEN AV.
HAWTHORN VS.
55
HOLLY LA
DRIVE
CLOWES
ASHENHURST RD.
NELSON GRO.
HAZEL GRO.
BIRCH
LIME
NUT DR.
CHESTNUT
POPLAR
JOSEPH CRES.
ROAD
LANE
H
19
J
K
82
BARLEY CFT.
IVY
SYCAMORE AV.
ELSBY RD.
AV.
WAYSIDE
LANE
CRAIG WALK
Excalibur Co.
Playing Field
81
Longstile
Slum Wood
Hardings

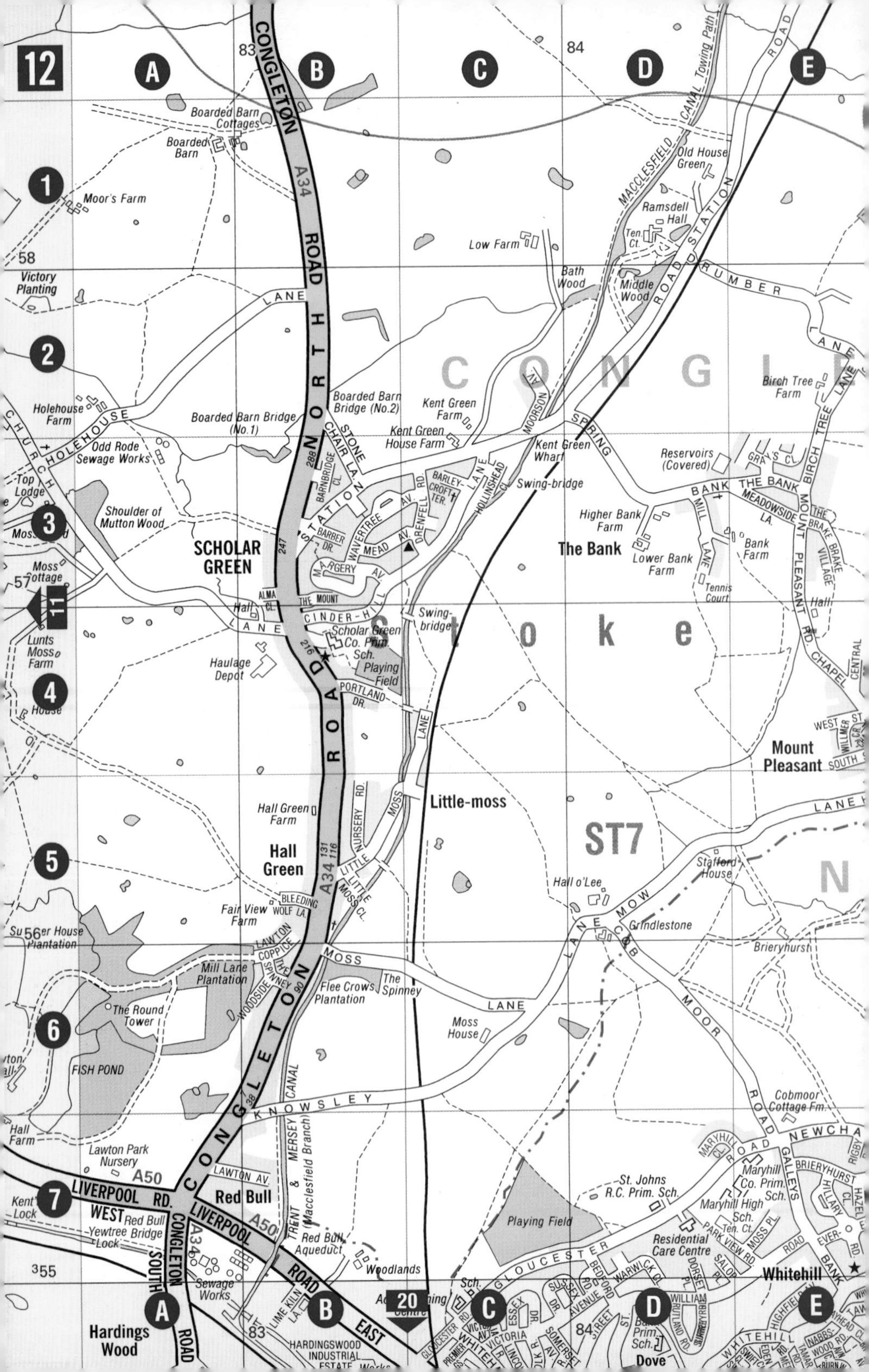

A
B
C
D
E
1
2
3
4
5
6
7
83
84
58
57
56
355
CONGLETON NORTH ROAD
A34
Boarded Barn Cottages
Boarded Barn
Moor's Farm
Victory Planting
Low Farm
Bath Wood
Middle Wood
MACCLESFIELD CANAL Towing Path
Old House Green
Ramsdell Hall
Ten. Ct.
STATION ROAD
RUMBER LANE
LANE
HOLEHOUSE
Holehouse Farm
CHURCH
Odd Rode Sewage Works
Top Lodge
Shoulder of Mutton Wood
Moss Cottage
Boarded Barn Bridge (No.1)
Boarded Barn Bridge (No.2)
Kent Green Farm
Kent Green House Farm
MOORSON AV.
SPRING BANK
Kent Green Wharf
Swing-bridge
CONGLE
Birch Tree Farm
BIRCH TREE LANE
Reservoirs (Covered)
GRAY'S CL.
THE BANK
MEADOWSIDE LA.
MOUNT PLEASANT RD.
THE BRAKE
BRAKE VILLAGE
Higher Bank Farm
The Bank
Lower Bank Farm
Bank Farm
MILL LANE
Tennis Court
Hall
STONE CHAIR LA.
BARNBRIDGE CL.
STATION
BARBER DR.
WAVERTREE AV.
MEAD AV.
DRENFELL RD.
BARLEYCROFT TER.
LANE
HOLLINSHEAD CL.
MARGERY AV.
SCHOLAR GREEN
ALMA CL.
THE MOUNT
CINDER-HILL
Hall
LANE
Lunts Moss Farm
Stoke
Swing-bridge
Scholar Green Co. Prim. Sch.
Playing Field
Haulage Depot
House
PORTLAND DR.
LANE
CHAPEL
CENTRAL
WEST ST
WILLMER CR.
SOUTH ST
Mount Pleasant
Little-moss
LANE
Hall Green Farm
NURSERY RD.
MOSS
LITTLE
ST7
Hall Green
Stafford House
N
Hall o'Lee
LITTLE MOSS CL.
BLEEDING WOLF LA.
Fair View Farm
MOW LANE
COB
Grindlestone
Brieryhurst
Summer House Plantation
LAWTON COPPICE
THE SPINNEY
MOSS LANE
Mill Lane Plantation
WOODSIDE
Flee Crows Plantation
The Spinney
The Round Tower
Moss House
MOOR ROAD
FISH POND
KNOWSLEY
TRENT & MERSEY CANAL (Macclesfield Branch)
CONGLETON
Cobmoor Cottage Fm.
Hall Farm
NEWCHAPEL ROAD
RIGBY
MARYHILL CL.
GALLEYS
BRIERYHURST RD.
Lawton Park Nursery
A50
LAWTON AV.
Maryhill Co. Prim. Sch.
HILLARY CL.
HAZEL
Kent Lock
LIVERPOOL RD. WEST
Red Bull
St. Johns R.C. Prim. Sch.
Red Bull Yewtree Bridge Lock
LIVERPOOL ROAD EAST
Playing Field
Maryhill High Sch.
Ten. Ct.
MOSS PL.
PARK VIEW RD.
EVERBANK RD.
Red Bull Aqueduct
Residential Care Centre
SALOP PL.
DORSET PL.
Woodlands
GLOUCESTER
WARWICK CL.
BEDFORD RD.
SUSSEX AVENUE
Whitehill
SOUTH CONGLETON ROAD
Sewage Works
Sch.
20
ESSEX DR.
STREET
WILLIAM
RUTLAND RD.
HIGHFIELD
Hardings Wood
LIME KILN LA.
HARDINGSWOOD INDUSTRIAL ESTATE
Works
GLOUCESTER RD.
VICTORIA AV.
SOMERSET AV.
Dove Bank Prim. Sch.
Dove
WHITEHILL
NABBS WOOD RD.
TAMAR

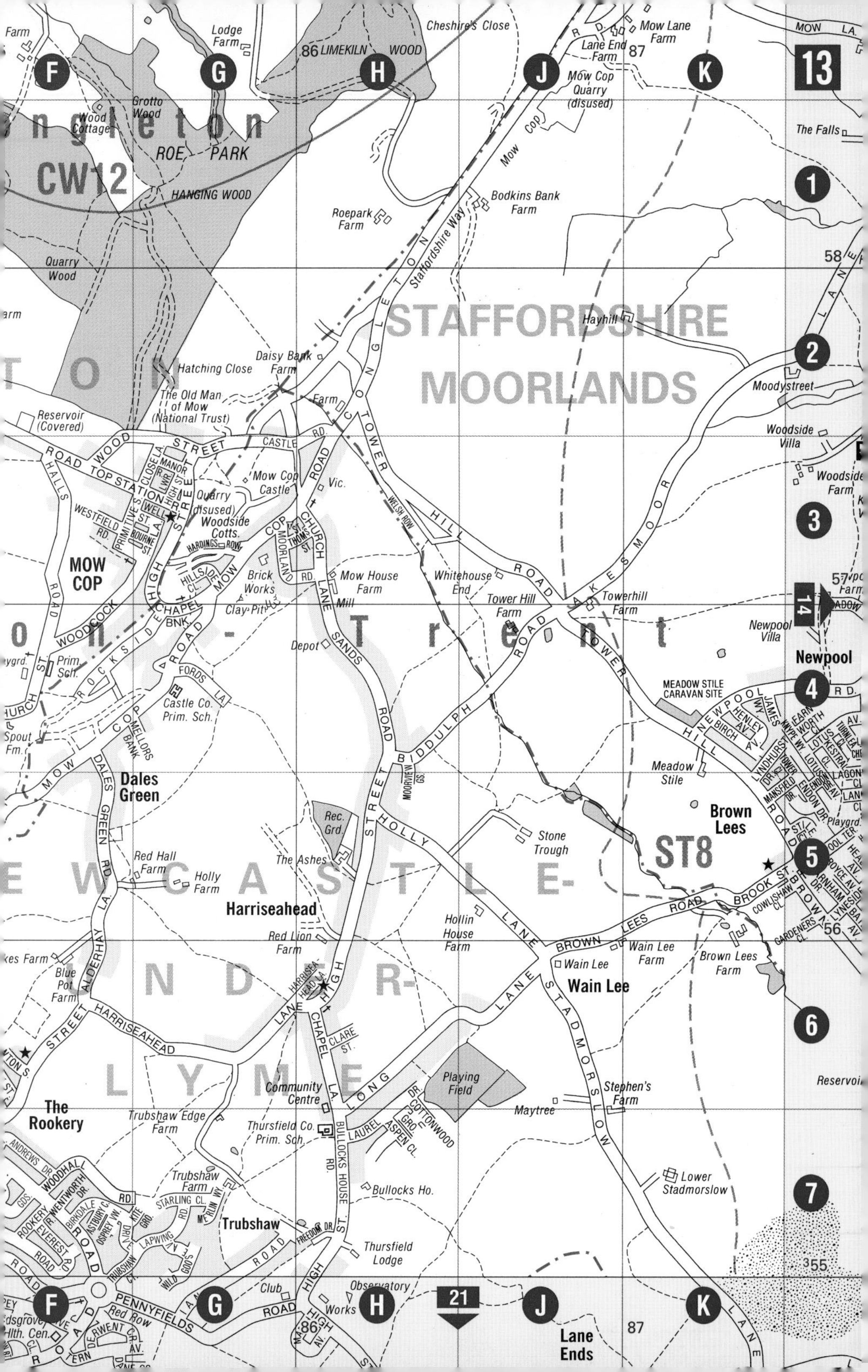
Lodge Farm
LIMEKILN WOOD
Cheshire's Close
Mow Lane Farm
Lane End Farm
Mow Cop Quarry (disused)
Grotto Wood
Wood Cottage
ROE PARK
HANGING WOOD
CW12
Congleton
The Falls
Bodkins Bank Farm
Roepark Farm
Quarry Wood
Staffordshire Way
STAFFORDSHIRE MOORLANDS
Hayhill
Daisy Bank Farm
Hatching Close
The Old Man of Mow (National Trust)
Reservoir (Covered)
Moodystreet
Woodside Villa
Woodside Farm
Mow Cop Castle
Quarry (disused)
Woodside Cotts.
MOW COP
Brick Works
Clay Pit
Mow House Farm
Mill
Whitehouse End
Tower Hill Farm
Towerhill Farm
Newpool Villa
Newpool
Depot
Castle Co. Prim. Sch.
Prim. Sch.
Spout Fm.
MEADOW STILE CARAVAN SITE
Meadow Stile
Dales Green
Brown Lees
Rec. Grd.
The Ashes
Stone Trough
ST8
Red Hall Farm
Holly Farm
Harriseahead
Hollin House Farm
Red Lion Farm
Wain Lee Farm
Wain Lee
Brown Lees Farm
Blue Pot Farm
Playing Field
Community Centre
Maytree
Stephen's Farm
Reservoir
The Rookery
Trubshaw Edge Farm
Thursfield Co. Prim. Sch.
Lower Stadmorslow
Trubshaw Farm
Bullocks Ho.
Trubshaw
Thursfield Lodge
Club
Observatory
Works
Red Row
Lane Ends
MOW LA.
HIGH ST.
CASTLE RD.
CONGLETON ROAD
TOWER HILL ROAD
AKESMOOR LANE
BIDDULPH ROAD
SANDS ROAD
HOLLY LANE
BROWN LEES ROAD
BROOK ST.
STADMORSLOW LANE
HARRISEAHEAD LANE
CHAPEL LA.
LONG LANE
BULLOCKS HOUSE RD.
WOODHALL RD.
PENNYFIELDS ROAD
NEWPOOL RD.
NEWPOOL HILL
WOODCOCK ROAD
ROCKSIDE
MOW COP ROAD
DALES GREEN RD.
ALDERHAY LA.
WELSH ROW
ROAD TOP STATION ST.
WOOD STREET
FREEDOM DR.
LAUREL GRO.
ASPEN CL.
COTTONWOOD DR.
STARLING CL.
LAPWING
86
87
58
57
56
55
14
21
F G H J K
1 2 3 4 5 6 7

INSET
13
22
A
B
C
D
E
1
2
3
4
5
6
7
88
89
58
57
56
55
ST8
BIDDULPH
Gillow Heath
Playing Field
Biddulph Mining & Pottery Works
Mow Lane
The Falls
Halls Road
Sandsdown Cl.
Wedgwood La.
Linden Dr.
Washington Cl.
Smithy Lane
Grange Ct.
Congleton Road
A527
Woodhouse Cotts.
Park Lodge
Woodhouse Lane
Sprink Farm
The Uplands
Uplands Mill
Bollin Grove
Nettlebeds Lodge
Carriage Drive
Crossways
Moor Cl.
Firwood Rd.
Pennine Way
Pumping Station
Oxhey County First Sch.
Thames Drive
Swim. Pool
Gasholder
Farm
Albion Mills
Station Road
Devon Gro.
Norfolk Gro.
Potters End
Hollylane
Akesmoor Lane
Coopers Wy.
Crofters
Craigside
Moodystreet
Woodside Villa
Woodside Farm
Knypersley View Farm
Bowling Grn.
T.H.
Kingsfield Co. First Sch.
High St.
Wharf
Lib.
Colliers Wy.
West St.
John Street
Shaw Rec. Grd.
Slater St.
Knowle Rd.
Villa Cl.
Youth Centre
English Martyrs R. C. Prim. Sch.
Play. Fld.
Church Cl.
Trent Gro.
Queen's Dr.
Edgeley Rd.
Appleton Cl.
Springfield
Lord St.
Cornfield Rd.
Bluebell Close
Swallow Wlk.
Dennison Wk.
The Coppice
The Nursery
Braddocks Hay
Firwood House
Biddulph Brook
Moorland Road
Wickenstones Farm
Wicken Stones
STAFFORDSHIRE MOORLANDS
Knowle Style
Newpool Farm
Newpool Villa
Newpool
Meadow Side Road
The Meadows School
Park Co. Middle Sch.
Castle Close
Lynmouth
Mayfield
Park Lane
Squirrel Hayes
Squirrel Hayes Farm
Rock End
Park Lane Farm
Hill Farm
Knypersley First Sch.
Crossfield Av.
Conway
Harlech Dr.
Denbigh Cl.
Orme Rd.
Biddulph Co. High Sch.
Menai Dr.
Gwyn Av.
Nevin Av.
Colwyn
Hayes Road
Bowling Green
Tennis Court
Pav.
Knypersley Hall
Fish Pond
Hall Sports Grd.
Knypersley
Stoke-on-Trent
Brown Lees
Brook St.
Newpool Rd.
Coronation Av.
Tunstall Road
Power Wash Trad. Est.
Tunstall Road Ind. Est.
Forge Way Ind. Est.
Sports Ground
Mill Hayes
Mill Hayes Road
Brown Lees Farm
Reservoirs
Victoria Row
Childerplay New Farm
Knypersley Park
The Oaklands
Woodlands
Knypersley End
Plankhollow Wood
Tinker's Clough
Knypersley Wood
The Greenway Wood
The Serpentine
Greenway Bank Country Park
Warder's Tower
Knypersley Reservoir
Greenway Bank
Greenway
Childerplay
Childerplay Rd.
New Buildings
Bemersley Road
Depot
Ivy Cottages
Mill Pond
Brindley Ford

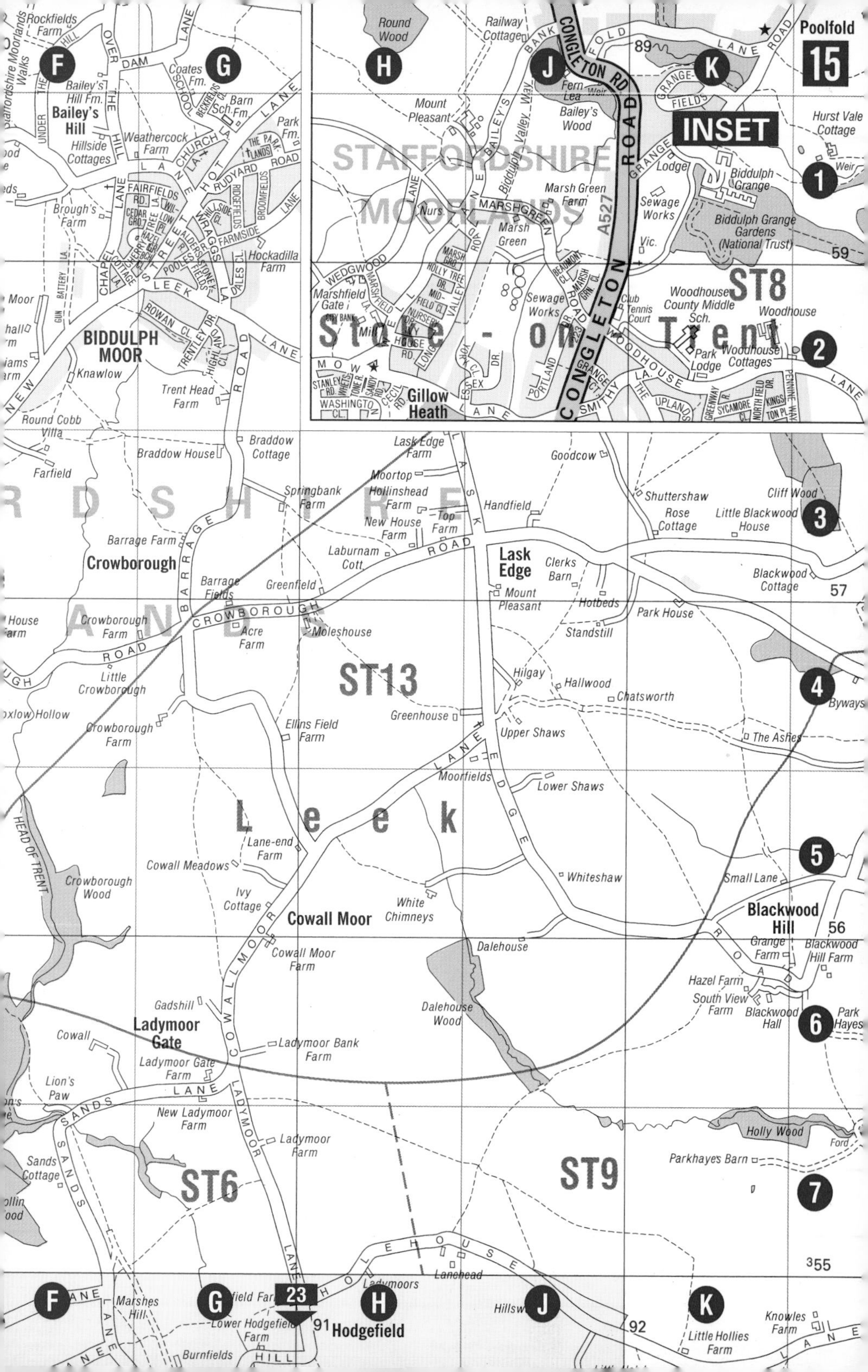

15
Poolfold
INSET
F
G
H
J
K
1
2
3
4
5
6
7
59
57
56
355
89
91
92
23
Rockfields Farm
Staffordshire Moorlands Walks
Bailey's Hill Fm.
Bailey's Hill
Hillside Cottages
Over The Hill
Under The Hill
Dam Lane
Coates Fm.
School Lane
Barn Sch. Fm.
Weathercock Farm
Church La.
Park Fm.
The Park Lands
Hot Lane
Rudyard Road
Fairfields Rd.
Cedar Gro.
Tree La.
Willow Pl.
Hillside Cl.
Ridgefields
Broomfields
Wraggs
Farmside
Alderstone Fields
Pooles Rd.
Chapel Lane
Cottage La.
Street
Leek Lane
Dales Cl.
Hockadilla Farm
Brough's Farm
Battery La.
Gun
Moor
Biddulph Moor
Rowan Cl.
Trentley Dr.
Highland Cl.
Knawlow
New
Trent Head Farm
Round Cobb Villa
Farfield
Braddow House
Braddow Cottage
Road
Round Wood
Railway Cottage
Bank
Congleton Rd
Fold
Lane
Road
Grange-fields
Fern Lea
Weir
Bailey's Wood
Mount Pleasant
Bailey's
Biddulph Valley Way
Staffordshire Moorlands
Hurst Vale Cottage
Grange
Lodge
Biddulph Grange
Biddulph Grange Gardens (National Trust)
Sewage Works
Marsh Green Farm
A527
Nurs.
Marshgreen
Marsh Green
Vic.
Wedgwood
Marshfield Gate
Marsh Gro.
Holly Tree Dr.
Mid-field Cl.
Nursery Dr.
Valley
ST8
Woodhouse County Middle Sch.
Woodhouse
Club Tennis Court
Beaumont Cl.
Marsh Grn. Cl.
Sewage Works
Stoke - on - Trent
Mill
Ivy House Rd.
Long
Park Lodge
Woodhouse Cottages
Woodhouse
Mow
Stanley Rd.
Whetstone R.
Sandy Rd.
Cecil Rd.
Gillow Heath
Washington Cl.
Essex
York Cl.
Portland
Grange Ct.
Smithy La.
The Uplands
Greenway R.
Sycamore Cl.
North Field Dr.
Kingston Pl.
Pennine Way
Congleton
Lane
Lask Edge Farm
Goodcow
Moortop
Hollinshead Farm
Springbank Farm
New House Farm
Top Farm
Handfield
Shuttershaw
Rose Cottage
Cliff Wood
Little Blackwood House
Barrage Farm
Crowborough
Laburnam Cott.
Road
Lask Edge
Clerks Barn
Blackwood Cottage
Barrage Fields
Greenfield
Mount Pleasant
Hotbeds
Park House
House Farm
Crowborough Farm
Crowborough
Acre Farm
Moleshouse
Standstill
Road
Little Crowborough
ST13
Hilgay
Hallwood
Chatsworth
Byways
Oxlow Hollow
Greenhouse
Upper Shaws
Crowborough Farm
Ellins Field Farm
The Ashes
Moorfields
Lower Shaws
Head of Trent
Leek
Lane-end Farm
Cowall Meadows
Whiteshaw
Small Lane
Crowborough Wood
Ivy Cottage
White Chimneys
Cowall Moor
Blackwood Hill
Cowall Moor Farm
Dalehouse
Grange Farm
Blackwood Hill Farm
Hazel Farm
South View Farm
Blackwood Hall
Park Hayes
Gadshill
Dalehouse Wood
Ladymoor Gate
Cowall
Cowallmoor
Ladymoor Bank Farm
Ladymoor Gate Farm
Lion's Paw
Lane
Sands
New Ladymoor Farm
Ladymoor
Holly Wood
Ford
Ladymoor Farm
Sands Cottage
Parkhayes Barn
ST6
ST9
Holehouse
Lanehead
Ladymoors
Marshes Hill
Lower Hodgefield Farm
Hodgefield
Hillsw
Burnfields
Hill
Knowles Farm
Little Hollies Farm

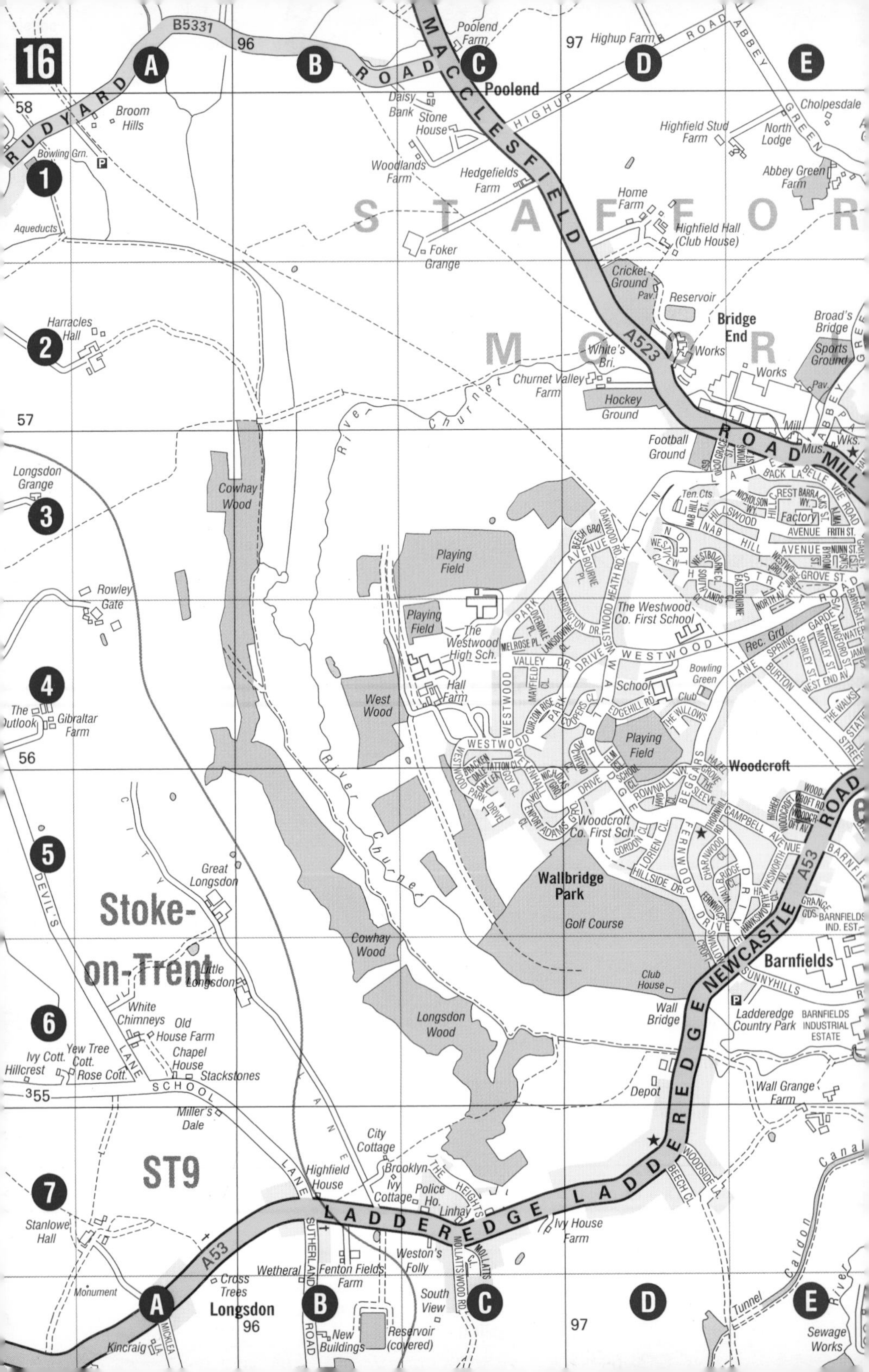
A
B
C
D
E
1
2
3
4
5
6
7
B5331
RUDYARD ROAD
MACCLESFIELD ROAD
A523
Poolend Farm
Poolend
Highup Farm
HIGHUP ROAD
ABBEY GREEN
Broom Hills
Bowling Grn.
Aqueducts
Daisy Bank
Stone House
Woodlands Farm
Hedgefields Farm
Highfield Stud Farm
North Lodge
Chorlpesdale
Abbey Green Farm
Home Farm
Highfield Hall (Club House)
Foker Grange
STAFFORDSHIRE MOORLANDS
Cricket Ground
Pav.
Reservoir
Bridge End
Works
Broad's Bridge
Sports Ground
Harracles Hall
White's Bri.
Churnet Valley Farm
Hockey Ground
River Churnet
Mill
Mus.
Wks.
Football Ground
ROAD MILL
Longsdon Grange
Cowhay Wood
Playing Field
The Westwood High Sch.
Hall Farm
West Wood
Rowley Gate
The Outlook
Gibraltar Farm
The Westwood Co. First School
Ten.Cts.
Factory
School
Bowling Green
Club
Rec. Grd
WESTWOOD
Woodcroft
Woodcroft Co. First Sch.
Wallbridge Park
Golf Course
Club House
Wall Bridge
NEWCASTLE ROAD
A53
Barnfields
BARNFIELDS IND. EST.
BARNFIELDS INDUSTRIAL ESTATE
Ladderedge Country Park
Wall Grange Farm
Depot
Great Longsdon
Stoke-on-Trent
Little Longsdon
White Chimneys
Old House Farm
Chapel House
Stackstones
Ivy Cott.
Yew Tree Cott.
Hillcrest
Rose Cott.
DEVIL'S LANE
SCHOOL LANE
Miller's Dale
ST9
City Cottage
Highfield House
Brooklyn
Ivy Cottage
Police Ho.
Linhay
THE HEIGHTS
LADDEREDGE
Ivy House Farm
Stanlowe Hall
Weston's Folly
Wetheral
Fenton Fields Farm
Monument
Cross Trees
Longsdon
South View
SUTHERLAND ROAD
MOLLATTS WOOD RD.
Kincraig
MICKLEA LA.
New Buildings
Reservoir (covered)
Tunnel
Caldon Canal
River
Sewage Works
Cowhay Wood
Longsdon Wood
WOODSIDE LA.
BEECH CL.
58
57
56
355
96
97

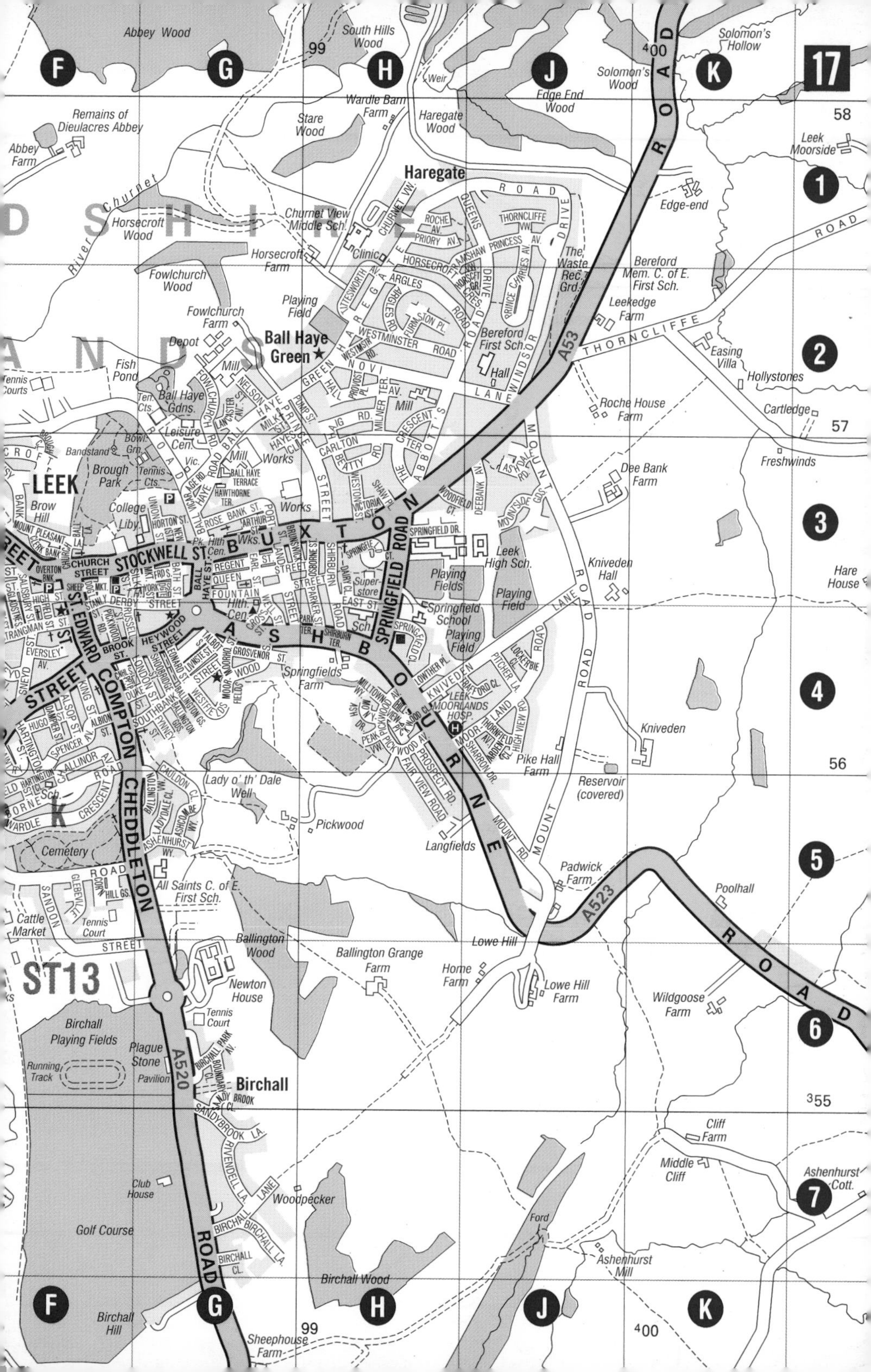

Abbey Wood
South Hills Wood
Solomon's Hollow
Solomon's Wood
Edge End Wood
Weir
Wardle Barn Farm
Haregate Wood
Stare Wood
Remains of Dieulacres Abbey
Abbey Farm
Leek Moorside
Haregate
Edge-end
River Churnet
Churnet View Middle Sch.
Horsecroft Wood
Horsecroft Farm
Clinic
Fowlchurch Wood
Fowlchurch Farm
Playing Field
The Waste Rec. Grd.
Bereford Mem. C. of E. First Sch.
Leekedge Farm
Bereford First Sch.
Ball Haye Green
Depot
Fish Pond
Tennis Courts
Ball Haye Gdns.
Mill
Hall
Easing Villa
Hollystones
THORNCLIFFE
Roche House Farm
Cartledge
Freshwinds
Leisure Cen.
Bandstand
Brough Park
LEEK
Brow Hill
College Liby.
Works
Dee Bank Farm
Leek High Sch.
Playing Fields
Kniveden Hall
Hare House
STOCKWELL ST
BUXTON ROAD
ASHBOURNE
SPRINGFIELD ROAD
Super-store
Springfield School
Springfields Farm
LEEK MOORLANDS HOSP.
Kniveden
Pike Hall Farm
Reservoir (covered)
Lady o' th' Dale Well
Pickwood
Langfields
Cemetery
Padwick Farm
Poolhall
A523
A53
All Saints C. of E. First Sch.
Cattle Market
Tennis Court
Ballington Wood
Ballington Grange Farm
Lowe Hill
Home Farm
Lowe Hill Farm
ST13
Newton House
Wildgoose Farm
Birchall Playing Fields
Running Track
Plague Stone
Pavilion
A520
Birchall
Cliff Farm
Middle Cliff
Ashenhurst Cott.
Club House
Woodpecker
Golf Course
Ford
Ashenhurst Mill
Birchall Wood
Birchall Hill
Sheephouse Farm
CHEDDLETON ROAD
COMPTON
ST. EDWARD STREET
F
G
H
J
K
1
2
3
4
5
6
7
99
400
58
57
56
355

Moss Cottage
Works
Oak Lodge
Cranberry Moss
CLOSE
78
Playgrd.
CORONATION
LANE
Jane Maddock Homes
Farfield
6
Weir
79
DUNHAM
BEESTON DR.
SWETTENHAM
HALL DR.
Prim. Sch.
CEDAR
Hall
Playing Field
ROAD
AVENUE
A
B
C
D
E
355
WHITE MOSS
Mill Pond
Mill House
Alsager Hall
Home Farm
Brookhouse Farm
Lane-ends Farm
B5077
CREWE
The Hall
Garden Centre
White Moss
Works
C O N G
Bankhouse Farm
BUTTERTON LANE
ROAD
Radway Green Fm.
B5077
ROYAL ORDNANCE (ammunitions)
Radway Green
GREEN
GARSIDE
LANE
Crewe
Alsager Sprink
54
Rose-Trees Farm
Bank Top
RADWAY
B5078
CREWE & NANTWICH
Foxley Farm
Stoke
Toad Hole Farm
Lower Foxley
Scotts Green
Flash House
CW2
Foxley Farm
53
RADWAY
B5078
Foxley Drumble
Foxley Gorse (Fox Covert)
N E W C
High Foxley Farm
Brockwood Hill Farm
M6
GREEN
ROAD
Eardleyend
U N
Park Manor Farm
A500
A500
Brockwood Hill
Junction 16
MOTORWAY
The Gables
Millend
Corn Mill
MILLEND
Millend Cotts.
The Fields
L Y
LANE
HULLOC
Valley Farm
PARK LANE
Cross Farm
Workhouse Cotts.
52
Domvilles Wood
Brook Farm
Brooklands Farm
Bayley-Lane Farm
Sewage Works
Park Lane Farm
BARTHOMLEY
Yewtree Farm
Park End
Domvilles Farm
24
78
Moat Farm
Park Farm
79
LANE
Townhouse
ROAD
ALSAGER
1
2
3
4
5
6
7

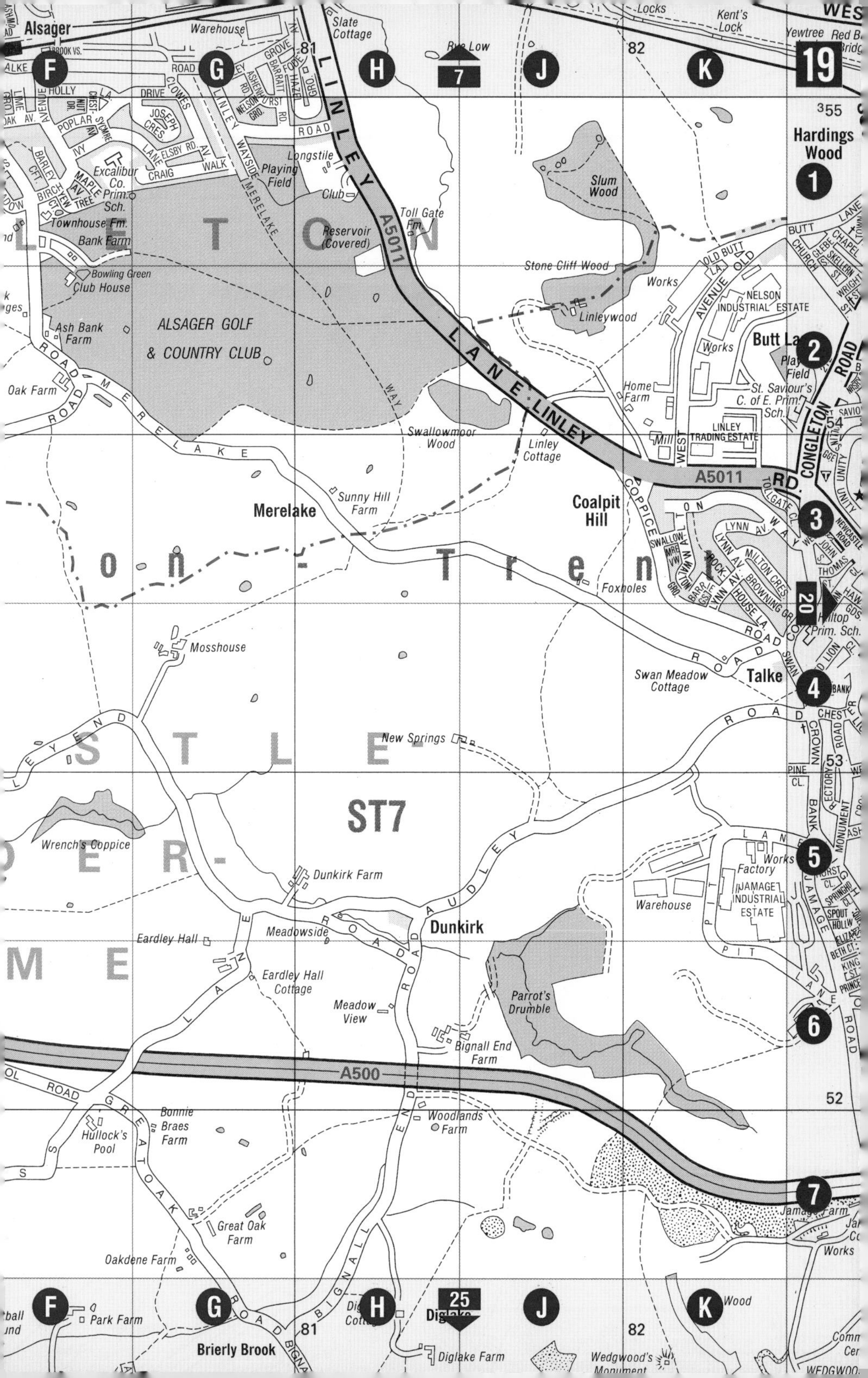
19
Alsager
Warehouse
Slate Cottage
Rye Low
7
Locks
Kent's Lock
Yewtree
Red Bull Bridge
F
G
H
J
K
81
82
Hardings Wood
Longstile
Playing Field
Club
Excalibur Co. Prim. Sch.
Townhouse Fm.
Bank Farm
Reservoir (Covered)
Toll Gate Fm.
Slum Wood
Stone Cliff Wood
Linleywood
Works
Nelson Industrial Estate
Butt Lane
Play Field
St. Saviour's C. of E. Prim. Sch.
Home Farm
Mill
Linley Trading Estate
A5011
LINLEY LANE
CONGLETON RD.
Bowling Green Club House
Ash Bank Farm
ALSAGER GOLF & COUNTRY CLUB
Oak Farm
MERELAKE ROAD
Swallowmoor Wood
Linley Cottage
Coalpit Hill
Sunny Hill Farm
Merelake
Foxholes
20
Hilltop Prim. Sch.
Talke
Swan Meadow Cottage
Mosshouse
New Springs
ST7
Wrench's Coppice
Dunkirk Farm
Factory
Jamage Industrial Estate
Warehouse
Eardley Hall
Meadowside
Dunkirk
Eardley Hall Cottage
Meadow View
Parrot's Drumble
Bignall End Farm
A500
Bonnie Braes Farm
Hullock's Pool
Woodlands Farm
Great Oak Farm
Oakdene Farm
Jamage Farm
Works
Park Farm
Brierly Brook
Diglake
25
Wood
Diglake Farm
Wedgwood's Monument
55
54
53
52
1
2
3
4
5
6
7

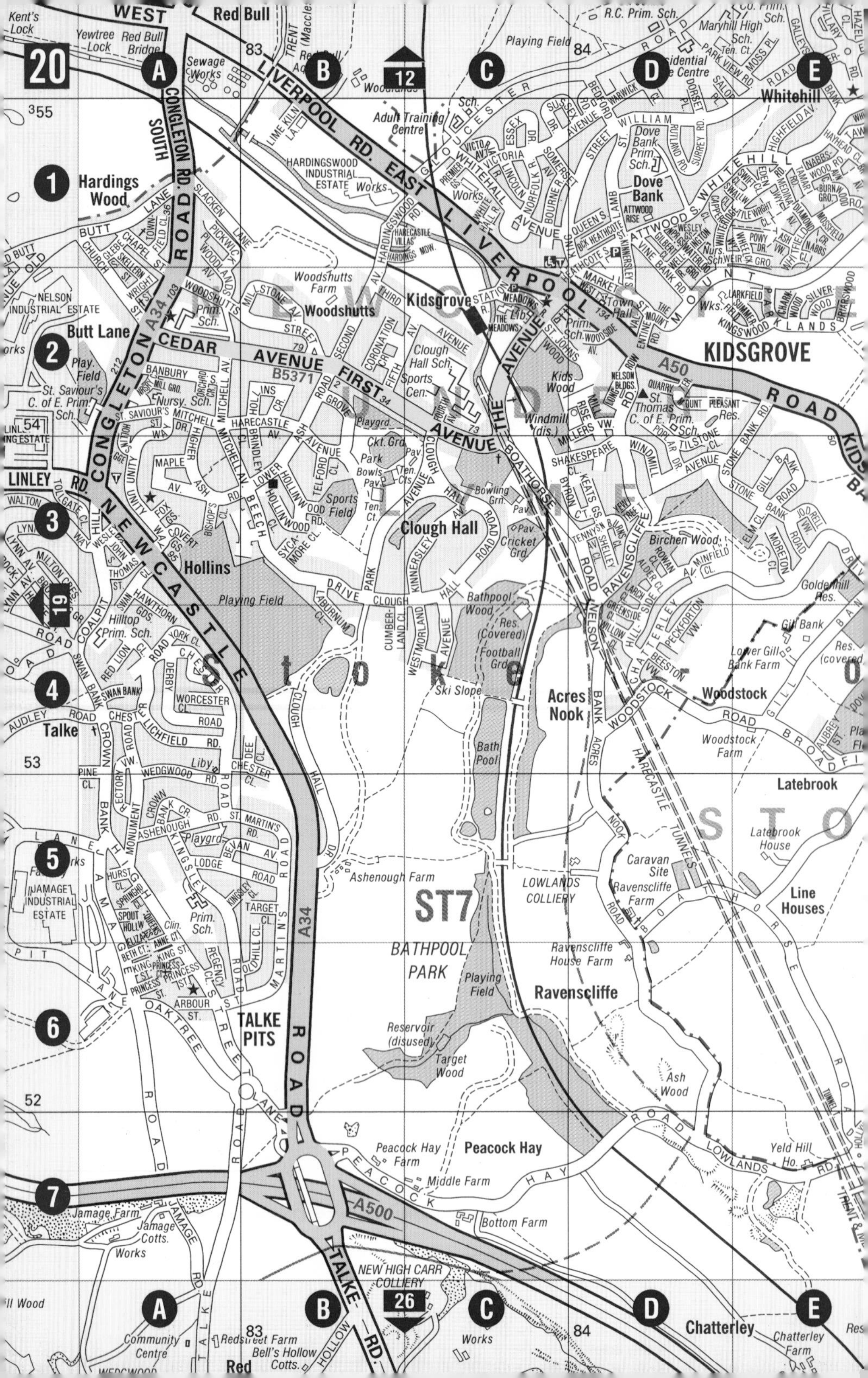

KIDSGROVE
Kidsgrove
Hardings Wood
Butt Lane
Woodshutts
Clough Hall
Hollins
Talke
TALKE PITS
LINLEY
Dove Bank
Whitehill
Acres Nook
Woodstock
Latebrook
Line Houses
Ravenscliffe
Peacock Hay
Chatterley
BATHPOOL PARK
ST7
LIVERPOOL RD. EAST
LIVERPOOL ROAD
CONGLETON RD.
NEWCASTLE ROAD
CEDAR AVENUE
FIRST AVENUE
THE AVENUE
A34
A50
A500
B5371
HARDINGSWOOD INDUSTRIAL ESTATE
NELSON INDUSTRIAL ESTATE
JAMAGE INDUSTRIAL ESTATE
Clough Hall Sch.
Sports Cen.
Kids Wood
Birchen Wood
Bathpool Wood
Bath Pool
Ski Slope
Football Grd.
Cricket Grd.
LOWLANDS COLLIERY
NEW HIGH CARR COLLIERY
HARECASTLE TUNNELS
Reservoir (disused)
Target Wood
Ash Wood
Ashenough Farm
Woodshutts Farm
Ravenscliffe Farm
Ravenscliffe House Farm
Peacock Hay Farm
Middle Farm
Bottom Farm
Jamage Farm
Jamage Cotts.
Woodstock Farm
Latebrook House
Lower Gill Bank Farm
Gill Bank
Goldenhill Res.
Yeld Hill Ho.
Chatterley Farm
Redstreet Farm
Bell's Hollow Cotts.
Community Centre
Caravan Site
Sewage Works
Red Bull
Red Bull Bridge
Yewtree Lock
Kent's Lock
Adult Training Centre
Playing Field
Hilltop Prim. Sch.
St. Saviour's C. of E. Prim. Sch.
St. Thomas C. of E. Prim. Sch.
Dove Bank Prim. Sch.
Woodshutts Prim. Sch.
Windmill (dis.)
Town Hall
A B C D E
1 2 3 4 5 6 7
83 84
355 54 53 52
12 19 26

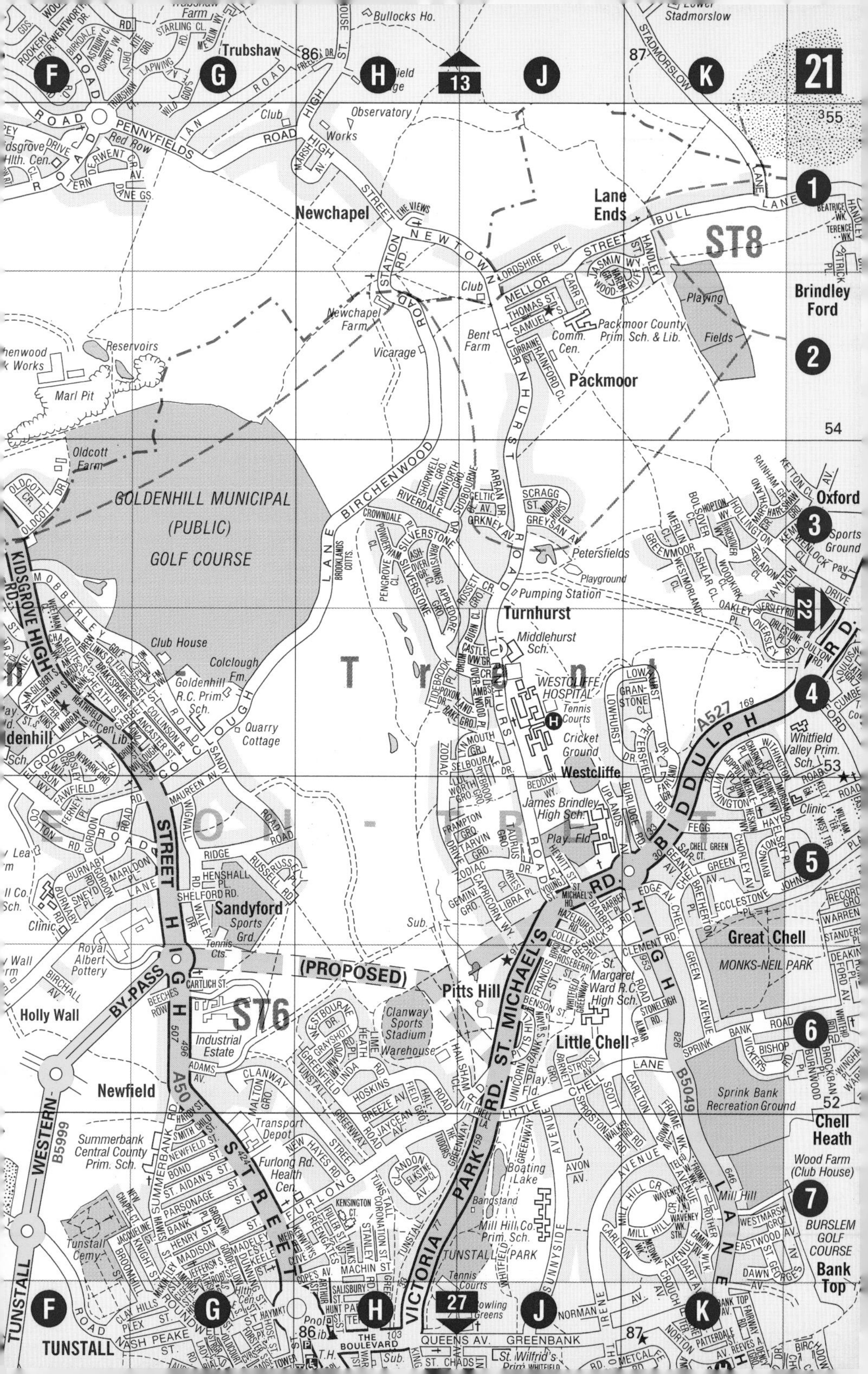

Trubshaw
Newchapel
Lane Ends
ST8
Brindley Ford
Packmoor
Oxford
Turnhurst
Westcliffe
GOLDENHILL MUNICIPAL (PUBLIC) GOLF COURSE
Sandyford
Great Chell
MONKS-NEIL PARK
Pitts Hill
Little Chell
ST6
Newfield
Holly Wall
Sprink Bank Recreation Ground
Chell Heath
BURSLEM GOLF COURSE
Bank Top
Mill Hill
TUNSTALL
TUNSTALL PARK
Clanway Sports Stadium
Industrial Estate
(PROPOSED)
WESTCLIFFE HOSPITAL
James Brindley High Sch.
Packmoor County Prim. Sch. & Lib.
Middlehurst Sch.
Whitfield Valley Prim. Sch.
St. Margaret Ward R.C. High Sch.
Mill Hill Co. Prim. Sch.
Summerbank Central County Prim. Sch.
Goldenhill R.C. Prim. Sch.
Furlong Rd. Health Cen.
Tunstall Cemy.
Royal Albert Pottery
Reservoirs
Marl Pit
Oldcott Farm
Club House
Colclough Fm.
Quarry Cottage
Newchapel Farm
Bent Farm
Vicarage
Observatory
Bullocks Ho.
Lower Stadmorslow
Petersfields
Playground
Pumping Station
Playing Fields
Cricket Ground
Boating Lake
Bandstand
Bowling Greens
Tennis Courts
Transport Depot
Wood Farm (Club House)
KIDSGROVE HIGH RD.
HIGH STREET
BIRCHENWOOD LANE
TURNHURST ROAD
NEWTOWN
BULL LANE
BIDDULPH RD.
HIGH LANE
VICTORIA PARK RD.
ST. MICHAEL'S RD.
WESTERN BY-PASS
STADMORSLOW LANE
PENNYFIELDS ROAD
A527
A50
B5049
B5999
F
G
H
J
K
1
2
3
4
5
6
7
13
22
27
86
87
355
54
53
52

A
B
C
D
E
14
21
28
ST8
ST6
Brindley Ford
Bemersley Green
Depot
Greenway Bank
KNYPERSLEY RESERVOIR
The Oaklands
Ivy Cotts.
Mill Pond
Knypersley Mill
Dallows Wood
Dallows Cottage
Rushymoor Wood
Tongue Lane Farm
Pond
Brook House
Stanley Fields
Ridgeway Hall
Outclough Wood
Oxford
Sports Ground
Ridgeway
Outclough
Yew Tree Farm
Old Woodhouse Farm
Canal Feeder
Ten Courts
Bowling Green
Whitfield Valley Prim. Sch.
Stoke-
Whitfield Cotts.
Whitfield
Fegg Hayes
Clinic
Whitfield Fm.
Pear Tree Farm
Ball Green
Fir Tree Farm
Great Chell
MONKS-NEIL PARK
Ball Green Co. Prim. Sch.
Cornhill
Norton Green
Lower Flatts Farm
Burnwood Nursy. Sch.
Adamscroft Farm
Club
Library
Sprink Bank Recreation Ground
Chell Heath
Burnwood Co. High Sch.
Bowling Green
Duke Bank
Wood Farm (Club House)
BURSLEM GOLF COURSE
Norton-in-the-Moors
Bank Top
TUNSTALL RD.
OUTCLOUGH RD.
ROAD
A527
BIDDULPH
BEMERSLEY
GREENWAY
PECK MILL LANE
BEMERSLEY ROAD
TONGUE LANE
WHITFIELD ROAD
WOODHOUSE LANE
HEAD OF TRENT
CHELL HEATH ROAD
OXFORD ROAD
JOHNSON PLACE
BALL HAYES RD.
KNYPERSLEY ROAD
ENDON RD.
B5051
BARKS DRIVE
NORTON LANE
Engine Cottage

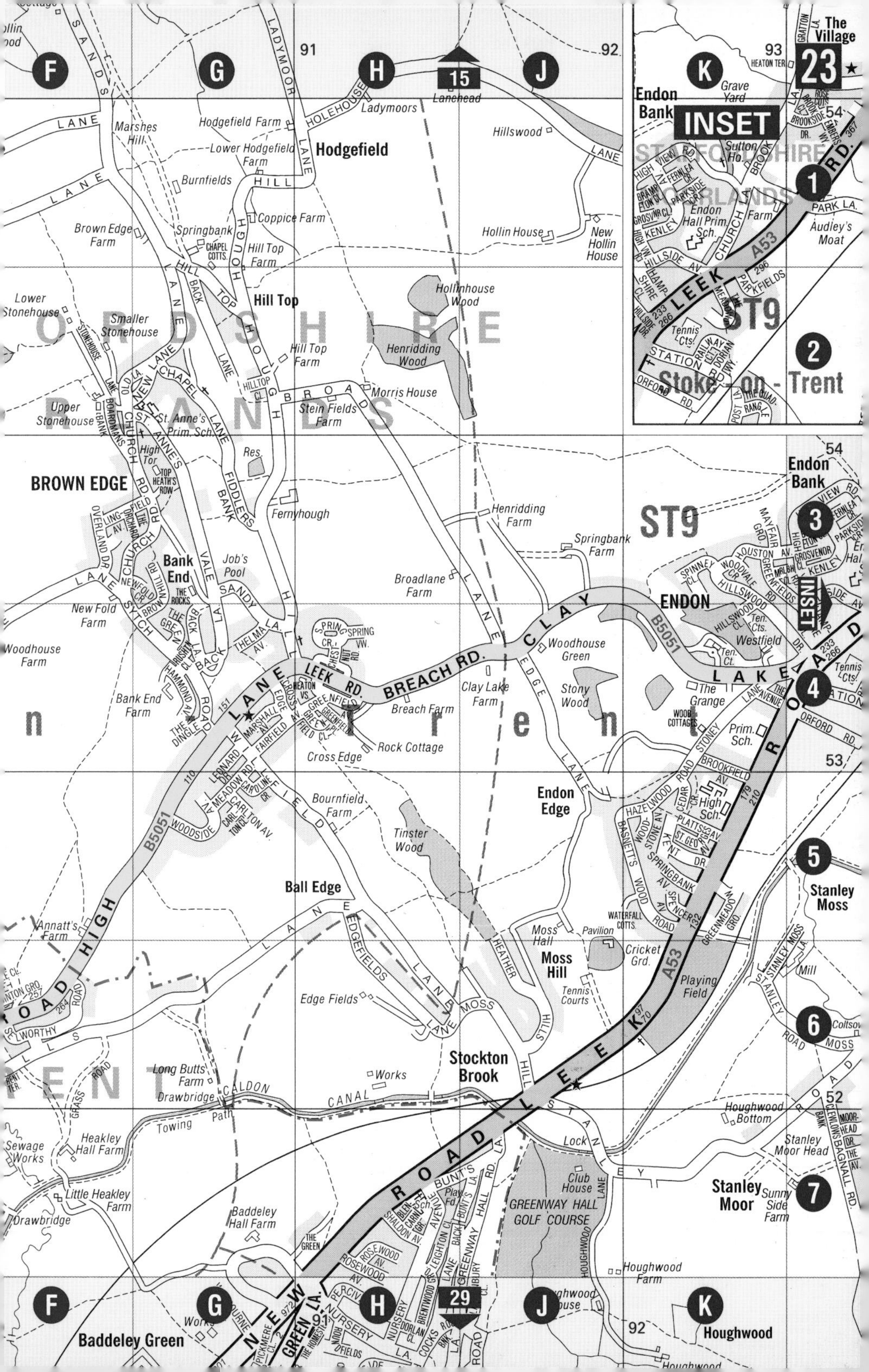

23
15
29
INSET
F
G
H
J
K
91
92
93
54
53
52
1
2
3
4
5
6
7
ST9
STAFFORDSHIRE MOORLANDS
Stoke-on-Trent
Endon Bank
The Village
Grave Yard
Sutton Ho.
Endon Hall Prim. Sch.
Audley's Moat
LEEK RD.
A53
Hodgefield
Hodgefield Farm
Lower Hodgefield Farm
Ladymoors
Lanehead
Hillswood
Marshes Hill
Burnfields
Coppice Farm
Brown Edge Farm
Springbank
Hill Top Farm
Hollin House
New Hollin House
Hollinhouse Wood
Lower Stonehouse
Smaller Stonehouse
Hill Top
Henridding Wood
Morris House
Stein Fields Farm
Upper Stonehouse
St. Anne's Prim. Sch.
High Tor
Res.
BROWN EDGE
Fernyhough
Henridding Farm
Springbank Farm
Bank End
Job's Pool
Broadlane Farm
New Fold Farm
ENDON
Woodhouse Farm
Woodhouse Green
Westfield
Stony Wood
Clay Lake Farm
Breach Farm
BREACH RD.
CLAY LAKE
B5051
Bank End Farm
The Grange
Prim. Sch.
Rock Cottage
Cross Edge
Bournfield Farm
Endon Edge
High Sch.
Tinster Wood
Ball Edge
Stanley Moss
Annatt's Farm
Moss Hall
Pavilion
Moss Hill
Cricket Grd.
Playing Field
Mill
Edge Fields
Tennis Courts
Long Butts Farm
Works
Stockton Brook
Drawbridge
CALDON CANAL
Towing Path
Lock
Houghwood Bottom
Stanley Moor Head
Heakley Hall Farm
Sewage Works
Club House
Stanley Moor
Sunny Side Farm
Little Heakley Farm
Baddeley Hall Farm
GREENWAY HALL GOLF COURSE
Drawbridge
Houghwood Farm
Houghwood House
Baddeley Green
Houghwood
HIGH ROAD
LEEK ROAD
NEW LEEK ROAD

A
B
C
D
E
1
2
3
4
5
6
7
78
79
51
350
49
48
18
30
Park Lane Farm
Park End
Yewtree Farm
Works
ROAD
Domvilles Farm
BARTHOMLEY
Knowl End
M6
Mill Dale Farm
Birks Wood
Moat Farm
Park Farm
PARK LANE
Firs Farm
The Mount
New Peel Farm
Peel Cott.
MOAT
Cooper's Green
HOLLOW
West View
ROAD
Stoke
Townhouse
Pear Tree Farm
Comm. Cen.
ALSAGER
Cricket Grnd.
Pav.
Kent Hill Farm
Wall Farm
ROAD
98
177
31
WILBRAHAM'S WALK
CHURCH ST.
DEAN HOLLOW
Lib.
CHESTER
VERNON AV.
BARLEY FLDS.
CHAPEL LA.
CHURCH ROAD
WESTFIELD AV.
WESTFIELD
MEADOWSIDE
AV.
AVENUE
VERNON CL.
BOOTH ST.
NEW KING ST.
KELSALL WY.
DURBER CL.
KING ST.
QUEEN ST.
PRINCESS AV.
MELLARD ST.
GEORGE ST.
MADDOCK ST.
HOUGHER WALL
Old Pipe Farm
PEEL
The Quarry
Wereton
Beech Lea
Works
NANTWICH
B5500
Pool Cott.
Quarry New Farm
AUDLEY
Hougher Wall
Ryehill Farm
Waggon Cottages
Boughey's Mill
Limbrick Fm.
LIMBRICK RD.
CARR LA.
Carr Ho. Farm
Carr Poultry Farm
Greenbutts Ho.
WERETON
Dean Brook
NEWCASTLE
Jeffrons Heys
Shraley House
Shraleybrook
ROAD
M6 MOTORWAY
Dean Brook
Wynbank Farm
WERETON ROAD
SHRALEYBROOK
Bridge House
Yew Tree Cottage
Hillside Farm
Golden Hay Farm
ST7
Hollins Farm
Halmerend Hall
Yewtree
Halmer End
STATION
HOLDING CRES.
Play. Fie
Sir Thomas High S
Knowl Bank
Knowl Bank Farm
B5367
STATION WALKS
Chapel Farm
ROAD HIGH
3
28
4
31
81
Co-op
Bowl Grn.
Youth Club
Football Ground
WESLEY PL.
HARRISON CL.
Knowl Bank Farm
BOWHILL LA.
Bowhill Cott.
KNOWL BANK
Moss Lea
Minnie Farm
RED HALL LANE
M6
Hayes
CW3
Pheasant Hall
Craddocks Moss
Crewe
Works (disused)
Hayes Wood
The Bungalow
Craddocks Moss Farm
HEIGHLEY LA.
Heighley Farm
Heighley
Red Hall Farm

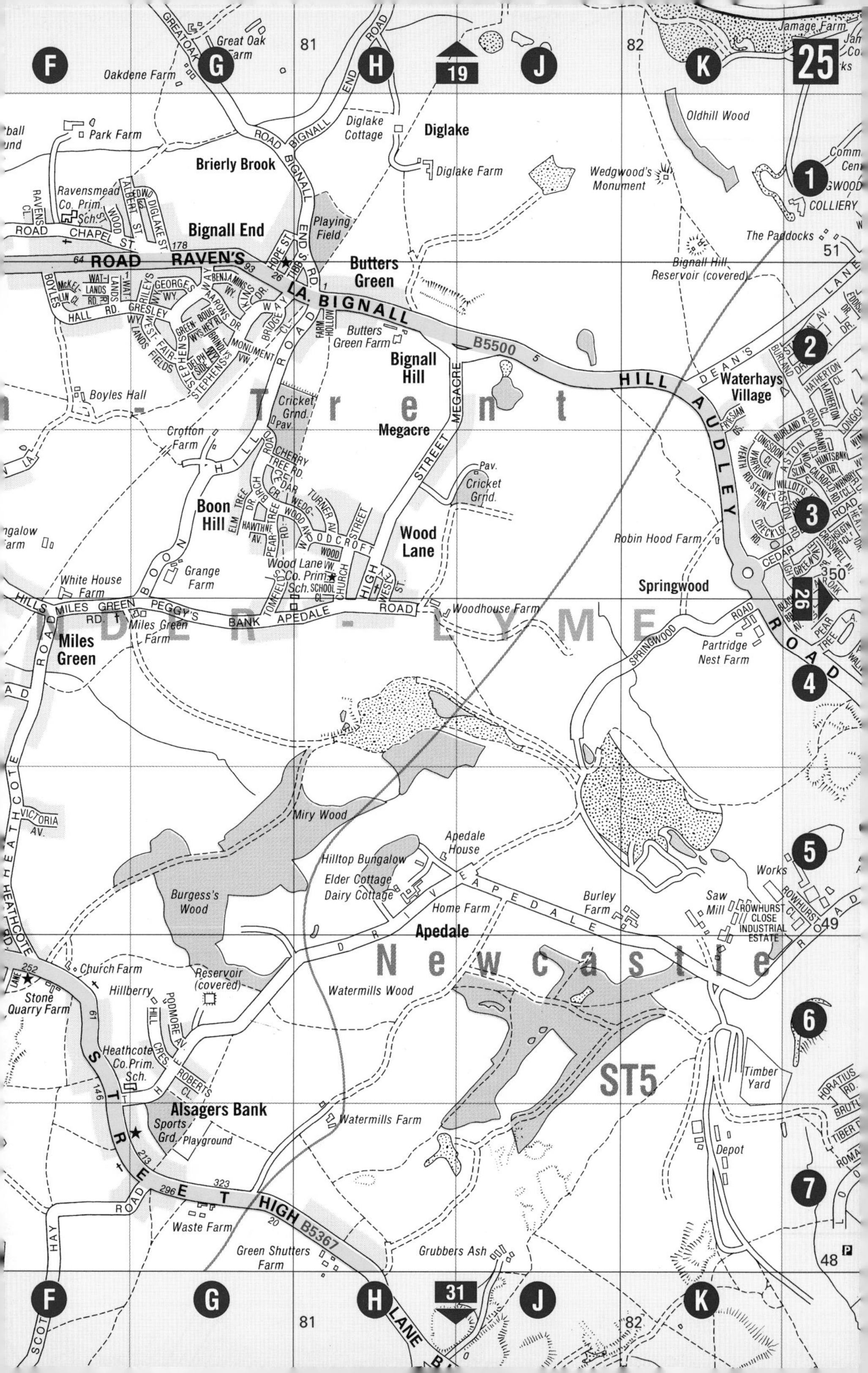

F
G
H
J
K
81
82
19
31
26
Great Oak Farm
Oakdene Farm
GREATOAK
Jamage Farm
Oldhill Wood
Park Farm
Diglake Cottage
Diglake
Diglake Farm
Brierly Brook
Wedgwood's Monument
Ravensmead Co. Prim. Sch.
Bignall End
Playing Field
The Paddocks
COLLIERY
Bignall Hill Reservoir (covered)
ROAD
CHAPEL ST.
ROAD
RAVEN'S
LA. BIGNALL
Butters Green
Butters Green Farm
B5500
Bignall Hill
HILL
AUDLEY
Waterhays Village
DEAN'S
Boyles Hall
Cricket Grnd.
Pav.
Megacre
MEGACRE
Crofton Farm
Boon Hill
BOON
Cricket Grnd.
Wood Lane
Wood Lane Co. Prim. Sch.
Robin Hood Farm
Grange Farm
White House Farm
Springwood
Woodhouse Farm
MILES GREEN
PEGGY'S
BANK
APEDALE
ROAD
Miles Green Farm
Miles Green
SPRINGWOOD
Partridge Nest Farm
HEATHCOTE
VICTORIA AV.
Miry Wood
Burgess's Wood
Apedale House
Hilltop Bungalow
Elder Cottage
Dairy Cottage
Home Farm
Burley Farm
Works
Saw Mill
ROWHURST CLOSE INDUSTRIAL ESTATE
Apedale
Newcastle
Church Farm
Hillberry
Reservoir (covered)
Stone Quarry Farm
Watermills Wood
PODMORE AV.
Heathcote Co. Prim. Sch.
ROBERTS CL.
Timber Yard
ST5
Alsagers Bank
Sports Grd.
Playground
Watermills Farm
Depot
STREET
HIGH
B5367
ROAD
Waste Farm
Green Shutters Farm
Grubbers Ash
HAY
SCOT
LANE

26
20
32
25
A
B
C
D
E
1
2
3
4
5
6
7
83
84
51
50
49
48
ST7
ST5
Jamage Farm
Jamage
Works
Bottom Farm
NEW HIGH CARR
COLLIERY
Chatterley
Chatterley Farm
Depot
Works
Clay Pit
A500
Community Centre
Redstreet Farm
Bell's Hollow Cotts.
Red Street
WEDGWOOD COLLIERY
The Paddocks
Mitchell's Wood Farm
High Carr Ho.
High Carr Farm
HIGH CARR BUSINESS PARK
High Carr
Bradwell Wood
St. Chad's C. of E. Prim. Sch.
Waterhays Village
NEWCASTLE-UNDER-LYME
TALKE ROAD
A34
PARKHOUSE INDUSTRIAL ESTATE EAST
Tileries
Bradwell Hall
Crackley
Depot
Warehouse
PARKHOUSE IND. EST. W.
Bradwell
Newcastle
Chesterton Co. Prim. Sch.
Beasley
Bradwell Co. Prim. Sch.
BRADWELL HOSPITAL
Recreation Ground
Partridge Nest Farm
AUDLEY ROAD
B5500
Rec. Grd.
Works
Chesterton
Chesterton Pk.
Swim. Pool
Tennis Courts
Chesterton Co. High Sch.
Saw Mill
ROWHURST CLOSE INDUSTRIAL ESTATE
Playing Field
WOLSTANTON RD.
DIMSDALE PARADE
B5369
Church Fields
Clinic
Nurs. Sch.
Play. Fld.
Broad Meadow
Timber Yard
LOOMER ROAD INDUSTRIAL ESTATE
Sports Grd.
Dimsdale Hall Farm
Club House
Dimsdale
WOLSTANTON GOLF COURSE
HOLDITCH IND. EST.
Chesterton Speedway Stadium
Hooters Hall Farm
RISTS INDUSTRIAL ESTATE
Sports
LIVERPOOL ROAD

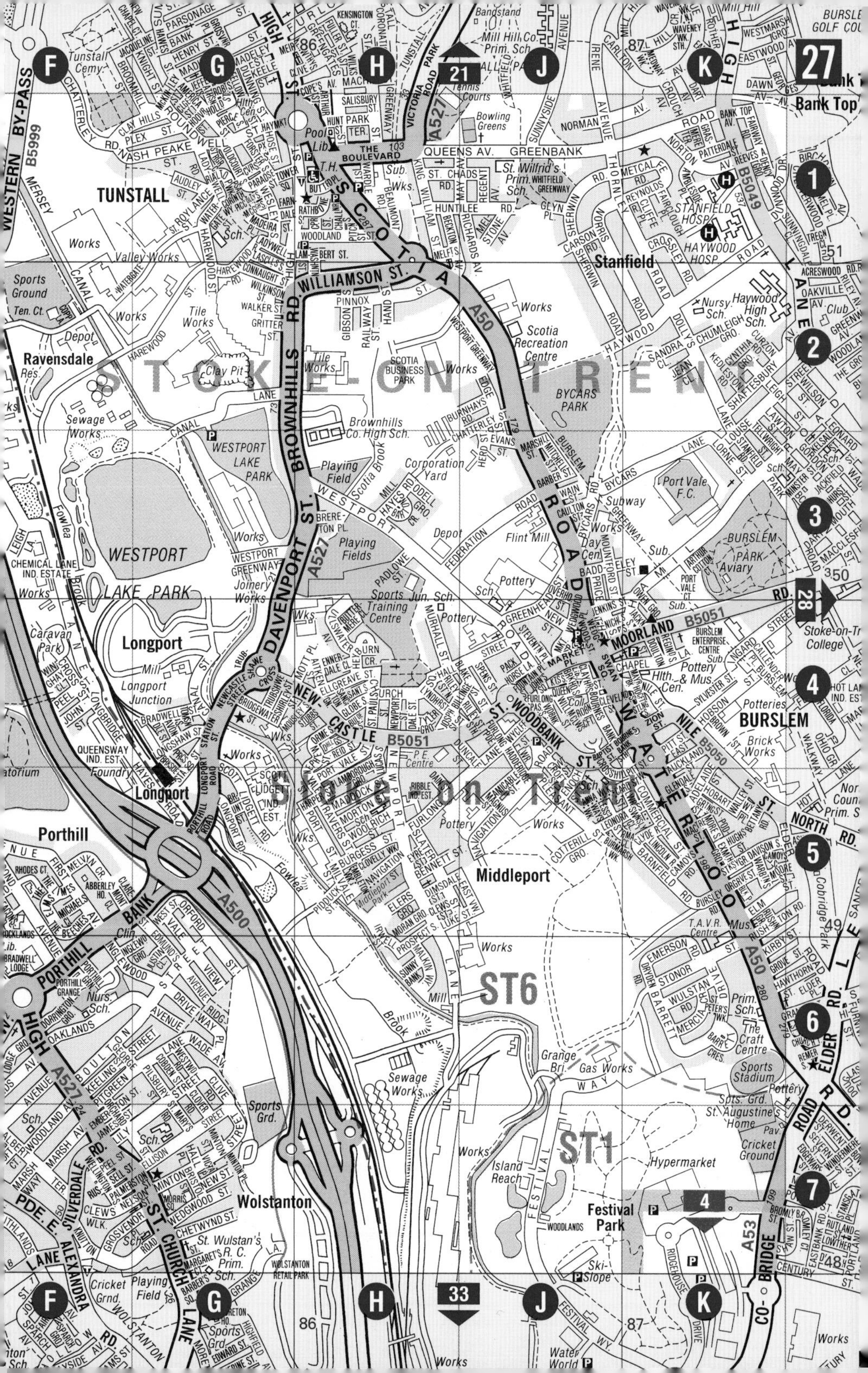

TUNSTALL
Stanfield
Ravensdale
WESTPORT LAKE PARK
Longport
Porthill
Middleport
BURSLEM
Wolstanton
Bank Top
STOKE-ON-TRENT
Stoke-on-Trent
ST6
ST1
Tunstall Cemy.
Stanfield Hosp.
Haywood Hosp.
Haywood High Sch.
Scotia Recreation Centre
Scotia Business Park
Bycars Park
Brownhills Co. High Sch.
Port Vale F.C.
Burslem Park
Aviary
Sports Training Centre
Burslem Enterprise Centre
Stoke-on-Trent College
Chemical Lane Ind. Estate
Queensway Ind. Est.
Longport Junction
Scott Lidgett Ind. Est.
Ribble Ind. Est.
Middleport Park
Sewage Works
Gas Works
Festival Park
Hypermarket
Ski-Slope
Island Reach
Water World
Sports Stadium
The Craft Centre
St. Augustine's Home
Cricket Ground
Wolstanton Retail Park
St. Wulstan's R.C. Prim. Sch.
Hot Lane Ind. Est.
Burslem Golf Course
Mill Hill Co. Prim. Sch.
St. Wilfrid's Prim. Sch.
Westport Lake Park
Clay Pit
Potteries
Pottery & Mus.
A500
A50
A527
A53
B5051
B5049
B5050
B5999
SCOTIA ROAD
WATERLOO ROAD
DAVENPORT ST.
BROWNHILLS RD.
WILLIAMSON ST.
WESTPORT RD.
NEWCASTLE ST.
PORTHILL BANK
HIGH ST.
MOORLAND RD.
WESTERN BY-PASS
21
28
33
4
F
G
H
J
K
1
2
3
4
5
6
7
86
87
48
49
50
51

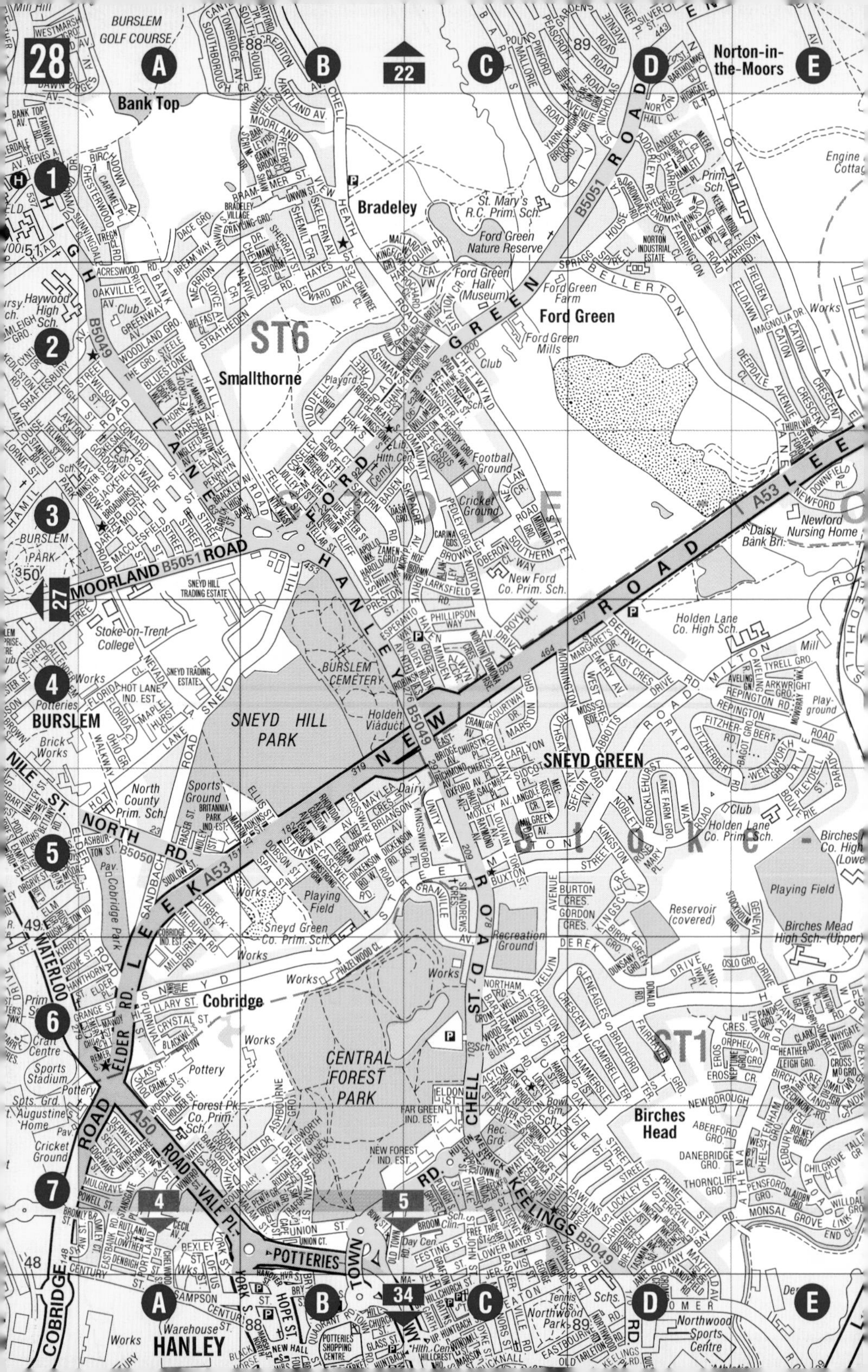
A
B
22
C
D
Norton-in-the-Moors
E
1
2
3
4
5
6
7
27
4
5
34
BURSLEM GOLF COURSE
Bank Top
Bradeley
St. Mary's R.C. Prim. Sch.
Ford Green Nature Reserve
Ford Green Hall (Museum)
Ford Green Farm
Ford Green
Ford Green Mills
NORTON INDUSTRIAL ESTATE
Haywood High Sch.
ST6
Smallthorne
Football Ground
Cricket Ground
New Ford Co. Prim. Sch.
Newford Nursing Home
Daisy Bank Bri.
MOORLAND B5051 ROAD
SNEYD HILL TRADING ESTATE
Stoke-on-Trent College
SNEYD TRADING ESTATE
HOT LANE IND. EST.
BURSLEM
BURSLEM CEMETERY
Holden Viaduct
SNEYD HILL PARK
Holden Lane Co. High Sch.
SNEYD GREEN
Holden Lane Co. Prim. Sch.
North County Prim. Sch.
Sports Ground
BRITANNIA PARK IND. EST.
NORTH RD.
NILE ST.
LEEK NEW ROAD A53
HANLEY ROAD
FORD GREEN ROAD
Playing Field
Sneyd Green Co. Prim. Sch.
Cobridge Park
COBRIDGE IND. EST.
Reservoir (covered)
Birches Mead High Sch. (Upper)
Recreation Ground
Cobridge
CENTRAL FOREST PARK
FAR GREEN IND. EST.
NEW FOREST IND. EST.
Forest Pk. Co. Prim. Sch.
Craft Centre
Sports Stadium
St. Augustine's Home
Cricket Ground
ST1
Birches Head
WATERLOO ROAD
A50 ROAD VALE PL.
POTTERIES
TOWN
CHELL ST.
KEELINGS B5049
POTTERIES SHOPPING CENTRE
HANLEY
Warehouse
Northwood Park
Northwood Sports Centre
COBRIDGE

Little Heakley Farm
Drawbridge
Baddeley Hall Farm
F
G
H
J
K
23
35
91
92
Stanley Moor
Sunny Side Farm
Houghwood Farm
Houghwood
Houghwood House
Houghwood Top
Baddeley Green
Works
Pottery
NEW A53 ROAD
BADDELEY GREEN LANE
A5009
NURSERY LA.
PERCIVAL DR.
ROSEWOOD AV.
GREENWAY HALL GOLF COURSE
ST9
Manor House
Bagnall
Old Hall Farm
BAGNALL HOSPITAL
Greenway Hall
Nanke Farm
Stoney Villa
Hillside Prim. Sch.
Bus Depot
Baddeley Edge
Bradshaw Farm
MILTON
Cinder Hill
Cricket Ground
Light Oaks
Oaks Barn
BAGNALL ROAD
JACK HAYES LANE
Carmounthead
Jack Hayes
Jack Hayes Farm
Milton Co. Prim. Sch.
Comm. Cen.
Play Fd.
Bowling Green
Easters Gardens and Rec. Grd.
Head of Trent
Pav.
Columbarium
Crematorium
CARMOUNTSIDE CEMETERY
Carmountside
ST2
STAFFORDSHIRE MOORLANDS
Woodhead
WOODHEAD ROAD
Greenfields
Sports Ground
Abbey Farm
Carmountside Co. Prim. Sch.
Trent
Recreation Ground
Community Cen. & Liby
Holehouse Farm
Kerry Hill Farm
Kerry Hill
Nurseries
River Trent
Mill Farm
Abbey Hulton
Little Eaves
Moorside
Walton House Farm
Eaves Farm
Wetley Moor
Firtrees
The Batches
Launders Bank
Great Eaves
Abbey Hill School
Blackfriars School
Our Lady & St.Benedict's R.C.Prim. Sch.
BUCKNALL
Clinic
Heath House Lane Open Space
Football Ground
HULTON ABBEY PARK
BUCKNALL HOSPITAL
Townsend Prim. & Nursery Schools
Brookhouse Wood
Woodside Farm
Lawson's Farm
Little Hayes Farm
Hanley Hayes Farm
EAVES LANE
LITTLE EAVES LA.
GREASLEY ROAD
ABBOTS ROAD
350
49
48
51
1
2
3
4
5
6
7

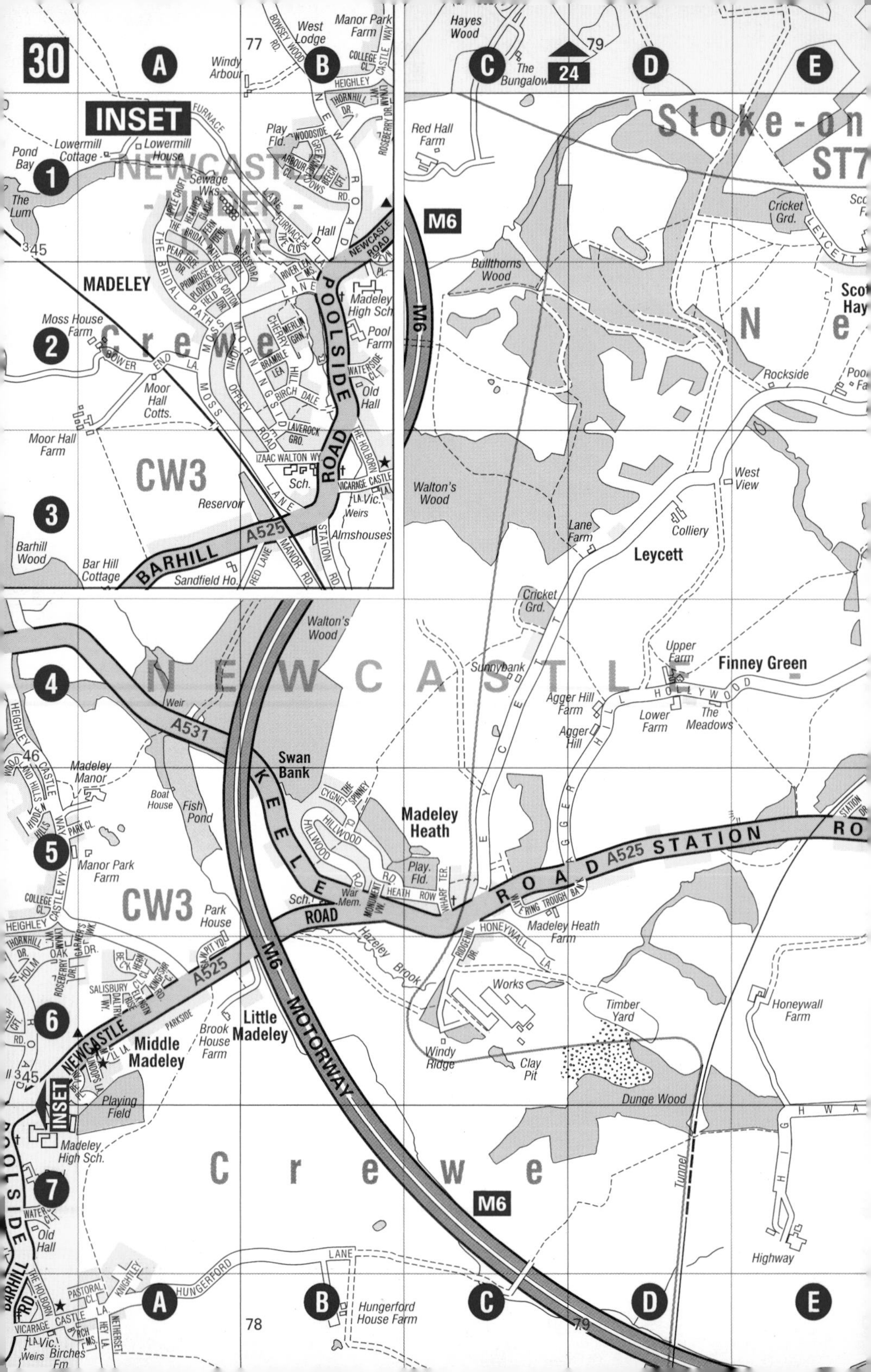
INSET
NEWCASTLE - UNDER - LYME
MADELEY
Crewe
CW3
Pond Bay
The Lum
Lowermill Cottage
Lowermill House
Sewage Wks
Windy Arbour
West Lodge
Manor Park Farm
Bowsey Wood Rd.
College Cl.
Castle Way
Heighley
Thornhill Dr.
Roseberry Dr.
Woodside
Play Fld.
Arbour Cl.
Beech Cft.
Rd.
Furnace
Furnace Lane
The Close
Hall
Newcastle Road
River Lea Ms.
Lane
Poolside Road
Madeley High Sch.
Pool Farm
Waterside Cl.
Old Hall
Apple Croft
Heather Glade
The Bridal Path
The Bridal Paths
Pear Tree Dr.
Primrose Dell
Plover Field
Cotton Dr.
Beresford Dell
Moss Lane
Morningside
Offley Road
John
Cherry Hill
Merlin Grn.
Bramble Lea
Birch Dale
Laverock Gro.
Izaac Walton Wy.
The Holborn
Vicarage Castle La.
Vic.
Sch.
Weirs
Almshouses
Station Rd.
Manor Rd.
Red Lane
Moss House Farm
Bower End La.
Moor Hall Cotts.
Moor Hall Farm
Reservoir
Barhill Wood
Bar Hill Cottage
Barhill Road
A525
Sandfield Ho.
M6
Hayes Wood
The Bungalow
24
Red Hall Farm
Stoke-on
ST7
Cricket Grd.
Leycett La.
Bullthorns Wood
Rockside
Walton's Wood
West View
Colliery
Lane Farm
Leycett
Cricket Grd.
Upper Farm
Finney Green
Sunnybank
Hollywood
Agger Hill Farm
Lower Farm
The Meadows
Agger Hill
NEWCASTLE-
Weir
A531
Swan Bank
Keele Road
Cygnet
The Spinney
Hillwood
Madeley Heath
Play. Fld.
Rd.
Heath Row
Wharf Ter.
Monument Vw.
War Mem.
Sch.
Station Road
A525
Watering Trough Bank
Honeywall La.
Ridgehill Dr.
Madeley Heath Farm
Hazeley Brook
Works
Timber Yard
Windy Ridge
Clay Pit
Dunge Wood
Honeywall Farm
Highway
Tunnel
Heighley Castle Way
Wood and Hills
Hidden Hills
Park Cl.
Madeley Manor
Boat House
Fish Pond
Manor Park Farm
Park House
Sawpit Yd.
College Cl.
Heighley Castle Wy.
Thornhill Dr.
Oak
Garner's Wlk.
Holm
Roseberry Dr.
Beck Cl.
Hern Cl.
Salisbury Wy.
Daltry
Elkington Rise
Kingshill Rd.
Parkside
Newcastle
Middle Madeley
Little Madeley
Brook House Farm
Motorway
Playing Field
Madeley High Sch.
Poolside
Waterside
Old Hall
Barhill Rd.
The Holborn
Pastoral Cl.
Knightley
Hungerford Lane
Vicarage Castle La.
Vic.
Weirs
Birches Fm
Hey La.
Netherset
Hungerford House Farm
A
B
C
D
E
1
2
3
4
5
6
7
77
78
79
45
46

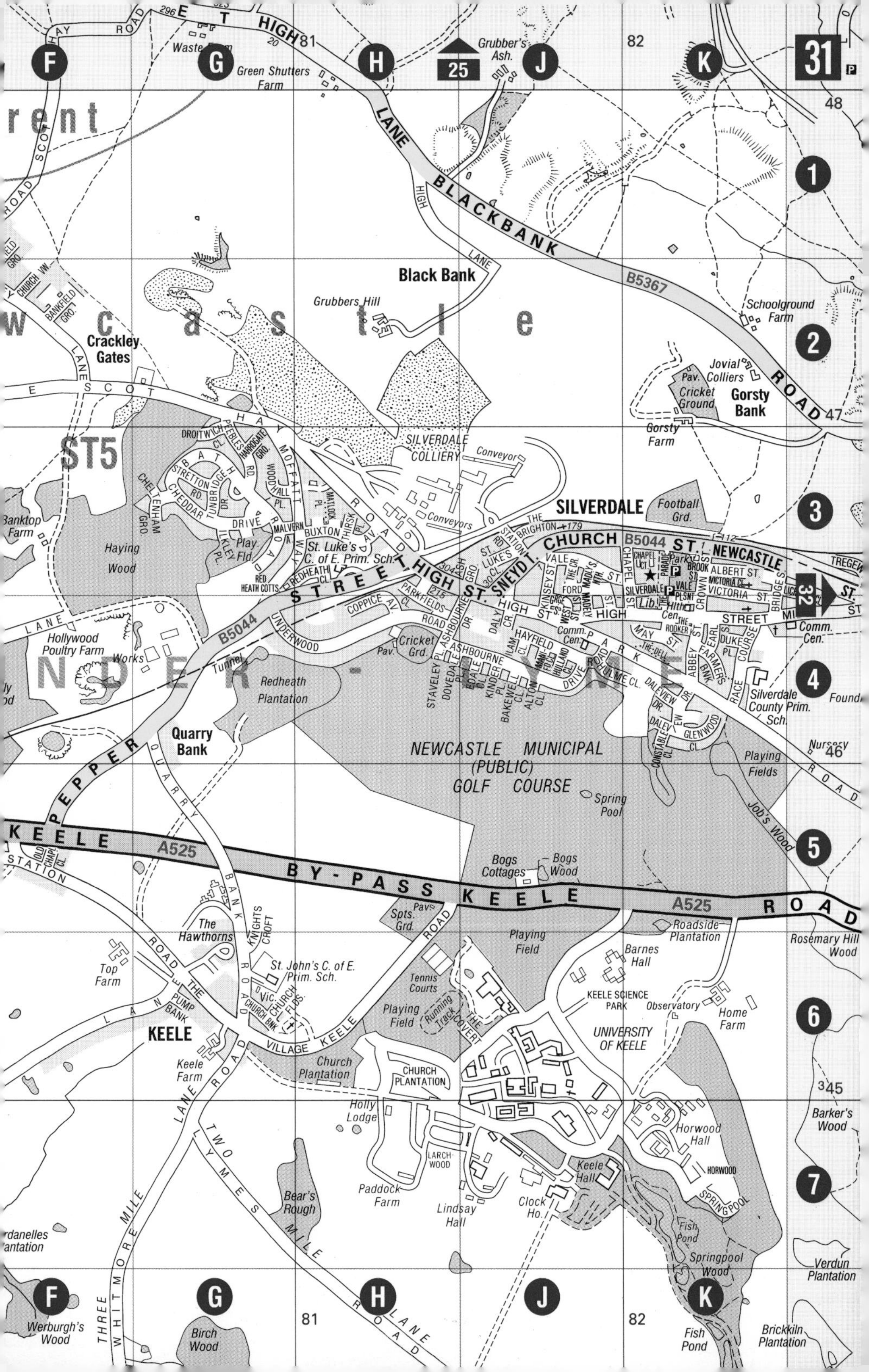

F
G
H
J
K
81
82
25
Waste Farm
Green Shutters Farm
Grubber's Ash.
HAY ROAD
HIGH STREET
BLACKBANK LANE
HIGH LANE
B5367
Black Bank
Grubbers Hill
Schoolground Farm
Jovial Colliers
Gorsty Bank
Gorsty Farm
Cricket Ground
Pav.
ROAD
48
47
46
45
1
2
3
4
5
6
7
Crackley Gates
SCOT HAY ROAD
CHURCH VW.
BANKFIELD GRO.
LANE
ST5
Banktop Farm
Haying Wood
SILVERDALE COLLIERY
Conveyor
Conveyors
SILVERDALE
THE BRIGHTON
CHURCH ST.
B5044
NEWCASTLE ST.
ALBERT ST.
VICTORIA ST.
Lib.
Hlth. Cen.
Comm. Cen.
Football Grd.
St. Luke's C. of E. Prim. Sch.
Play. Fld.
HIGH STREET
SNEYD T.
Cricket Grd.
Hollywood Poultry Farm
Works
Tunnel
Redheath Plantation
Quarry Bank
PEPPER STREET
NEWCASTLE-UNDER-LYME
NEWCASTLE MUNICIPAL (PUBLIC) GOLF COURSE
Spring Pool
Silverdale County Prim. Sch.
Nursery
Playing Fields
Job's Wood
Foundry
32
KEELE ROAD
A525
KEELE BY-PASS
Bogs Cottages
Bogs Wood
Roadside Plantation
Rosemary Hill Wood
Spts. Grd.
Pav.
Playing Field
Barnes Hall
KEELE SCIENCE PARK
Observatory
Home Farm
UNIVERSITY OF KEELE
The Hawthorns
St. John's C. of E. Prim. Sch.
Top Farm
KEELE
Keele Farm
Tennis Courts
Running Track
Playing Field
Church Plantation
CHURCH PLANTATION
Holly Lodge
Horwood Hall
Keele Hall
Clock Ho.
Lindsay Hall
Paddock Farm
Bear's Rough
Fish Pond
Springpool Wood
Barker's Wood
Verdun Plantation
Dardanelles Plantation
Werburgh's Wood
Birch Wood
THREE MILE LANE
WHITMORE ROAD
TWO MILE LANE
YMES ROAD
Brickkiln Plantation

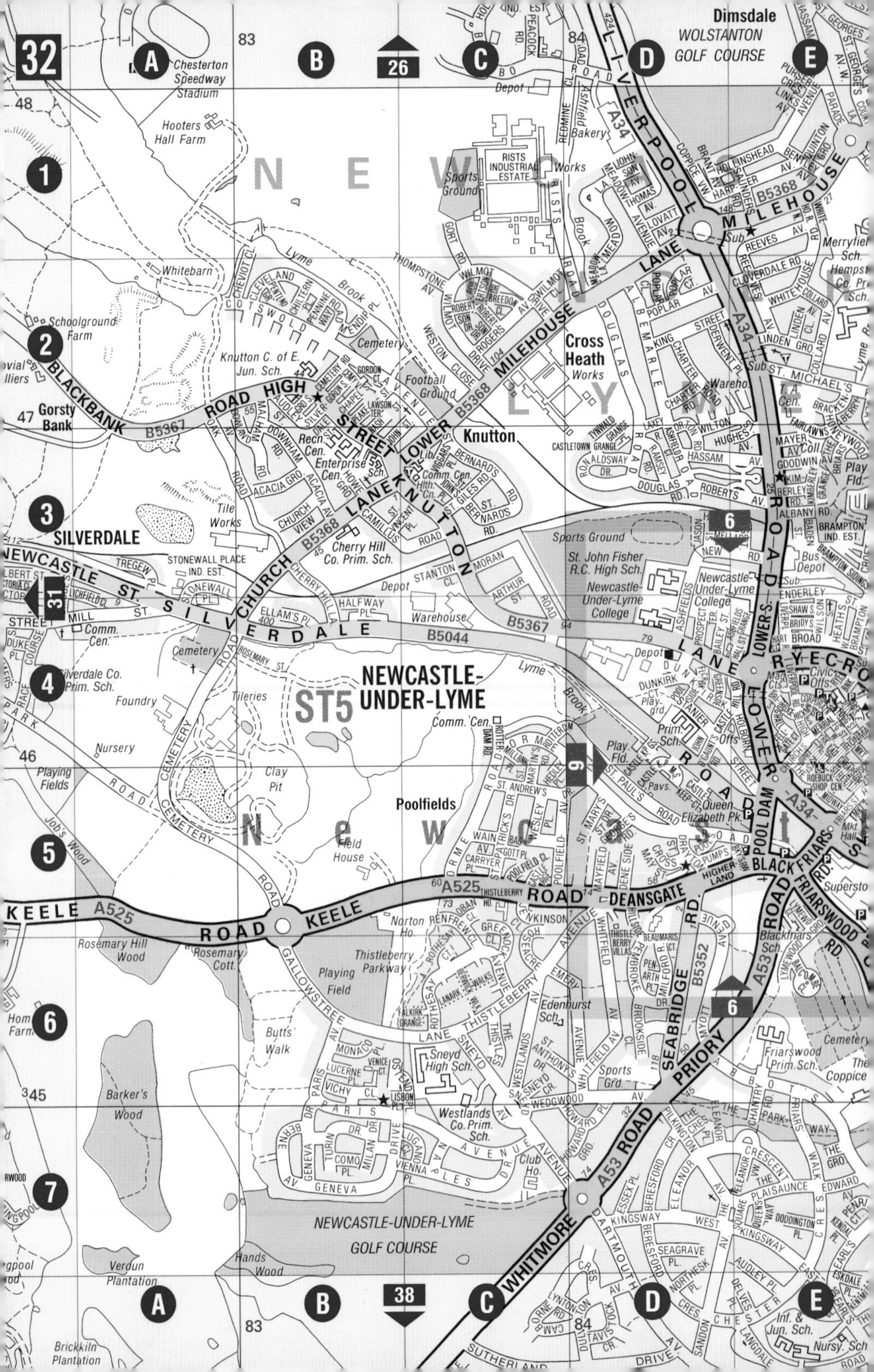

Chesterton Speedway Stadium
Hooters Hall Farm
Dimsdale
WOLSTANTON GOLF COURSE
26
Depot
RISTS INDUSTRIAL ESTATE
Sports Ground
Works
Ashfield Bakery
A34
LIVERPOOL
MILEHOUSE
LANE
B5368
Whitebarn
Schoolground Farm
BLACKBANK
ROAD
HIGH
STREET
B5367
Gorsty Bank
Knutton C. of E. Jun. Sch.
Cemetery
Football Ground
Cross Heath
Works
Knutton
LOWER
KNUTTON
Recn. Cen.
Enterprise Cen.
Comm. Cen.
Tile Works
SILVERDALE
NEWCASTLE ST.
STONEWALL PLACE IND. EST.
Cherry Hill Co. Prim. Sch.
CHURCH
LANE
SILVERDALE
B5044
Depot
Warehouse
Sports Ground
St. John Fisher R.C. High Sch.
Newcastle-Under-Lyme College
6
31
Comm. Cen.
Cemetery
Silverdale Co. Prim. Sch.
Foundry
Tileries
NEWCASTLE-UNDER-LYME
ST5
Comm. Cen.
Lyme Brook
Nursery
Playing Fields
Clay Pit
Poolfields
CEMETERY ROAD
9
Play. Fld.
Prim. Sch.
Queen Elizabeth Pk.
RYECROFT
LOWER
Civic Offs.
Job's Wood
Field House
KEELE
A525
ROAD
DEANSGATE
BLACK FRIARS
Rosemary Hill Wood
Rosemary Cott.
Norton Ho.
Thistleberry Parkway
Playing Field
GALLOWSTREE
LANE
THISTLEBERRY
Edenhurst Sch.
SEABRIDGE RD.
B5352
PRIORY
A53
ROAD
Blackfriars Sch.
Friarswood Prim. Sch.
Cemetery
The Coppice
Home Farm
Barker's Wood
Butts' Walk
Sneyd High Sch.
Westlands Co. Prim. Sch.
Sports Grd.
Club Ho.
NEWCASTLE-UNDER-LYME GOLF COURSE
Hands Wood
Verdun Plantation
Brickkiln Plantation
38
WHITMORE
ROAD
KINGSWAY
DARTMOUTH
Inf. & Jun. Sch.
Nursy. Sch.
SUTHERLAND DRIVE
A B C D E
1 2 3 4 5 6 7
83 84
48 47 46 45

Wolstanton
86
27
Festival Park 87
F
G
H
J
K
ST6
ST1
Ski-Slope
Water World
Leisure Complex
ETRURIA
Marina
Etruria Bridge
Etruria Park
HANLEY
1
2
3
4
5
6
7
48
47
46
A 5010
ETRURIA RD.
COBRIDGE RD.
A53
ETRURIA ROAD
ETRURIA VALE B5046 RD.
A500
Fowlea Brook
Etruria Trading Estate
Etruria
Works
Pottery
Potteries
Gas Works
Cliff Vale
B5045
34
Hanley Cemetery
Adult Training Cen.
Cockshute Ind. Estate
Newcastle Junction
Depot
QUEENSWAY
A500
NORTH ST.
Hartshill
ST4
Harthill Pk.
St. Dominic's Junior Sch.
Stoke Ho. Nurs. Ho.
A52
SHELTON OLD R.
Rec. Grd.
Stoke Hlth. Cen.
ELENORA ST.
Spode & Vis. C.
STOKE-ON-TRENT
Penkhull
Basford
Marl Pit
Conveyor
Timber Yd.
STOKE
ETRURIA
A53
KING ST.
BRUNSWICK ST. A52
GEORGE ST.
HARTSHILL
The New Victoria Theatre
The Firs (Mus. & Art Gallery)
7
May Bank
ALEXANDRA ROAD
CHURCH
Cricket Grnd.
Playing Field
Sports Grd.
BASFORD
PARK B5369
Newcastle Under Lyme Sch.
Playing Fld.
Play. Fld.
Playing Field
Nurses Res.
City General Hosp.
Maternity Unit
Outpatients Dept.
North Staffordshire Royal Infirmary
Stoke Cemetery
St. Peter's High Sch.
North Staffordshire Sch. for The Deaf
Tennis Cts.
A527
BRAMPTON
LONDON ROAD
NEWCASTLE ROAD
A34
A519
LYME VALLEY PARKWAY
Newcastle Town Football Grd.
Springfield Prim. Sch.
Clay Pit
Springfields Tileries
Trent Valley High Sch.
Playing Fields
39
86
87
Football Grd.
Cricket Grd.
Bakery
Boothen
Bowl. Grns.
Ten. Cts.
B5041
Minton Pottery & Mus.
Sports Cen.
PENKHULL NEW RD.
Play Fld.

A
B
C
D
E
1
2
3
4
5
6
7
28
5
4
33
40
HANLEY
Hypermarket
Warehouse
Works
ETRURIA
A5010
RD.
POTTERIES SHOPPING CENTRE
POTTERIES WAY
BUCKNALL NEW ROAD
BUCKNALL ROAD
A5009
A52
Northwood
Northwood Park
Northwood Sports Centre
Athletic Ground
Playing Field
Caldon Canal
LEEK ROAD
ST1
Joiner's Square
Football Ground
Trentmill Nature Pk.
Sports Ground
Victoria Bridge
HANLEY PARK
Stoke on Trent College
Shelton
HANLEY CEMETERY
STOKE ROAD
QUEENSWAY
STOKE-ON-TRENT
Staffordshire University
VICTORIA ROAD
A50
River Trent
Stoke-
Staffordshire House
Mine Rescue Station
FENTON INDUSTRIAL ESTATE
ST4
Fenton Low
FENTON PARK
Bowling Greens
Tennis Courts
Spode Mus. & Town Hall
CHURCH
CITY ROAD
A5007
A500
A5006
Minton Pottery & Mus.
Steel Foundry
Stoke Junc.
Stoke-on-Trent Sixth Form College
Fenton Manor Swimming Pool
FENTON
KING
Boothen
Mount Pleasant
Smith's Pool
88
89
48
47
46
345

Great Eaves
Launders Bank
29
92
91
Our Lady & St.Benedict's R.C.Prim. Sch.
CLIVEDEN RD.
OLDCROFT RD.
MALCOLM DR.
WELBECK PL.
Heath House Lane Open Space
Football Ground
HULTON ABBEY PARK
BUCKNALL HOSPITAL
Townsend Prim. & Nursery Schools
Brookhouse Wood
Woodside Farm
48
Little Hayes Farm
Lawson's Farm
Hanley Hayes Farm
1
BUCKNALL
Reservoir (covered)
Nursery
Brookhouse Lane Farm
Stewart's Farm
BIRCHGATE
BERRINGTON ROAD
A52
ROAD
STAFFORDSHIRE MOORLANDS
2
Metal House Farm
Townsend
The Mitchell High School
Brookhouse
Little Brookhouse Farm
ASH BANK ROAD
47
Simfields
Moat
Eaton Park Co. Prim. Sch.
3
Sewage Works
36
Berry Hill County High Sch.
Playing Field
BERRY HILL
Bentilee
Widow Fields
4
Ford Hayes
HAYES LANE
46
Rookery Farm
B5040
Ubberley
Trent
DIVIDY ROAD
Willot's Wood
5
ST2
Club
6
345
Park Farm
ST3
Works
Recreation Ground
Depot
T.A. Cen.
Gas Holder
Settling Ponds
PARKHALL GOLF COURSE
Adderley Green
Sandford Hill Co. Prim. Sch.
ANCHOR B5039 RD.
PARK 5040 HALL ROAD
7
Ivy House Farm
Adderley Green Farm
Depot
FEN PARK
Queen's Co. Prim. Sch.
41
Playground
Priors Fields
Sandford Hill
Works
PARK HALL INDUSTRIAL ESTATE
F
G
H
J
K

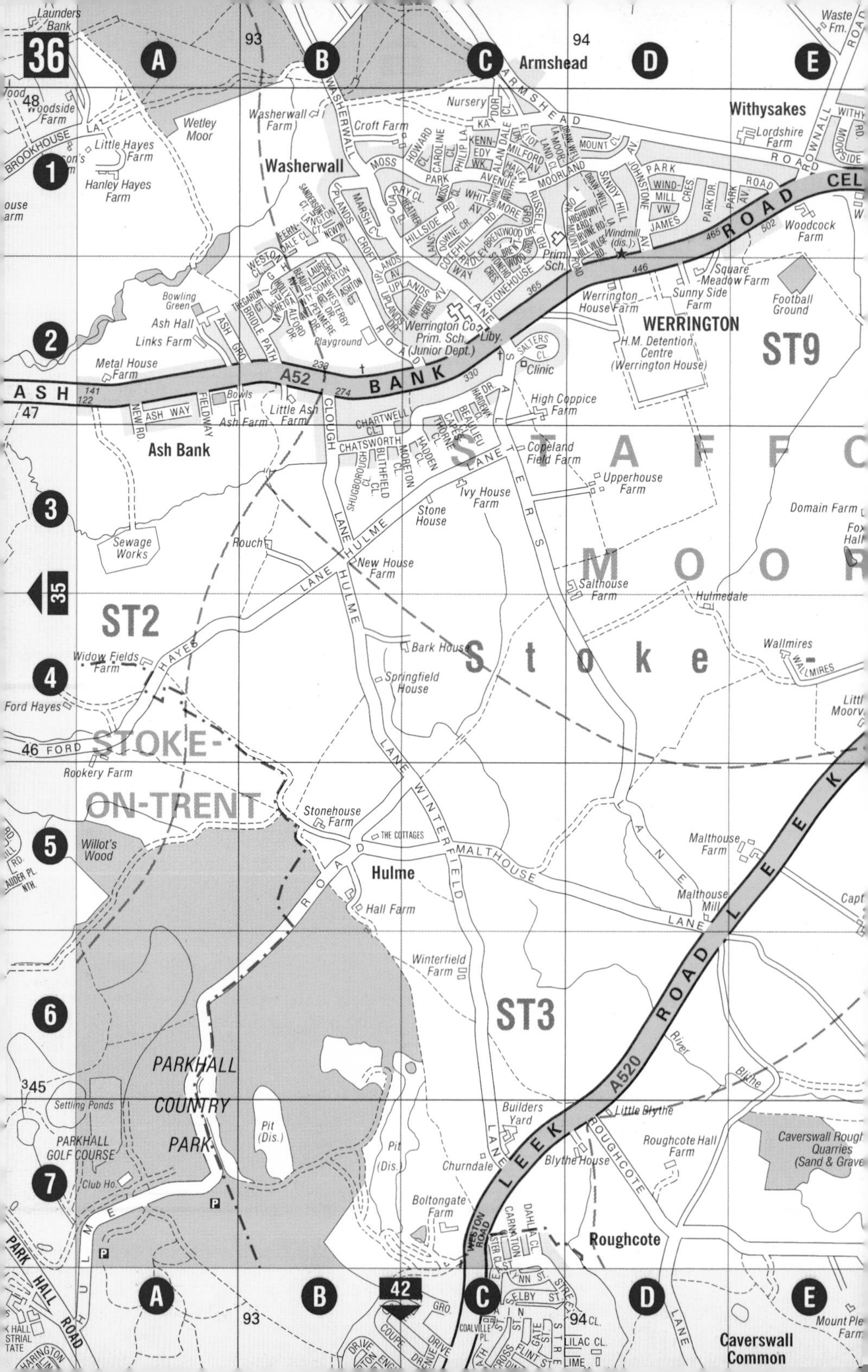
36
A
B
C
D
E
1
2
3
4
5
6
7
93
94
47
46
45
Armshead
Withysakes
Washerwall
Washerwall Farm
Croft Farm
Nursery
Wetley Moor
Launders Bank
Woodside Farm
Little Hayes Farm
Hanley Hayes Farm
Brookhouse La.
Lordshire Farm
Woodcock Farm
Square Meadow Farm
Sunny Side Farm
Werrington House Farm
Football Ground
WERRINGTON
H.M. Detention Centre (Werrington House)
ST9
Windmill (dis.)
Prim. Sch.
Werrington Co. Prim. Sch. (Junior Dept.)
Liby.
Playground
Clinic
Bowling Green
Ash Hall
Links Farm
Metal House Farm
ASH BANK A52 ROAD
CELLARHEAD ROAD
Bowls
Little Ash Farm
Ash Farm
Ash Bank
Ash Way
High Coppice Farm
Copeland Field Farm
Upperhouse Farm
Ivy House Farm
Stone House
New House Farm
Rouch
Sewage Works
Salthouse Farm
Hulmedale
Domain Farm
Fox Hall
STAFFORD MOOR
ST2
35
Widow Fields Farm
Ford Hayes
Bark House
Springfield House
Stoke-
Wallmires
Little Moorville
STOKE-ON-TRENT
Rookery Farm
Ford
Hayes
Hulme Lane
Clough Lane
Salters Lane
Winterfield Lane
Malthouse Lane
Stonehouse Farm
The Cottages
Hulme
Hall Farm
Willot's Wood
Malthouse Farm
Malthouse Mill
Winterfield Farm
ST3
LEEK ROAD A520
River Blithe
PARKHALL COUNTRY PARK
Settling Ponds
PARKHALL GOLF COURSE
Club Ho.
Pit (Dis.)
Builders Yard
Little Blythe
Roughcote Hall Farm
Blythe House
Churndale
Boltongate Farm
Caverswall Rough Quarries (Sand & Gravel)
Roughcote
Roughcote Lane
Weston Road
Park Hall Road
42
Caverswall Common
Mount Pleasant Farm
Waste Fm.

F
G
H
J
K
96
97
48
47
46
345
1
2
3
4
5
6
7
Little Southlow Farm
Southlow Cotts.
Southlow
Vicarage Farm
Lodge
Southlow
Wetley Abbey
Wetley Abbey Farm
Ivy House Farm
LANE
CONSALL
LEEK
A522
Big Southlowe Farm
Little South Lowe Farm
HEATH
AVENUE
THE
OVAL
SOUTHLOWE AV.
Moorside Co. High Sch.
WILTON AV.
WETLEY AV.
A520
CELLARHEAD
ROAD
Shepherd's Lodge
Martin in the Field
Brookside Bungalows
AD
A52
ROAD
Gate House
Fern Cottage
CELLARHEAD
KINGSLEY
Homestead Farm
Milner's Place
Rangemoor
The Croft
Fireman's Rest
Hand's Farm
Grove Farm
New Park Farm
MARCH
Overmoor
A52
Little Blakeley Lane Farm
New Farm
Blakeley Farm
Little Mount Pleasant
Grove Farm
Coyneygrove
Richmoorhill
ROAD
LEEK
Mill House Farm
Blakeley Lane
A52
RD
Ridgefield Farm
Gravel Cottages
R D S H I R E
LANE
WINDYCOTE
LANE
LANE
Holmlea
Ivy Cottage
Windycote
Mount Pleasant
Little Abovepark
DAIRYHOUSE
LANE
Foxearth House
L A N D S
Oldcatgut
Bank House Farm
n - Trent
Banktop
Moorville Hall
Little Bank Top Farm
CRESWELL'S PIECE
ST10
Summerhill
Heywood Grange
Little Summerhill Farm
TICKHILL
Stonewalls
LANE
Newhill
Whitehurst
WHITEHURST LA.
Sheepwash Farm
ST11
Pearcroft Wood
Wardhill
Foxfield Wood
Works
Dilhorne Wood
Reservoir
Tickhill
BANKS
TICKHILL
Stansmore Wood
Railway
Hardiwick
HANDLEY
43
Steam
Cartwright's
97

A
B
C
D
E
32
83
84
1
2
3
4
5
6
7
44
43
42
41
Verdun Plantation
Hands Wood
NEWCASTLE-UNDER-LYME GOLF COURSE
Brickkiln Plantation
Pie Rough
Fish Pond
Sewage Works
Springpool Wood
WHITMORE ROAD
A53
M6
M6 MOTORWAY
LYMES
Play Field
TWO MILE LANE
Lymes Farm
Ivy Cott.
Lymes Cotts.
The Lymes
BUTTERTON
Lymes Farm
KINGSWAY
DARTMOUTH AV.
SUTHERLAND DRIVE
CHESTER
Westlands
Inf. & Jun. Sch.
Nursy. Sch.
Seabridge Jun. & Inf. Schs.
Comm. Cen.
Roe Lane Playing Fields
Pav.
Lib.
Seabridge Hall
Seabridge
Wye Road Community Centre
Rowley Wood
Westomley Wood
Black Bog
Westbury Park
N E W C A S T L E
U N D E R
L Y M E
ST5
Park Manor
LANE
PARK
Butterton Nurseries
Butterton House
Butterton
Red Court
Millstone Green Farm
Fish Pond
Hall
Wood Farm
Millstone House
The Spinney
Shutlanehead Wood
Shutlanehead
Church Wood
Langleys
Harwell
N e w c a s t
Butterton Grange Farm
Grange Wood
Knight's Wood
ROAD
Junction 15
Double Lodge
TRENTHAM ROAD
A5182
WHITMORE
Grange Cotts.
Toll Cottage
PEACOCK
Cliff's Rough
New Hayes Farm
Rook Hall Farm
Acton Farm
Acton
ACTON
LANE
Ladycroft
Hanchurch Plantation
Woodland View
Village Farm
S T A
Hanchurch
Actonhill Farm
Welldale Cottage
Model Farm
Hanchurch Pool

33
40
F
G
H
J
K
1
2
3
4
5
6
7
86
87
44
43
42
41
Newcastle Town Football Grd.
Springfield Prim. Sch.
Clay Pit
Kilns
Tileries
Springfields
Bakery
Superstore
Playing Fields
Football Grd.
Pavs.
Cricket Grd.
Sports Cen.
Clayton
GLOUCESTER GRANGE
Boothen
Works
Bowl. Grns.
Ten. Cts.
BOOTHEN GRN.
Factory
Oak Hill
Oakhill Co. Prim. Sch.
Factories
Trent Vale
Warehouse
St. Joseph's Coll.
Trent Vale Prim. Sch.
Playing Field
Football Grd.
THE WOODLANDS
Play. Field
Clayton Co. High Sch.
STAFFS NUFFIELD HOSP.
Play Field
Clayton Fm.
THE GREEN
Comm. Cen.
Rec. Grd.
Dark Wood
Fox Covert
Leas Wood
Claytonwood Farm
Michelin Sports Centre
Athletic Track
Playing Flds.
Pav.
Cricket Grd.
Sideway
Spts. Grd.
Wks.
Hanford Bridge
South Hanford Farm
Hanford
St. Joseph's Playing Fields
Trent Vale Pumping Sta.
ST4
Stoke-on-Trent
Northwood
The Limes
Turbine Farm
Priory Jun. & Inf. Schs.
Hlth. Cen.
Edith Beddow Home
Trentham Co. High Sch.
TRENTHAM
Liby.
Hall
Waterfall Bungalow
Hargreaves Lodge
Coronation Plantation
Hargreaves Wood
TRENTHAM PARK GOLF COURSE
Hargreaves Pool
Bailey's Pool
Park Cottages
Park Brook
Weir
PEACOCK HO.
LAUNDRY HO.
THE ROSERY
MILL CT.
TRENTHAM CT.
Cemy.
Reservoir
TRENTHAM GARDENS & PLEASURE GROUNDS
Club House
A34
A500
A519
A5035
B5041
B5038
NEWCASTLE ROAD
STONE ROAD
LONDON ROAD
QUEENSWAY
CAMPBELL ROAD
WHITMORE ROAD
LONGTON RD.
CLAYTON ROAD
MOTORWAY

40
34
39
46
A
B
C
D
E
1
2
3
4
5
6
7
88
89
344
43
42
41
Boothen
Fenton
Mount Pleasant
Hollybush
Sideway
Hanford
Blurton
Hem Heath
Newstead
Heron Cross
Stoke-on-Trent
ST4
CITY RD
KING STREET
A50
A500
A5006
A5035
QUEENSWAY
CAMPBELL ROAD
TRENTHAM ROAD
LONGTON ROAD
TRENT & MERSEY CANAL
St. Peter's Prim. Sch.
Football Ground
Mount Pleasant Prim. Sch.
Recreation Ground
Smith's Pool
Bowl. Grn.
Cricket Ground
Heron Cross Co. Prim. Sch.
Hamilton Industrial Centre
Glebedale Park
Kemball School
Incinerator
STOKE CITY F.C.
Kemball Colliery Training Centre
Sideway Bridge
Sideway Fm.
Fenton House
Railway Cotts.
Pond
Sideway Mill
Sports Ground
Blurton Co. Nursy & Prim. Schs. and Library
Sutherland Co. Prim. Sch.
Nursery Sch.
Playing Field
Blurton Co High Sch.
Waste Farm Cottages
Depot
Hem Heath Colliery
Res.
Hem Heath Cottages
Cricket Grd.
Football Grd.
Home for the Blind
Ash Grn. Prim. Sch.
Newstead Trading Estate
Health Cen.
Park Priory
Residential Home
Cricket Grd.
Riding Sch. & Kenl.
Rugby Grd.
Club House
Hem Heath Wood Nature Reserve
Sludge
South Hanford Farm
Cockster Brook
Longton Brook
Works

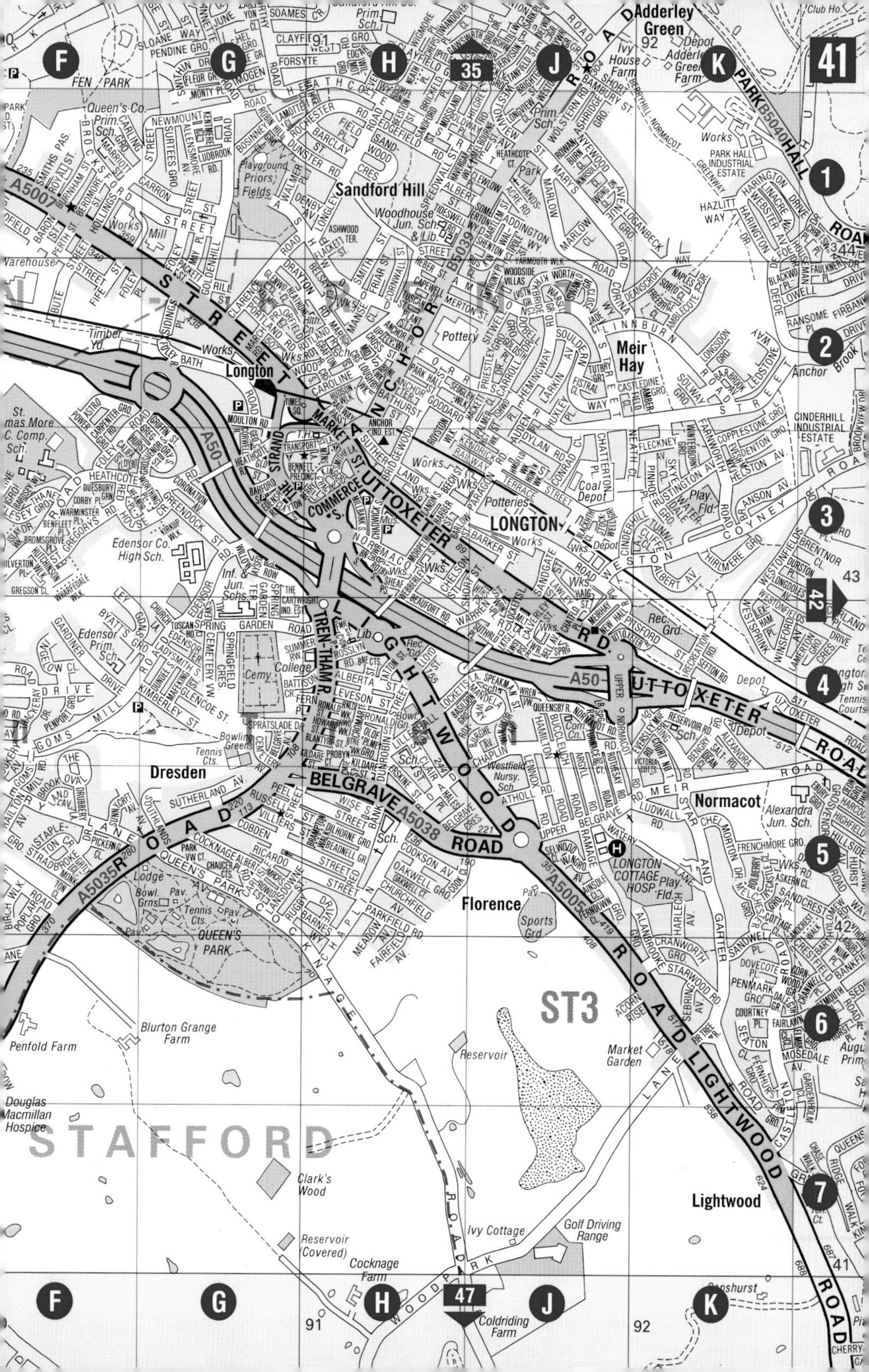
F
G
H
J
K
35
Adderley Green
92
91
Ivy House Farm
Depot
Adderley Green Farm
FEN PARK
Queen's Co. Prim. Sch.
Works
PARK HALL INDUSTRIAL ESTATE
PARK HALL
B5040
1
Playground Priors Fields
Sandford Hill
Woodhouse Jun. Sch. & Lib.
A5007
Works
Mill
Warehouse
B5039
Pottery
Meir Hay
2
Anchor Brook
Timber Yd.
Works
Longton
A50
MARKET ST.
ANCHOR IND. EST.
CINDERHILL INDUSTRIAL ESTATE
St. Thomas More R.C. Comp. Sch.
Works
Wks.
Coal Depot
Play. Fld.
3
Edensor Co. High Sch.
Potteries
LONGTON
UTTOXETER
COMMERCE
Mus.
Works
Depot
Inf. & Jun. Schs.
THE CARTWRIGHT IND. EST.
LIGHTWOOD
Lib.
Rec. Grd.
43
42
Edensor Prim. Sch.
Cemy.
College
UTTOXETER ROAD
Depot
4
Tennis Courts
Bowling Greens
Tennis Cts.
Dresden
BELGRAVE A5038 ROAD
Westfield Nursy. Sch.
Normacot
Alexandra Jun. Sch.
A5035 ROAD
Lodge
Bowl. Grns
Pav.
Tennis Cts.
QUEEN'S PARK
Sch.
Florence
LONGTON COTTAGE HOSP.
Play. Fld.
5
Sports Grd.
A5005
ST3
6
Blurton Grange Farm
Penfold Farm
Reservoir
Market Garden
Douglas Macmillan Hospice
STAFFORD
Clark's Wood
LIGHTWOOD ROAD
7
Lightwood
Ivy Cottage
Golf Driving Range
Reservoir (Covered)
Cocknage Farm
WOODPARK
47
Coldriding Farm
Capshurst
F
G
H
J
K
91
92
41

Club Ho.
93
94
36
Boltongate Farm
Roughcote
Caverswall Common
Mount Ple Farm
WESTON COYNEY
A5040
HALL
ROAD
A520
STOKE-ON-TRENT
Youth Centre
Infants Sch.
Play Fld.
Prim. Sch.
Anchor Brook
Birch Wood
CINDERHILL INDUSTRIAL ESTATE
Weston Sprink
Caverswall Cricket Grd.
Pav.
Green Farm
Cookshill Hall
Vicarage Farm
Ford
Mill House
Cookshill
Weston Coyney Junior Sch.
Hall
Club House
Playing Field
Broadway Ho. (Nursing Home)
Longton Co. High Sch.
Tennis Courts
Stoke-on-Trent
UTTOXETER
Depot
Alexandra Jun. Sch.
Resr. (Covered)
Hlth. Cen.
Lib.
Prim. & Nurs. Schs.
Meir Co. Prim. Sch. (annexe)
Pinewood Co. Prim. Sch.
Wood House Farm
Wood House Farm Dairy
Ivy Cottage
Caverswall Park
Water Works
Nursery
MEIR
A5007
Works
Play. Fld.
Staffordshire Potteries
ST3
St. Augustine's Prim. Sch.
Sandon Co. High Sch.
Normacot Grange
Grange Prim. & Nursy. Schs.
Calverhay Farm
A50
Lightwood
41
42
43
44
48
SANDON ROAD
LIGHTWOOD RD.
GRINDLEY LANE
Pittsburgh House
Playing Field
A B C D E
1 2 3 4 5 6 7

F
G
H
J
K
37
49
44
96
97
1
2
3
4
5
6
7
43
42
41
STAFFORDSHIRE MOORLANDS
Stoke-on-Trent
ST10
ST11
Tickhill
Hardiwick
Banks
Tickhill La.
Tickhill Lane
Stansmore Wood
Stansmore Hall
Wood
Reservoir
Cartwright's Drumble
Whympney Farm
Whympney Wood
Home Farm
Godley Lane
High St.
Sarver Lane
Dilhorne
Welfare Institute
Bowling Green
Playground
The Croft
St. Thomas's Trees
Foxfield Steam Railway
Intakes Farm
Handley
Handley Bnks.
Hollow
Bank House
Tunstall Sytch
Finger Post Farm
Caverswall
St. Filumena's Prim. Sch.
Grave Yard
Fair View
Gable Cottages
Blakeleybank
Blakeleybank Wood
Blakeley House
Dilhorne Lane
Dilhorne Road
New Road
Dilhorne House
Creswellford
Oaklea
Field House
Kelson
Callowhill Wood
Exhibition Farm
Cashheath
Moor Green Farm
Heath House
Moor Green
Caverswall Road
Caverswall Road
Chapel Street
Willow Wy.
Spring Gdns.
Park End
Brookgate
New Close Av.
Meadow Cl.
York Cl.
Portland Dr.
Dolespring Cl.
Wood Rd.
Green Wy.
East Bank Ride
Well St.
Hillside Av.
Beverley Dr.
Springfield Dr.
Rushton Wy.
Stfrd Cl.
Cres.
Park Wy.
Old Road
Manifold Rd.
Trent Rd.
Churnet Rd.
Dove Rd.
Penk Rd.
Blythe Rd.
Forsbrook Cemetery
Mount Pleasant
Quabbs Lane
Newhouse Farm
A521
Road
80
56
Bankhouse Rd.
Scarratt Dr.
Scarratt Cl.
William Cl.
Draycott Old Road
Forsbrook
Wood Grove Farm
Myrtle Grove
New Park
Cairneycroft
BLYTHE BRIDGE
River Blithe
Railway Ter.
The Beeches Forsbrook Co. Jun. & Forsbrook C. of E. Inf. Sch.
Blythe Bridge Co. High Sch.
Lib.
Cheadle Road
Mount Rd.
Birch Gro.
Blythe Mt. Pk.
Mount Pl.
Bridgwood Rd.
Brook Cl.
The Mount
Avenue
Blythe Marsh
Recreation Ground
Wesley St.
Glebe
Uttoxeter Road
457
408
Clinic
B5029
Lane
The Farm
Blythe Bridge
Mill Pond
Mill
Prim. Sch.
Coach Depot
Green Lane
225
229
188
192
270
Aynsley's Dr.
Brammall Dr.
Sutherland
Sutherland Rd.
Good Fellow
Orchard Rise
Argyll
Highland Dr.
Midway
Meadow Cl.
Park Vw.
Chartley Cl.
The Gro.
Cres.
Field Cl.
Chur. Hill
Jasmine Cl.
Crossfield
Llington Gdns.
Blythe
Barlstone
Beechwood
Elmwood
Limewood
Elmwood Cl.
Keepers
Drive
Ashwd.
Oakden

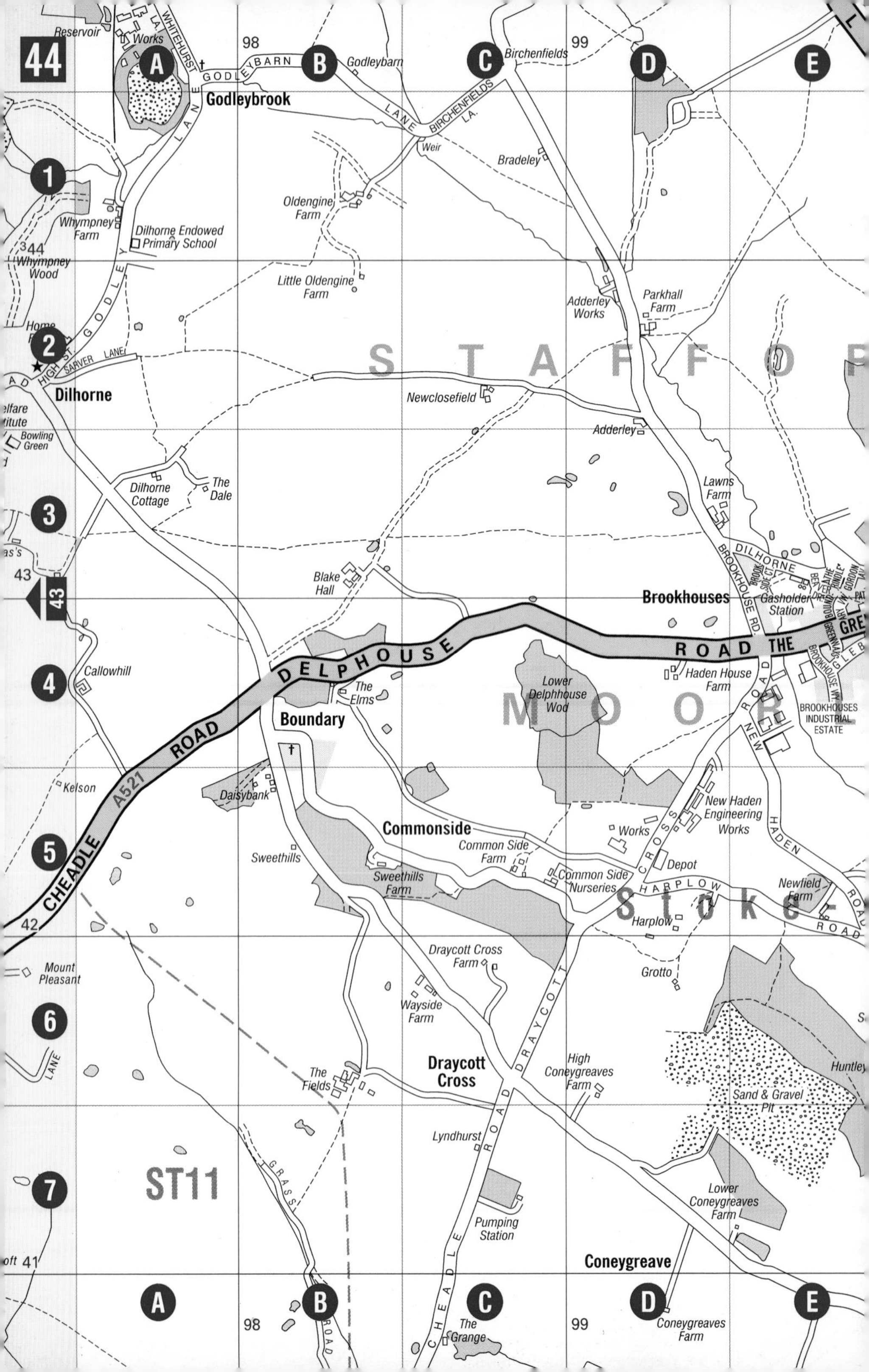
Reservoir
Works
WHITEHURST LA.
A
B
C
D
E
98
99
GODLEY BARN
Godleybarn
Birchenfields
Godleybrook
LANE
BIRCHENFIELDS LA.
Weir
Bradeley
Oldengine Farm
Whympney Farm
Dilhorne Endowed Primary School
Whympney Wood
Little Oldengine Farm
Adderley Works
Parkhall Farm
1
2
3
4
5
6
7
44
43
42
41
HIGH ST
GODLEY
SARVER LANE
Dilhorne
S T A F F O R
Newclosefield
Adderley
Bowling Green
Dilhorne Cottage
The Dale
Lawns Farm
DILHORNE
BROOKHOUSE RD
BROOK SIDE CT.
Blake Hall
Brookhouses
Gasholder Station
GREENWAY
BROOKHOUSE WY.
DELPHOUSE ROAD
ROAD THE GRE
Callowhill
The Elms
Lower Delphhouse Wod
Haden House Farm
M O O R
Boundary
NEW ROAD
BROOKHOUSES INDUSTRIAL ESTATE
ROAD
A521
Kelson
Daisybank
Commonside
New Haden Engineering Works
HADEN
CHEADLE
Sweethills
Common Side Farm
Works
Depot
CROSS
Sweethills Farm
Common Side Nurseries
HARPLOW
Newfield Farm
ROAD
Stoke
Harplow
Draycott Cross Farm
Grotto
Mount Pleasant
Wayside Farm
DRAYCOTT
LANE
The Fields
Draycott Cross
High Coneygreaves Farm
Huntley
Sand & Gravel Pit
Lyndhurst
ROAD
GRASS
ST11
Pumping Station
Lower Coneygreaves Farm
CHEADLE
Coneygreave
The Grange
ROAD
Coneygreaves Farm

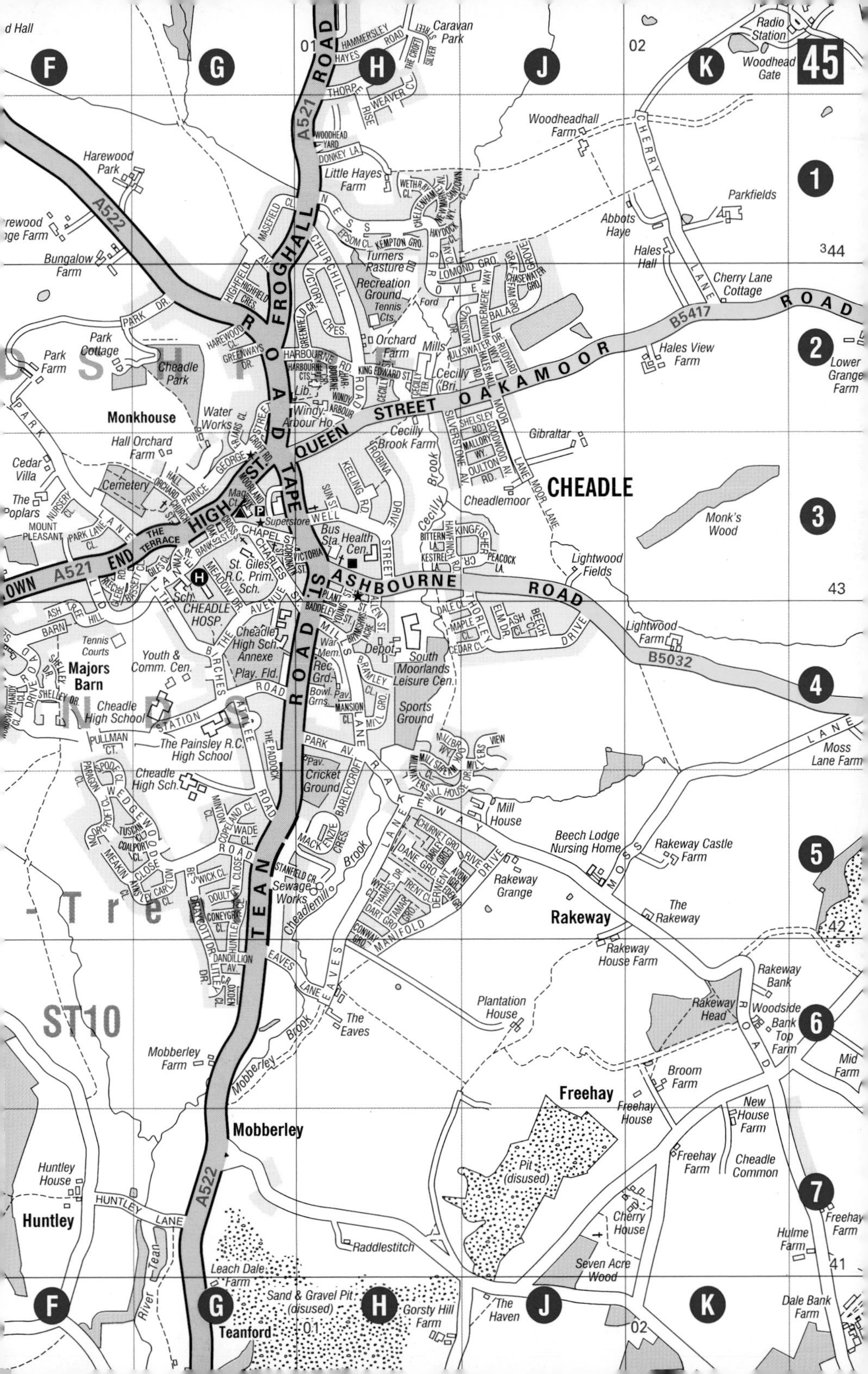

F
G
H
J
K
1
2
3
4
5
6
7
01
02
344
43
42
41
Radio Station
Woodhead Gate
Caravan Park
HAMMERSLEY
HAYES
ROAD
THE CROFT
SILVER STREET
THORPE RISE
WEAVER CL.
WOODHEAD YARD
DONKEY LA.
Little Hayes Farm
Woodheadhall Farm
CHERRY LANE
Parkfields
Abbots Haye
Hales Hall
Cherry Lane Cottage
Harewood Park
Harewood Grange Farm
Bungalow Farm
A522
A521
FROGHALL ROAD
MASEFIELD CL.
NESS
EPSOM CL.
KEMPTON GRO.
Turners Pasture
CHURCHILL
VICTORY CRES.
HAYDOCK CL.
CHELTENHAM AV.
NEWMARKET WY.
SANDOWN CL.
WETHERBY CL.
LOMOND GRO.
GROVE
CHASEWATER GRO.
GRAFHAM GRO.
WINDERMERE WAY
BALA
CONISTON DR.
ULLSWATER DR.
RUDYARD
HALES HALL
Recreation Ground
Tennis Cts.
Ford
Orchard Farm
Mills
Cecilly Bri.
HIGHFIELD AV.
HIGHFIELD CRES.
PARK DR.
Park Cottage
Park Farm
Cheadle Park
HAREWOOD CL.
GREENWAYS DR.
HARBOURNE CRES.
HARBOURNE CTS.
GREENFIELD CR.
HARBOURNE RD.
WINDY ARBOUR
KING EDWARD ST.
CECILLY ST.
CECILLY TER.
Lib.
Windy Arbour Ho.
B5417
OAKAMOOR ROAD
QUEEN STREET
Hales View Farm
Lower Grange Farm
Monkhouse
Water Works
FRIARS CL.
Hall Orchard Farm
GEORGE
CROFT RD.
TAPE
SILVERSTONE AV.
SHELSLEY RD.
MALLORY WY.
OULTON RD.
GOODWOOD AV.
MOOR LANE
Gibraltar
Cecilly Brook Farm
ROBINA DRIVE
KEELING RD
CHEADLE
Cheadlemoor
Monk's Wood
Cedar Villa
The Poplars
NURSERY CL.
MOUNT PLEASANT
PARK LANE CL.
Cemetery
HALL ORCHARD
PRINCE
CHURCH
HIGH ST.
MOORLAND
Mag. Ct.
Superstore
SUN ST.
WELL STREET
CHAPEL ST.
CROSS ST.
CHARLES ST.
CORONATION ST.
VICTORIA
Bus Sta.
Health Cen.
Cecilly Brook
BITTERN LA.
HAWFINCH RD.
KINGFISHER CR.
KESTREL LA.
PEACOCK LA.
Lightwood Fields
ASHBOURNE ROAD
THE TERRACE
END
A521
TOWN
BANKS
GILES CL.
St. Giles R.C. Prim. Sch.
MEADOW DR.
THE AVENUE
Sch.
CHEADLE HOSP.
PLANT ST.
BADDELEY
YOUNG ST.
ALLEN ST.
DALE CL.
THORLEY DRIVE
ELM DR.
ASH CL.
BEECH CL.
MAPLE CL.
CEDAR CL.
DRIVE
Lightwood Farm
B5032
ASH TREE HILL
BARN
Tennis Courts
Youth & Comm. Cen.
Majors Barn
SHELLEY DR.
Cheadle High Sch. Annexe
Play. Fld.
BIRCHES
MILLS
War Mem.
Rec. Grd.
Depot
South Moorlands Leisure Cen.
BRAMLEY CL.
Bowl. Grns.
Pav.
MANSION CL.
LANE
MILL GRO.
Sports Ground
STATION ROAD
ALLÉE
Cheadle High School
PULLMAN CT.
The Painsley R.C. High School
THE PADDOCK
PARK AV.
Pav.
Cricket Ground
BARLEYCROFT
MILLBROOK WY.
MILL STREAM
MILLERS VIEW
MILL HOUSE DR.
Mill House
Moss Lane Farm
Cheadle High Sch.
SPODE CL.
PARAGON CL.
WEDGEWOOD
MOORCROFT CL.
TUSCAN CL.
COALPORT CL.
MEAKIN CL.
MINTON CL.
COPELAND CL.
WADE CL.
ROAD
CLOSE
RAKEWAY
MACKENZIE CRES.
Brook
CHURNET GRO.
DANE GRO.
DARLEY GRO.
DRIVE
AVON GRO.
Beech Lodge Nursing Home
Rakeway Castle Farm
MOSS
Rakeway Grange
CARLTON
BESWICK CL.
DOULTON
CONEYGREAVE CL.
DRAYCOTT DR.
HUNTLEY AVE.
TEAN ROAD
STANFIELD CR.
Sewage Works
Cheadlemill
WYE CL.
THAMES DR.
TRENT CL.
DERWENT DR.
EDEN GRO.
DART GRO.
TAMAR GRO.
CONWAY GRO.
MANIFOLD
Rakeway
The Rakeway
Rakeway House Farm
Rakeway Bank
DANDILLION AV.
LITTLE CR.
OXDEN
EAVES LANE
EAVES
ST10
The Eaves
Plantation House
Rakeway Head
Woodside Bank Top Farm
Mid Farm
Mobberley Farm
Mobberley Brook
Broom Farm
Freehay
Freehay House
New House Farm
Freehay Farm
Cheadle Common
Mobberley
Pit (disused)
Huntley House
Huntley
HUNTLEY LANE
A522
Cherry House
Raddlestitch
Seven Acre Wood
Freehay Farm
Hulme Farm
River Tean
Leach Dale Farm
Sand & Gravel Pit (disused)
Gorsty Hill Farm
The Haven
Teanford
Dale Bank Farm

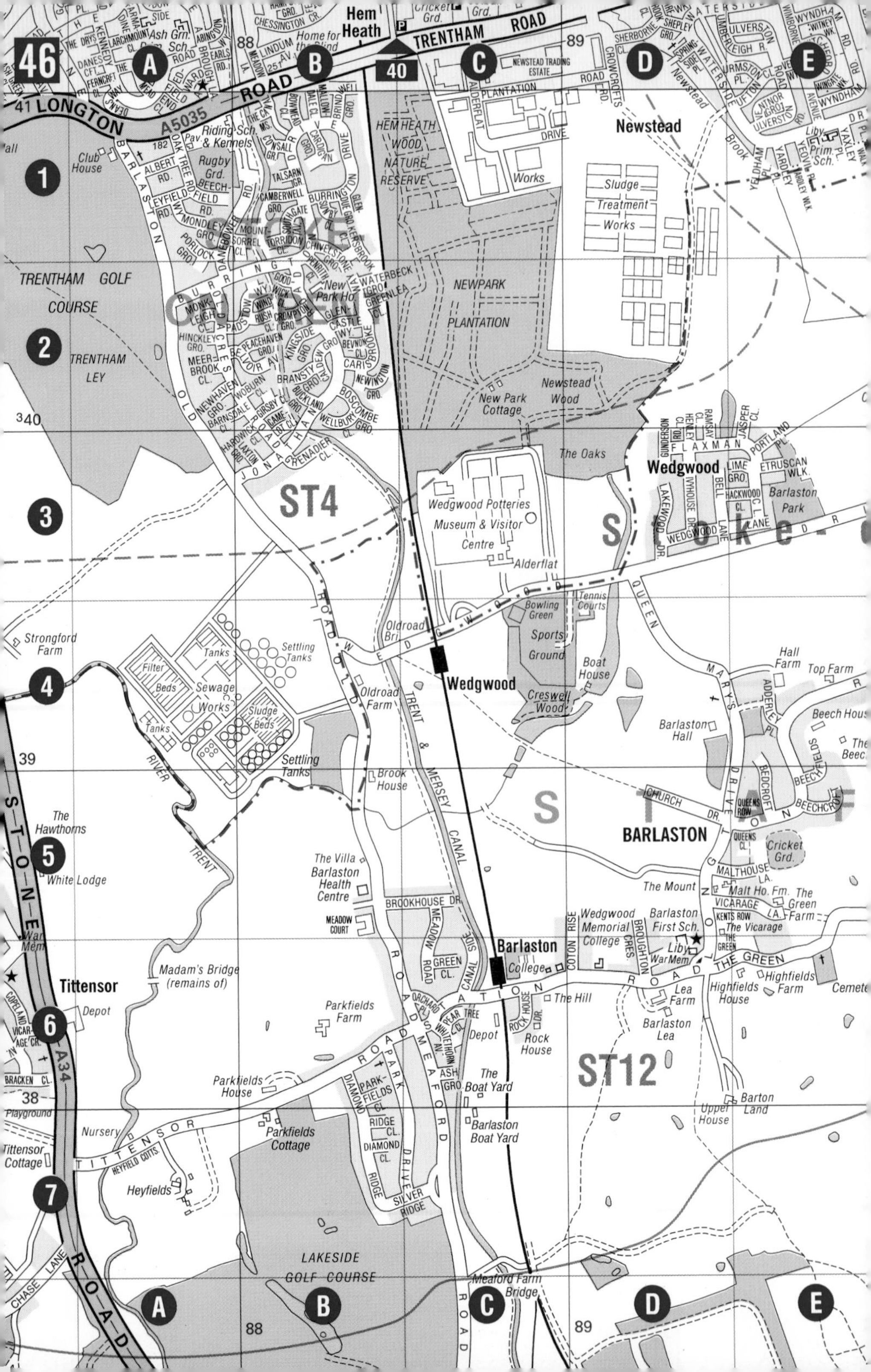
Hem Heath
TRENTHAM ROAD
LONGTON ROAD
A5035
40
Home for the Blind
Ash Grn. Prim. Sch.
Riding Sch. & Kennels
Rugby Grd.
Club House
NEWSTEAD TRADING ESTATE
PLANTATION ROAD
ALDERFLAT DRIVE
Works
Newstead
Sludge Treatment Works
HEM HEATH WOOD NATURE RESERVE
NEWPARK PLANTATION
New Park Cottage
Newstead Wood
The Oaks
TRENTHAM GOLF COURSE
TRENTHAM LEY
New Park Ho.
BURRINGTON DRIVE
OLD ROAD
JONATHAN ROAD
ST4
Wedgwood
Wedgwood Potteries Museum & Visitor Centre
Alderflat
WEDGWOOD DRIVE
Barlaston Park
Bowling Green
Tennis Courts
Sports Ground
Boat House
Creswell Wood
Oldroad Bri.
Oldroad Farm
Strongford Farm
Filter Beds
Tanks
Settling Tanks
Sewage Works
Sludge Beds
RIVER TRENT
Brook House
TRENT & MERSEY CANAL
QUEEN MARY'S DRIVE
Hall Farm
Top Farm
Beech House
Barlaston Hall
CHURCH DR.
BARLASTON
Cricket Grd.
The Mount
Malt Ho. Fm.
The Green Farm
The Vicarage
Barlaston First Sch.
Wedgwood Memorial College
Barlaston
College
STATION ROAD
THE GREEN
The Hill
Lea Farm
Highfields House
Highfields Farm
Cemetery
Barlaston Lea
Rock House
ST12
Barton Land
Upper House
The Hawthorns
White Lodge
The Villa
Barlaston Health Centre
BROOKHOUSE DR.
MEADOW COURT
STONE ROAD
A34
War Mem.
Tittensor
Depot
Madam's Bridge (remains of)
Parkfields Farm
Parkfields House
PARK ROAD
MEAFORD ROAD
The Boat Yard
Barlaston Boat Yard
TITTENSOR ROAD
Nursery
Parkfields Cottage
Playground
Tittensor Cottage
HEYFIELD COTTS.
Heyfields
DIAMOND RIDGE
SILVER RIDGE
LAKESIDE GOLF COURSE
Meaford Farm Bridge
CHASE LANE
A B C D E
1 2 3 4 5 6 7
88 89 340 39 38

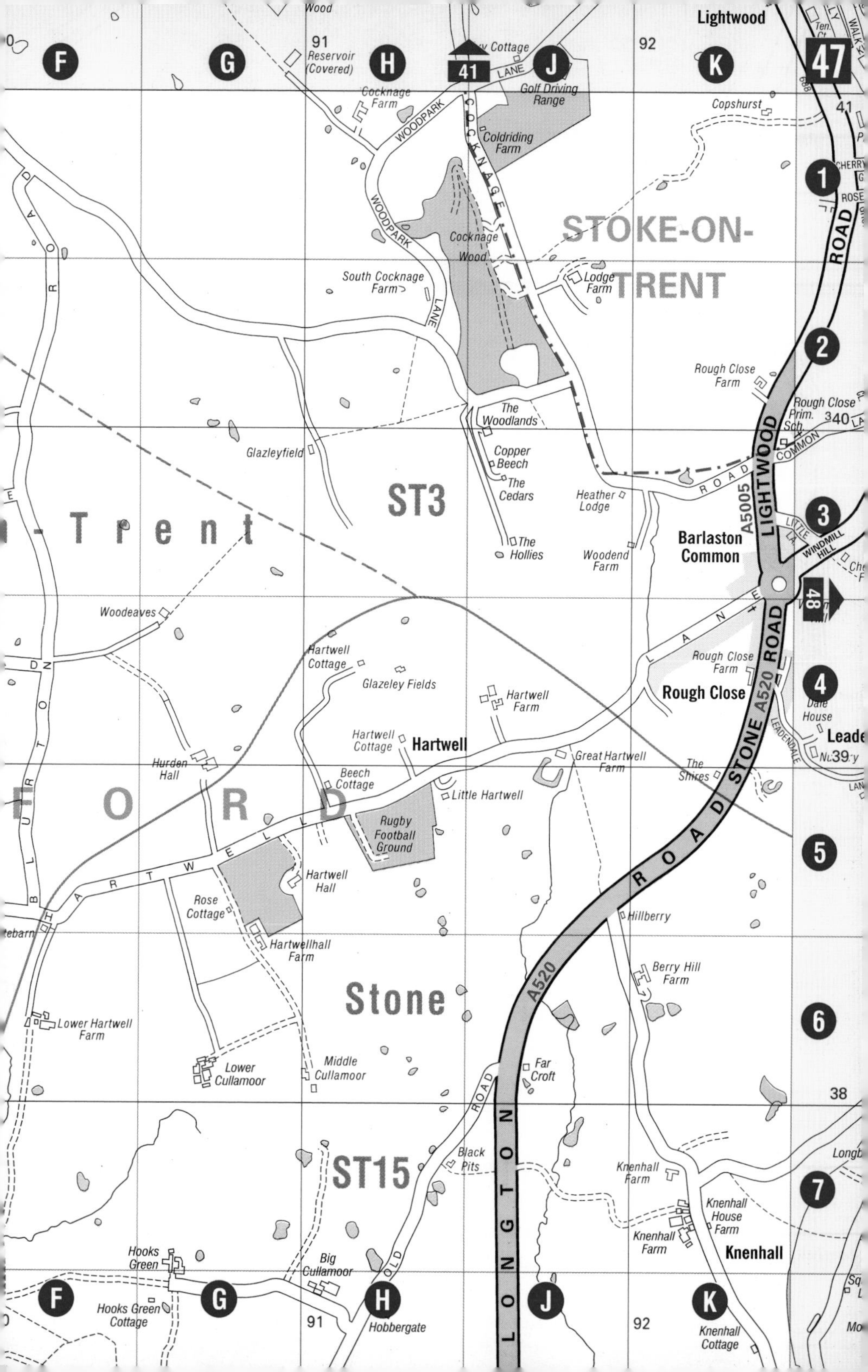
47
Lightwood
Wood
Reservoir (Covered)
41
Cottage
LANE
Cocknage Farm
WOODPARK
COCKNAGE
Golf Driving Range
Coldriding Farm
WOODPARK
Cocknage Wood
South Cocknage Farm
LANE
Lodge Farm
STOKE-ON-TRENT
Copshurst
CHERRY
ROSE
LIGHTWOOD ROAD
Rough Close Farm
Rough Close Prim. Sch.
340
COMMON
The Woodlands
Glazleyfield
Copper Beech
The Cedars
ST3
ROAD
A5005
Heather Lodge
-Trent
The Hollies
Woodend Farm
Barlaston Common
LITTLE LA
WINDMILL HILL
48
Woodeaves
LANE
Rough Close Farm
Rough Close
Hartwell Cottage
Glazeley Fields
Hartwell Farm
A520
STONE ROAD
Dale House
LEADENDALE
Leade
Hartwell Cottage
Hartwell
Great Hartwell Farm
The Shires
39
Hurden Hall
Beech Cottage
Little Hartwell
FORD
Rugby Football Ground
HARTWELL
BURTON ROAD
Hartwell Hall
Rose Cottage
Hillberry
Hartwellhall Farm
Berry Hill Farm
A520
Stone
Lower Hartwell Farm
Lower Cullamoor
Middle Cullamoor
Far Croft
38
OLD ROAD
LONGTON
Black Pits
Longb
ST15
Knenhall Farm
Knenhall House Farm
Knenhall Farm
Hooks Green
Big Cullamoor
Knenhall
Hooks Green Cottage
91
Hobbergate
92
Knenhall Cottage
F
G
H
J
K
1
2
3
4
5
6
7

Lightwood
Pittsburgh House
SANDON
ROAD
A520
LIGHTWOOD ROAD
A5005
GRANGE BANK
GRANGEWOOD AV.
KINGSMEAD
STOKE-ON-TRENT
LYSANDER ROAD
HAWKSDALE CL.
WENYHAM
SPERRY CL.
CANBERRA CR.
PILSDEN PL.
HARGREAVE
FALCON
CATERHAM PL.
CHATTERIS CL.
SEVENOAKS GRO.
WHITESTONE RD.
GATLEY GRO.
MILBRIDGE CL.
CHESHAM GRO.
OAKHURST GRO.
B5029
LANE
GRINDLEY
Playing Field
Pav.
Works
Stallington Grange
Warehouse
Meir Heath
MILWARD GRO.
HEATHFIELD GRO.
RIDGE CRES.
CHURCH CL.
CHERRYWOOD GRO.
ROSE A CRE GRO.
HEATHERLANDS CL.
BRACKEN CL.
Rough Close Prim. Sch.
COMMON LANE
BIRKHOLME
SYCAMORE CL.
PEMBERTON
COMBE DR.
BLYTHE AV.
MARSH VW.
HILL TOP VW.
HIGH HEATH GRO.
HOLLIES DRIVE
DIAMOND CL.
LINDLEY PL.
MELROSE AV.
GOLBORN CL.
WILLOWS DR.
GOLBORN AV.
DRIVE
HILDERSTONE
HILL
WINDMILL
WINDMILL CL.
SOUTH VW.
ANTHONY GRO.
WEST VIEW
BERNARD GROVE
Meir Heath Co. Prim. Sch.
FERNLEA GRO.
GOLBORN
BIRCH GRO.
BLACKLAKE DR.
HEATHER CR.
WOODSIDE
WOODLANDS GRO.
Diamond Plantation
S T A F
Stallington Farm
Stallington
Stallington Hall Farm
STALLINGTON CL.
ROAD
Nursery
LITTLE LA.
Chestnut Farm
The Poplars Farm
Nursy.
Ravenswood
47
Windmill Hill
STONE ROAD
Blacklake Plantation
LANE
WILLOW
Rabbit Warren
Cricket Ground
Leadendale
Dale House
Leadendale
ST3
Leadendale Farm
Blacklake Farm
Stoke-
LEADENDALE LANE
Nursery
Leyden House
Blacklake Plantation
STALLINGTON
Reservoir (Covered)
Sports Ground
Cricket Ground
FULFORD ROAD
Baker's Cottage
Blacklake Farm
Fulford Dale Farm
Parkside Poultry Farm
B5066
Stone
School House
Schoolhouse Wood
Moddershall Grange
Greenacres
Longbank
ST15
Manor Farm
Woodside Cottage
Stallington Heath
Reservoir (covered)
Nursery
Knenhall
Idlerock Farm
Squirrels Leap
Moddershall Oaks
Idlerocks
Spot Acre
Crossgate
Field Farm
MOSS LA.
ROAD
A B C D E
1 2 3 4 5 6 7
93 94
41 40 39 38

F
G
H
J
K
1
2
3
4
5
6
7
41
340
39
38
96
97
Blythe Marsh
43
Blythe Bridge
Blythe Bridge Co. High Sch.
Clinic
LANE
The Farm
Mill Pond
Mill
Coach Depot
Prim. Sch.
Recreat. Ground
Hall
Myrtle Grove
New Park
DRAYCOTT
Cairncroft
UTTOXETER
ROAD
A521
Roman Road
A50
BRAMMALL DR.
SUTHERLAND
ORCHARD RISE
HIGHLAND DR.
MIDWAY
ARGYLL
THE GRO.
CRES.
PARK VW.
CHARTLEY CL.
CHURCHILL
FIELD
CROSSFIELD AV.
IVY CL.
STALLINGTON GDNS.
BLITHE VW.
BARLSTONE AV.
BOGS LA.
ROSEACRE LA.
BANCROFT LA.
FERNDALE CL.
CLEMATIS AV.
HONEYSUCKLE AV.
LAVENDER
BEECHWOOD CL.
POPLAR
GREEN LANE
ELMWOOD
LIMEWOOD
CHESTNUT CR.
PINEWOOD GRO.
CYPRESS GRO.
LABURNUM
CEDAR AV.
MAPLE CR.
OAKDENE CL.
BRIDGWOOD
BROOK CL.
WESLEY ST.
GLEBE CL.
River Blithe
Stonehouses
WOODLANDS LANE
Marsh House
Marsh House Farm
STAFFORDSHIRE MOORLANDS
OLD
STUART AV.
NEW AV.
Hawthorne Farm
Draycott Manor Co. Prim. Sch.
Woodlands
Higher Gorsty Birch
Gorstybirch
The Uplands
Lower Gorsty Birch
O R D
Little Leacroft Farm
Old Mill Race
Pumping Station
Cresswell
Station Farm
Isaac Walton Fm.
CRESSWELL OLD LA.
Stallington Sprink
- T r e n t
Leacroft Hall
Saverley Green
Saverley Green Farm
Saverley House Farm
The Hollows Farm
Saverley House
Rookery Cottage
SANDON ROAD
SANDON CL.
ROOKERY CR.
Works
Rookery Farm
MEADOWSIDE
Saverley Green
Meadowfield
Yew Tree Farm
Home Farm
Hunters Way
Leese House Farm
ST11
Fulford Hall
Fulford
The Bungalow
Wastegate Farm
TUDOR HOLLOW
LANCASTER AV.
YORK AV.
TUDOR CT.
MEADOW LA.
Meadow View
TOWNEND
HILLSIDE
HIGHVIEW
GREEN
CHERRY CL.
Hall
ROAD
SAVERLEY GRN. RD.
LONG LANE
Townend
Fulford House Farm
New House Farm
The Limes
The Morrilows
Longlane Head
Mount Pleasant
Greensitch
Winsley
COCKLESALL LANE
Hose Wood

INDEX TO STREETS

HOW TO USE THIS INDEX

1. Each street name is followed by its Posttown or Postal Locality and then by its map reference; e.g. Abbey Grn. Rd. *Leek* —1E **16** is in the Leek Posttown and is to be found in square 1E on page **16**. The page number being shown in bold type.
   A strict alphabetical order is followed in which Av., Rd., St., etc. (though abbreviated) are read in full and as part of the street name; e.g. Ashbourne Dri. appears after Ash Bank Rd. but before Ashbourne Gro.

2. Streets and a selection of Subsidiary names not shown on the Maps, appear in the index in *Italics* with the thoroughfare to which it is connected shown in brackets; e.g. *Arclid Ct. Cong —4H **9** (off Herbert St.)*

3. The page references shown in brackets indicate those streets that appear on the large scale map pages 4-7; e.g. Adventure Pl. *Stoke* —2B **34** (4F **5**) appears in square 2B on page **34** and also appears in the enlarged section in square 4F on page **5**.

GENERAL ABBREVIATIONS

All : Alley
App : Approach
Arc : Arcade
Av : Avenue
Bk : Back
Boulevd : Boulevard
Bri : Bridge
B'way : Broadway
Bldgs : Buildings
Bus : Business
Cvn : Caravan
Cen : Centre
Chu : Church
Chyd : Churchyard
Circ : Circle
Cir : Circus
Clo : Close
Comn : Common
Cotts : Cottages
Ct : Court
Cres : Crescent
Dri : Drive
E : East
Embkmt : Embankment
Est : Estate
Gdns : Gardens
Ga : Gate
Gt : Great
Grn : Green
Gro : Grove
Ho : House
Ind : Industrial
Junct : Junction
La : Lane
Lit : Little
Lwr : Lower
Mnr : Manor
Mans : Mansions
Mkt : Market
M : Mews
Mt : Mount
N : North
Pal : Palace
Pde : Parade
Pk : Park
Pas : Passage
Pl : Place
Quad : Quadrant
Rd : Road
S : South
Sq : Square
Sta : Station
St : Street
Ter : Terrace
Trad : Trading
Up : Upper
Vs : Villas
Wlk : Walk
W : West
Yd : Yard

POSTTOWN AND POSTAL LOCALITY ABBREVIATIONS

Act : Acton
Als : Alsager
Als B : Alsagers Bank
Ash B : Ash Bank
A'bry : Astbury
A'ly : Audley
Bad G : Baddeley Green
Bag : Bagnall
B'stn : Barlaston
B'ton : Betchton
Bid : Biddulph
Bid M : Biddulph Moor
Big E : Bignall End
B Bri : Blythe Bridge
B'well : Bradwell
B Frd : Brindley Ford
Brn E : Brown Edge
Brn L : Brown Lees
B'lw : Brownlow
Bug : Buglawton
Bur : Burslem
But : Butterton
Cav : Caverswall
C'dle : Cheadle
Ches : Chesterton
Chu L : Church Lawton
Clay : Clayton
Cong : Congleton
C H'th : Cross Heath
C'wll : Cresswell
Dil : Dilhorne
Dray : Draycott
Dres : Dresden
Eat : Eaton
Eat T : Eaton Bank Trad. Est.
End : Endon
Fen I : Fenton Ind. Est.
For : Forsbrook
Ful : Fulford
Gil H : Gillow Heath
Halm : Halmerend
Han : Hanchurch
H'ly : Hanley
Har : Harriseahead
Has G : Hassall Green
Hav : Havannah
Hem H : Hemheath
High B : High Carr Bus. Pk.
Hild : Hilderstone
Hot I : Hot Lane Ind. Est.
Hul : Hulme
Hul W : Hulme Walfield
Join I : Joiners Square Ind. Est.
K'le : Keele
Kid : Kidsgrove
Knut : Knutton
Knyp : Knypersley
Lask E : Lask Edge
Leek : Leek
Ley : Leycett
L Oaks : Light Oaks
Long H : Longbridge Hayes
Long : Longsdon
L'tn : Longton
Mad : Madeley
Mad H : Madeley Heath
May B : Maybank
Meir H : Meir Heath
Mow C : Mowcop
New : Newcastle
N'cpl : Newchapel
Nort G : Norton Green
Oul : Oulton
Pac : Packmoor
Park I : Parkhouse Ind. Est.
Port : Porthill
Rad G : Radway Green
Red S : Redstreet
Rode H : Rode Heath
Rook : Rookery
R'gh C : Rough Close
Row I : Rowhurst Ind. Est.
Rud : Rudyard
Sav G : Saverley Green
Sch G : Scholar Green
S Hay : Scot Hay
Sil : Silverdale
Smal : Smallthorne
S Grn : Sneyd Green
Som : Somerford
Stoc B : Stockton Brook
Stoke : Stoke-On-Trent
Stone : Stone
Tal : Talke
Tal P : Talke Pits
Tean : Tean
Thor : Thorncliffe
T'sor : Tittensor
Tren : Trentham
T Vale : Trent Vale
Uni K : University Of Keele
Werr : Werrington
W Coy : Weston Coyney
Wet R : Wetley Rocks
Wint : Winterley
Wol : Wolstanton

INDEX TO STREETS

Aarons Dri. *Big E* —2G **25**
Abberley Ho. *New* —5F **27**
Abbey Ct. *Stoke* —7G **29**
Abbey Grn. Rd. *Leek* —1E **16**
Abbey La. *Stoke* —1F **35**
Abbey Rd. *Stoke* —6F **29**
Abbey St. *New* —4K **31**
Abbey St. *Stoke* —6F **29**
Abbots Pl. *Stoke* —6G **29**
Abbots Rd. *Stoke* —6G **29**
Abbot's Way. *New* —6D **32**
Abbott's Clo. *Cong* —7K **9**
Abbotts Ct. *Stoke* —5G **29**
Abbotts Dri. *Stoke* —4D **28**
Abbott's Rd. *Leek* —3H **17**
Abercorn St. *Stoke* —1E **40**
Aberford Gro. *Stoke* —7E **28**
Abingdon Way. *Stoke* —7A **40**
Acacia Av. *New* —3B **32**
Acacia Gdns. *Kid* —7F **13**
Acacia Gro. *New* —3B **32**
Achilles Way. *Stoke* —4E **34**
Acorn Rise. *Stoke* —6J **41**
Acres Nook Rd. *Stoke* —4D **20**
Acreswood Rd. *Stoke* —2A **28**
Acton La. *Act* —6A **38**
Acton St. *Stoke* —6C **28**
Acton Way. *Chu L* —4E **10**
Adams Av. *Stoke* —6G **21**
Adams Cres. *Werr* —2C **36**
Adams Gro. *Leek* —5C **16**
Adams St. *New* —1F **33**
Adams St. *Stoke* —3G **29**
Adamthwaite Clo. *B Bri* —7E **42**
Adamthwaite Dri. *B Bri* —6E **42**
Adderley Pl. *B'stn* —4E **46**
Adderley Rd. *Stoke* —1D **28**
Addington Way. *Stoke* —1J **41**
Addison St. *Stoke* —6C **28**
Adelaide St. *Stoke* —5K **27**
Adkins St. *Stoke* —5B **28**
Adrian St. *Stoke* —7D **34**
Adventure Pl. *Stoke* —2B **34** (4F **5**)
Aegean Clo. *Stoke* —6B **40**
Agger Hill. *Ley* —5C **30**
Ainsdale Clo. *Stoke* —5J **41**
Ainsworth St. *Stoke* —1B **40**
Aintree Clo. *Stoke* —7A **40**
Aitken St. *Stoke* —4H **27**
Ajax Way. *Stoke* —4E **34**
Akesmoor La. *Gil H* —3J **13**
Alanbrooke Gro. *Stoke* —5K **41**
Alan Dale. *Werr* —1C **36**
Alanley Clo. *Stoke* —3C **28**
Alan Rd. *Stoke* —2H **35**
Alastair Rd. *Stoke* —2J **39**
Albany Gro. *Stoke* —5G **33** (5H **7**)
Albany Rd. *New* —3E **32** (1C **6**)
Albany Rd. *Stoke* —5G **33** (5H **7**)
Albany St. *Stoke* —4F **21**
Albemarle Rd. *New* —2D **32**
Alberta St. *Stoke* —4H **41**
Albert Av. *Stoke* —3K **41**
Albert Pl. *Cong* —5G **9**
Albert Pl. *Stoke* —5G **41**
Albert Rd. *Stoke* —1A **46**
Albert Sq. *Stoke* —7D **34**
Albert St. *Bid* —2B **14**
Albert St. *Big E* —1F **25**
Albert St. *Ches* —5B **26**
Albert St. *Leek* —3F **17**
Albert St. *New* —4G **33** (2G **7**)
Albert St. *Sil* —3K **31**
Albert St. *Stoke* —1H **41**
Albert Ter. *New* —7F **27**
Albion Sq. *Stoke* —2B **34** (4F **5**)
Albion St. *Leek* —4F **17**
Albion St. *Stoke* —2B **34** (4E **5**)
Alcester Clo. *Stoke* —5A **22**
Aldbury Pl. *Stoke* —5D **40**
Aldeburgh Dri. *New* —4E **38**
Alder Clo. *Kid* —3D **20**
Alderflat Dri. *Stoke* —7C **40**
Alder Gro. *New* —4A **26**
Alderhay La. *Rook* —6F **13**
Alderney Clo. *New* —2B **38**
Alderney Cres. *Stoke* —3E **40**
Alders Rd. *Bid M* —1G **15**
Alderton Gro. *Stoke* —1C **48**
Alder Wlk. *Stoke* —2H **39**
Aldrin Clo. *Stoke* —7D **42**
Alexandra Rd. *New* —7F **27**
Alexandra Rd. *Stoke* —4K **41**
Alford Dri. *Stoke* —2B **36**
Alfred St. *Stoke* —6D **34**
Alfreton Rd. *Stoke* —7F **35**
Algar Rd. *Stoke* —7H **33**
Allenby Sq. *Stoke* —2H **39**
Allendale Wlk. *Stoke* —5D **40**
Allensmore Av. *Stoke* —1G **41**

Allen St. C'dle —4H 45
Allen St. Stoke —5H 33
Allensway. New —2B 38
Allerton Rd. Stoke —7J 39
All Saints Rd. Stoke —1K 39
Alma Clo. Sch G —3B 12
Almar Pl. Stoke —6K 21
Alma St. Leek —3E 16
Alma St. Stoke —7C 34
Almond Gro. Stoke —3D 40
Almond Pl. New —3A 26
Alsager Rd. A'ly —5E 18
Alsager Rd. Wint —2A 10
Alsop St. Leek —4F 17
Alstonfield Av. Stoke —6H 29
Alton Clo. New —4J 31
Alton Dri. Stoke —6J 35
Alwyn Cres. Stoke —4C 28
Amberfield Clo. Stoke —2K 41
Amblecote Dri. Stoke —2K 41
Ambleside Ct. Cong —5B 8
Ambleside Pl. Stoke —1K 27
Ambrose Pl. Stoke —4J 21
America St. Stoke —1G 27
Amicable St. Stoke —5J 27
Amison St. Stoke —2H 41
Ampthill Pl. Stoke —5J 39
Ancaster St. Stoke —4G 21
Anchor Ind. Est. Stoke —3H 41
Anchor Pl. Stoke —2H 41
Anchor Rd. Stoke —3H 41
Anchor Ter. Stoke —2H 41
Anderson Pl. Stoke —1D 28
Andover Clo. Stoke —7H 35
Andrew Pl. New —4F 33 (3F 7)
Andrew St. Stoke —4F 21
Anglesey Dri. Stoke —3F 41
Angle St. Leek —3E 16
Angus Clo. Stoke —2H 35
Annan Clo. Cong —6J 9
Anna Wlk. Stoke —5J 27
Anne Ct. Tal P —5A 20
Anne St. Stoke —4F 21
Annette Rd. Stoke —7G 35
Ansmede Gro. Stoke —5E 40
Anson Rd. Stoke —6A 42
Anthony Gro. Stoke —3A 48
Anthony Pl. Stoke —2J 41
Antrobus St. Cong —4F 9
Apedale Rd. Big E —4G 25
Apedale Rd. New —5J 25
Apley Pl. Stoke —6J 39
Apollo Wlk. Stoke —3B 28
Applecroft. Mad —1A 30
Applecroft. New —3B 26
Appledore Gro. Stoke —3H 21
Appleford Pl. Stoke —5D 40
Applegarth Clo. Stoke —7G 35
Appleton Clo. Bid —4D 14
Appleton Clo. Cong —7G 9
Applewood Cres. Stoke —6D 42
Aqueduct St. Stoke —6A 34
Aquinas St. Stoke —6K 33
Arbour Clo. Mad —1B 30
Arbourfield Dri. Stoke —4F 35
Arbour St. Stoke —1C 34 (2G 5)
Arbour St. Tal P —6A 20
Arclid Ct. Cong —4H 9
(off Herbert St.)
Arclid Way. Stoke —3G 35
Arctic Pl. Stoke —6A 40
Arden Clo. Leek —4J 17
Arden Ct. Cong —7K 9
Argles Rd. Leek —2H 17
Argosy Clo. Stoke —7C 42
Argyle St. Stoke —3A 34 (6C 4)
Argyll Clo. B Bri —1F 49
Argyll Rd. Stoke —4J 41
Aries Clo. Stoke —5J 21
Arkwright Gro. Stoke —4E 28
Arley Clo. Als —7D 10
Armshead Rd. Werr —1C 36
Armstrong Grn. Stoke —5B 28
Arnold Gro. New —4E 26
Arnside Av. Cong —5C 8
Arran Dri. Pac —3J 21
Arrowsmith Dri. Als —7C 10
Arthur Cotton Ct. Stoke —3K 27
Arthur St. Leek —3G 17
Arthur St. New —3C 32
Arthur St. Stoke —1H 27
Arundel Way. Stoke —7H 35
Ascot Clo. Cong —3F 9
Ash Bank Rd. Stoke —2K 35
Ashbourne Dri. New —4H 31
Ashbourne Gro. Stoke —7B 28
Ashbourne Rd. C'dle —3H 45
Ashbourne Rd. Leek —4G 17
Ashburton St. Stoke —5A 28
Ashby Cres. Stoke —5E 40
Ash Clo. C'dle —4J 45
Ashcombe Grn. Stoke —5E 40
Ashcombe Way. Leek —5G 17
Ashcott Wlk. Stoke —4H 35
Ashcroft Av. Stoke —3H 39
Ashcroft Clo. New —6D 26
Ashcroft Gro. New —6E 26
Ashcroft Oval. New —6E 26
Ashcroft Pl. New —6E 26
Ashcroft Rd. New —6D 26
Ashdale Clo. Als —5D 10
Ashdale Rise. New —3E 38
Ashdale Rd. Leek —3J 17
Ashdale Rd. Stoke —1B 40
Ashendene Gro. Stoke —6J 39
Ashenhurst Rd. Als —7G 11
Ashenhurst Way. Leek —5G 17
Ashenough Rd. Tal P —5A 20
Ashfield Ct. New —3D 32
Ashfields Grange. New —4E 32 (2C 6)
Ashfields New Rd. New —4D 32 (2B 6)
Ashfield Sq. Stoke —3F 35
Ashford St. Stoke —4A 34
Ash Grn. Clo. Stoke —7K 39
Ash Gro. Ash B —2A 36
Ash Gro. B'stn —6C 46
Ash Gro. B Bri —6D 42
Ash Gro. Cong —4C 8
Ash Gro. L'tn —4D 40
Ash Gro. New —3J 31
Ash Gro. Rode H —3G 11
Ashlands Av. Stoke —5H 33
Ashlands Cres. Stoke —6H 33
Ashlands Gro. Stoke —6H 33 (6H 7)
Ashlands Rd. Stoke —6H 33
Ashlar Clo. Stoke —3K 21
Ashley Gro. New —1F 33
Ashley St. Stoke —2B 34
Ashman St. Stoke —2B 28
Ashmead Clo. Als —7F 11
Ashmead M. Als —7F 11
Ashmore's La. Als —7E 10
Ashmore Wlk. Stoke —3H 5
Ashover Gro. Stoke —3H 21
Ashridge Av. New —4E 38
Ashridge Gro. Stoke —1J 41
Ashton Clo. Cong —6K 9
Ashton Ct. New —4F 39
Ashton Ct. Werr —2B 36
Ash Tree Hill. C'dle —4F 45
Ashurst Gro. Stoke —7C 42
Ash View. Kid —1E 20
Ash Way. Stoke —2A 36
Ashwell Rd. Stoke —5G 33 (4H 7)
Ashwood. Stoke —1G 41
Ashwood Gro. B Bri —1H 49
Ashwood Ter. Stoke —1H 41
Ashworth St. Stoke —7C 34
Askern Clo. Stoke —5K 41
Aspen Clo. Har —7H 13
Asquith Clo. Bid —2C 14
Astbury Clo. Kid —7F 13
Astbury Ct. Cong —5E 8
Astbury La. Ends. Cong —7G 9
Astbury St. Cong —5E 8
Aster Clo. Stoke —7C 36
Aston Rd. New —3K 25
Astro Gro. Stoke —2F 41
Athelstan St. Stoke —1G 27
Athena Rd. Stoke —7E 28
Atherstone Rd. Stoke —7K 39
Athlone St. Stoke —2C 28
Atholl Rd. Stoke —5J 41
Atlam Clo. Stoke —2F 35
Atlantic Gro. Stoke —6A 40
Atlas St. Stoke —1D 40
Attlee Rd. C'dle —4G 45
Attwood Rise. Kid —1D 20
Attwood St. Kid —1D 20
Aubrey St. Stoke —4E 20
Auckland St. Stoke —5K 27
Auden Pl. Stoke —3J 41
Audley Pl. New —7E 32
Audley Rd. Als —7F 11
Audley Rd. New —2K 25
Audley Rd. Tal —5H 19
Audley St. New —2B 32
Audley St. Stoke —1G 27
Austin Ho. Stoke —1F 35
Austin St. Stoke —3C 34
Austwick Gro. Stoke —1H 39
Aveling Grn. Stoke —4E 28
Aveling Rd. Stoke —4E 28
Avenue Rd. Stoke —4A 34
Avenue, The. Als —6D 10
Avenue, The. B Bri —7H 43
Avenue, The. C'dle —4G 45
Avenue, The. End —4K 23
Avenue, The. Kid —2C 20
Avenue, The. New —3G 33 (1F 7)
Avenue, The. Stoc B —7K 23
Avion Clo. Stoke —7D 42
Avoca St. Stoke —7C 28
Avon Clo. Kid —1E 20
Avon Clo. New —2E 38
Avon Ct. Als —5D 10
Avondale St. Stoke —4G 27
Avon Dri. Cong —6H 9
Avon Gro. C'dle —5H 45
Avonside Av. Stoke —7J 21
Avonwick Gro. Stoke —6F 29
Axbridge Wlk. Stoke —3B 28
(off Kinver St.)
Axon Cres. Stoke —2C 42
Aylesbury Rd. Stoke —3G 35
Aynsley Av. New —3E 38
Aynsley Clo. C'dle —5G 45
Aynsley Rd. Stoke —4A 34
Aynsley's Dri. B Bri —7F 43
Ayrshire Way. Cong —6J 9
Ayshford St. Stoke —3G 41

Bk. Bunt's La. Stoc B —7H 23
Bk. Cross La. Cong —7J 9
Bk. Ford Grn. Rd. Stoke —2C 28
Bk. Garden St. New —5F 33 (4E 7)
Bk. Heathcote St. Kid —1D 20
Back La. Brn E —4G 23
(Bank End)
Back La. Brn E —2G 23
(Hill Top)
Back La. Leek —3E 16
Back La. Som —2A 8
Bk. Park St. Cong —5G 9
Bk. River St. Cong —4F 9
Baddeley Grn. La. Stoke —2G 29
Baddeley Hall Rd. Stoke —2H 29
Baddeley Rd. Stoke —3G 29
Baddeley St. C'dle —4H 45
Baddeley St. Stoke —3J 27
Baden Rd. Stoke —3B 28
Baden St. New —3E 32 (1C 6)
Badger Gro. Stoke —7D 42
Badnall Clo. Leek —3E 16
Badnall St. Leek —3E 16
Baggott Pl. New —5C 32
Bagnall Rd. Bag —7K 23
Bagnall Rd. Stoke —3J 29
(Light Oaks)
Bagnall Rd. Stoke —3G 29
(Milton)
Bagnall St. Stoke —2B 34 (4F 5)
Bagot Gro. Stoke —4E 28
Bailey Ct. Als —7F 11
Bailey Cres. Cong —3J 9
Bailey Rd. Stoke —2D 40
Bailey's Bank. Bid —1J 15
Bailey St. New —4D 32 (2B 6)
Bailey St. Stoke —4J 33
Bainbridge Rd. Stoke —7K 39
Bains Gro. New —4C 26
Baker Cres. Stoke —1G 29
Baker Cres. N. Stoke —1H 29
Baker Cres. S. Stoke —2G 29
Baker Dri. A'bry —3C 8
Baker St. Stoke —7D 34
Baker Wlk. New —4C 6
Bakewell Clo. New —4J 31
Bakewell St. Stoke —1J 39
Bala Gro. C'dle —2J 45
Balcombe Clo. New —6E 32 (6C 6)
Balfour Gro. Bid —2D 14
Balfour St. Stoke —2C 34 (4H 5)
Ball Haye Grn. Leek —3G 17
Ball Haye Rd. Leek —3G 17
Ball Hayes Rd. Stoke —6B 22
Ball Haye St. Leek —3G 17
Ball Haye Ter. Leek —3G 17
Ballington Gdns. Leek —4G 17
(in two parts)
Ballington View. Leek —5G 17
Ballinson Rd. Stoke —5D 40
Balliol St. Stoke —6K 33
Ball La. Leek —3F 17
Ball La. Stoke —6F 23
Balloon St. Stoke —4G 33 (3H 7)
Ball's Yd. New —3D 6
Balmoral Clo. Stoke —4K 39
Baltic Clo. Stoke —7A 40
Bamber Pl. New —6C 26
Bamber St. Stoke —5A 34
Bambury St. Stoke —7G 35
Bamford Gro. Stoke —7A 28
Banbury Gro. Bid —3B 14
Banbury St. Tal —2A 20
Bancroft La. B Bri —1G 49
Bank Ct. Kid —1D 20
(off Attwood St.)
Bankfield Gro. S Hay —2F 31
(in two parts)
Bankfield Rd. Stoke —6A 42
Bank Hall Rd. Stoke —2A 28
Bankhouse Dri. Cong —3J 9
Bank Ho. Dri. New —3H 33
Bankhouse Rd. For —6J 43
Bankhouse Rd. Stoke —6J 39
Banks Clo. Cong —4E 8
Bankside. New —5F 33 (4E 7)
Bankside Ct. Als —5F 11
Bank St. C'dle —3G 45
Bank St. Cong —5G 9
Bank St. Rook —6F 13
Bank St. Stoke —7G 21
Bank, The. Sch G —3E 12
Bank Top Av. Stoke —1K 27
Banky Brook Clo. Stoke —1B 28
Banky Fields. Cong —6E 8
Banky Fields Cres. Cong —6E 8
Baptist St. Stoke —4J 27
Barber Dri. Sch G —3B 12
Barber Pl. Stoke —5J 21
Barber Rd. Stoke —5J 21
Barber's Sq. New —1G 33
Barber St. Stoke —3J 27
Barbridge Rd. New —2A 26
Barbrook Av. Stoke —2K 41
Barclay St. Stoke —1H 41
Bardsey Wlk. Stoke —3F 41
Barford Rd. New —2C 38
Barford St. Stoke —3G 41
Bargrave St. Stoke —4J 35
Bar Hill. Mad —3A 30
Barker Ho. Stoke —6E 40
Barker St. New —6C 26
Barker St. Stoke —3J 41
Barks Dri. Stoke —7C 22
Bark St. Cong —5G 9
(off Park St.)
Barlaston Old Rd. Stoke —1A 46
Barlaston Rd. Stoke —7E 40
Barley Croft. Als —1F 19
Barleycroft. C'dle —5H 45
Barleycroft Ter. Sch G —3C 12
Barleyfields. A'ly —2E 24
Barleyfields. Stoke —1B 28
Barleyford Dri. Stoke —7J 35
Barlow St. Stoke —3H 41
Barlstone Av. B Bri —1G 49
Barmouth Gro. B Frd —1B 22
Barnbridge Clo. Sch G —3B 12
Barn Ct. New —3F 39
Barncroft Rd. Stoke —5A 22

Barnes Way. Stoke —5H 41
Barnett Gro. Stoke —6J 21
Barnfield. Stoke —7J 33
Barnfield Rd. Leek —5E 16
Barnfield Rd. Stoke —5K 27
Barnfields Clo. Leek —5E 16
Barnfields Ind. Est. Leek —5E 16
Barngate St. Leek —3E 16
Barnlea Gro. Stoke —2B 48
Barn Rd. Cong —3E 8
Barnsdale Clo. Stoke —2A 46
Barnwell Gro. Stoke —5K 39
Baron St. Stoke —1F 41
Barracks Rd. New —5F 33 (4E 7)
Barracks Sq. New —5F 33 (4E 7)
Barracks Way. Leek —3E 16
Barrage Rd. Bid M —4G 15
Barratt Rd. Als —7G 11
Barrett Cres. Stoke —6K 27
Barrett Dri. Stoke —6K 27
Barrie Gdns. Tal —3K 19
Barrington Ct. New —2G 33
Barry Av. Stoke —2F 35
Bartholomew Rd. Stoke —6A 42
Barthomley Rd. A'ly —7A 18
Barthomley Rd. Stoke —6C 28
Bartlem St. Stoke —1J 41
Barton Cres. Stoke —3H 27
Barton Rd. Cong —5H 9
Barwood Av. Chu L —5H 11
Basford Pk. Rd. New —1G 33
Basildon Gro. Stoke —4H 41
Baskerville Rd. Stoke —7C 28 (1H 5)
Baskeyfield Pl. Stoke —6A 22
Basnett's Wood Rd. End —5K 23
Bassett Clo. C'dle —3F 45
Bassilow Rd. Stoke —6E 34
Bateman Av. Brn L —5A 14
Bath Rd. New —3G 31
Bath Rd. Stoke —2G 41
Baths Pas. Stoke —3G 41 (off Strand, The)
Bath St. Leek —3G 17
Bath St. Stoke —6K 33
Bath St. W Coy —1C 42
Bath Ter. Stoke —7K 33
Bathurst St. Stoke —2H 41
Batten Clo. Stoke —7D 42
Battison Cres. Stoke —4H 41
Baulk La. Ful —7F 49
Bayham Wlk. Stoke —1F 35
Baytree Clo. Stoke —6E 28
Beaconsfield. New —5F 27
Beaconsfield Dri. Stoke —5D 40
Beadnell Gro. Stoke —5H 41
Beard Gro. Stoke —5G 29
Beasley Av. New —6C 26
Beasley Pl. New —5C 26
Beatrice Wlk. B Frd —1A 22
Beattie Av. New —2E 32
Beatty Dri. Cong —3J 9
Beatty Rd. Leek —3H 17
Beauford Av. Werr —2B 36
Beaufort Rd. Stoke —4H 41
Beaulieu Clo. Werr —2C 36
Beaumaris Clo. Stoke —5G 33 (4H 7)
Beaumaris Ct. New —5D 32 (5B 6)
Beaumont Clo. Bid —2J 15
Beaumont Rd. Stoke —1H 27
Beaver Clo. Stoke —2H 39
Beaver Dri. C'dle —3E 44
Beckenham Clo. Stoke —6D 42
Beckett Av. Stoke —5C 42
Beckfield Clo. Bid M —1G 15
Beckford St. Stoke —7C 28 (1H 5)
Beck Rd. Mad —6A 30
Beckton St. Stoke —1H 27
Bedale Pl. Stoke —5D 40
Bedcroft. B'stn —5E 46
Beddow Way. Stoke —5J 21
Bedford Cres. New —2F 39
Bedford Gro. Als —5C 10
Bedford Rd. Kid —7D 12
Bedford Rd. Stoke —3A 34 (6C 4)
Bedford St. Stoke —3K 33 (in two parts)
Beech Av. Rode H —2G 11
Beech Clo. Bid M —1G 15
Beech Clo. C'dle —4J 45
Beech Clo. Cong —3C 8
Beech Clo. Leek —7D 16
Beech Ct. B Bri —7E 42
Beechcroft. B'stn —5E 46
Beech Croft. Mad —1B 30
Beech Dri. Kid —3B 20
Beeches Row. Stoke —6G 21
Beeches, The. New —6F 27
Beechfield Rd. Stoke —1A 46
Beechfields. B'stn —5E 46
Beech Gro. Leek —3D 16
Beech Gro. New —1F 33
Beech Gro. Stoke —1B 40
Beechmont Gro. Stoke —6E 28
Beech Rd. Stoke —5E 40
Beech St. Stoke —3H 41
Beechwood Clo. B Bri —1G 49
Beechwood Clo. New —5F 39
Beechwood Dri. Als —6C 10
Beeston Dri. Als —7D 10
Beeston St. Stoke —1H 41
Beeston View. Kid —4D 20
Beggars La. Leek —5D 16
Belfast Clo. Stoke —2A 28
Belfield Av. New —1F 33
Belford Pl. Stoke —4J 33
Belgrave Av. Als —5E 10
Belgrave Av. Cong —4E 8
Belgrave Av. Stoke —4G 41
Belgrave Cres. Stoke —5H 41
Belgrave Rd. New —5F 33 (5E 7)
Belgrave Rd. Stoke —5H 41
Bell Av. Stoke—4J 41
Bellefield View. New —2G 33
Bellerton La. Stoke —2D 28
Belle Vue. Leek —3E 16
Belle Vue Rd. Leek —3E 16
Bell Ho. Stoke —7E 40
Bell La. B'stn —3D 46
Bellringer Clo. Bid —3B 14
Bell's Hollow. New —2B 26
Bellwood Clo. Stoke —2B 48
Belmont Rd. Stoke —2K 33 (4A 4)
Belsay Clo. Stoke —2H 41
Belvedere Rd. Stoke —5K 39
Belvedere Ter. Rode H —3G 11
Belvoir Av. Stoke —2B 46
Bemersley Rd. B Frd & Brn E —7B 14
Benedict Pl. Stoke —7F 29
Benfleet Pl. Stoke —3F 41
Bengal Gro. Stoke —6B 40
Bengry Rd. Stoke —4K 41
Benjamins Way. Big E —2G 25
Bennett Pl. New —5E 26
Bennett Precinct. Stoke —3G 41
Bennett St. Stoke —5H 27
Bennion St. Stoke —3H 41
Benson St. Stoke —6J 21
Bent La. A'bry —6B 8
Bentley Av. New —1E 32
Bentley Rd. Stoke —6B 22
Berdmore St. Stoke —1F 41
Beresford Cres. New —7D 32
Beresford Dell. Mad —1A 30
Beresford St. Stoke —4A 34
Bergamot Dri. Stoke —1B 48
Berkeley Av. Als —5E 10
Berkeley Ct. New —4F 33 (3F 7)
Berkeley St. Stoke —2C 34 (5G 5)
Berkshire Dri. Cong —3F 9
Berkshire Gro. New —1F 39
Bernard Gro. Stoke —3A 48
Bernard St. Stoke —2C 34 (5G 5)
Berne Av. New —7B 32
Berryfield Gro. Stoke —2A 42
Berry Hill Greenway. Stoke —3G 35
Berryhill-Normacot Greenway. Stoke —7J 35
Berry Hill Rd. Stoke —4C 34
Berry La. Stoke —3H 41
Berry St. Stoke —6A 34
Berwick Rd. Stoke —4D 28
Berwick Wlk. New —6C 32
Best St. Stoke —1E 40
Beswick Clo. C'dle —5G 45
Beswick Rd. Stoke —6J 21
Betchton Ct. Cong —4H 9 (off Herbert St.)
Betchton La. Als —2D 10
Bethesda Rd. Stoke —3C 34
Bethesda St. Stoke —2B 34 (4E 5)
Betley Pl. New —1F 39
Bettany Rd. Stoke —5K 27
Bevan Av. Tal P —5A 20
Bevandean Clo. Stoke —2B 46
Bevan Pl. Mad —1B 30
Beveridge Clo. Stoke —4C 42
Beverley Cres. For —6H 43
Beverley Dri. Stoke —3G 35
Beville St. Stoke —7D 34
Bevin La. Stoke —2F 35
Bewcastle Gro. Stoke —7B 42
Bew St. Stoke —6D 22
Bexhill Gro. Stoke —6E 28
Bexley St. Stoke —7A 28 (1D 4)
Bibby St. Rode H —3F 11
Bida La. Cong —7K 9
Biddulph Rd. Cong —6J 9
Biddulph Rd. Har —4H 13
Biddulph Rd. Stoke —5K 21
Biddulph St. Cong —7K 9
Biddulph Valley Way. Cong —4J 9
Bignall End Rd. Big E —1H 25
Bignall Hill. Big E —2H 25
Bigsbury Wlk. Stoke —5K 27 (off Swainsley Clo.)
Billinge St. Stoke —4H 27
Bilton St. Stoke —7K 33
Birchall Av. Stoke —6F 21
Birchall Clo. Leek —7G 17
Birchall La. Leek —7G 17
Birchall Pk. Av. Leek —6G 17
Bircham Wlk. New —4E 38
Birch Av. Als —1F 19
Birch Av. Knyp —4K 13
Birch Ct. Cong —4B 8
Birch Dale. Mad —2B 30
Birchdown Av. Stoke —1A 28
Birchenfields La. Dil —1C 44
Birchenwood Rd. Stoke —3H 21
Birches Head Rd. Stoke —7C 28
Birches, The. C'dle —4G 45
Birches Way. Kid —1E 20
Birchfield Av. Rode H —3G 11
Birchfield Rd. Stoke —7H 29
Birchgate. Stoke —1H 35
Birchgate Gro. Stoke —1H 35
Birch Grn. Gro. Stoke —5D 28
Birch Gro. For —7H 43
Birch Gro. Stoke —3B 48
Birch Ho. Rd. New —4A 26
Birchlands Rd. Stoke —6E 28
Birch M. Mad —7A 30
Birchover Way. Stoke —3K 21
Birch Rd. Big E —3G 25
Birch Rd. Cong —4B 8
Birch St. Stoke —7D 28
Birch Ter. Stoke —2B 34 (4F 5)
Birch Tree La. Sch G —3E 12
Birch Wlk. Stoke —5F 41
Bird Cage Wlk. Stoke —2B 34 (4E 5)
Bird Rd. Stoke —4C 42
Birkdale Dri. Kid —7F 13
Birkholme Dri. Stoke —2B 48
Birks St. Stoke —1A 40
Birrell St. Stoke —1E 40
Biscay Gro. Stoke —6B 40
Bishop Rd. Stoke —6K 21
Bishop's Clo. Tal —3A 20
Bishop St. Stoke —1F 41
Bitterne Pl. Stoke —5J 35
Bittern La. C'dle —3H 45
Blackbank Rd. New —1H 31
Blackbird Way. Bid —2D 14
Blackbrook Av. New —4A 26
Black Firs La. Som —2A 8
Blackfriars Rd. New —5E 32 (5C 6)
Blackheath Clo. Stoke —3J 41
Black Horse La. Stoke —1B 34 (3D 4)
Blacklake Dri. Stoke —3B 48
Blackshaw Clo. Cong —6K 9
Blackthorn Pl. New —4B 26
Blackwell's Row. Stoke —6A 28
Blackwood Pl. Stoke —2K 41
Bladon Av. New —3E 38
Bladon Clo. Stoke —3K 21
Bladon Cres. Als —5D 10
Blakelow Rd. Stoke —7G 29
Blakeney Av. New —3E 38
Blake St. Cong —5E 8
Blake St. Stoke —4J 27
Blanchard Clo. Stoke —7D 42
Blantyre St. Stoke —4H 41
Blantyre Wlk. Stoke —4H 41
Blatchford Clo. Stoke —4C 42
Bleak Pl. Stoke —5K 27
Bleakridge Av. New —4E 26
Bleak St. New —2G 33
Bleeding Wolf La. Sch G —5B 12
Blencarn Gro. Stoc B —7H 23
Blenheim Ct. Als —5E 10
Blenheim St. Stoke —1C 40
Bleriot Clo. Stoke —7D 42
Blithe View. B Bri —1G 49
Blithfield Clo. Werr —3B 36
Bluebell Clo. Bid —3D 14
Bluestone Av. Stoke —2A 28
Blunt St. New —1F 33
Blurton Rd. B'stn —5F 47
Blurton Rd. Stoke —2D 40
Blyth Av. Cong —5C 8
Blythe Av. Stoke —2B 48
Blythe Bri. Rd. Cav —4F 43
Blythe Clo. B Bri —7E 42
Blythe Mt. Pk. B Bri —7H 43
Blythe Rd. For —7H 43
Boardmans Bank. Brn E —2F 23
Boathorse Rd. Kid —3C 20
Boathorse Rd. Stoke —5D 20
Bodmin Wlk. Smal —3C 28
Bogs La. B Bri —1G 49
Bolberry Clo. Stoke —5K 41
Bold St. Stoke —7C 28 (1H 5)
Bolina Gro. Stoke —7G 35
Bollin Clo. Als —7A 10
Bollin Dri. Cong —6H 9
Bollin Gro. Bid —1D 14
Bolney Gro. Stoke —7E 28
Bolsover Clo. Stoke —3K 21
Bolton Pl. Stoke —6A 42
Boma Rd. Stoke —6J 39
Bondfield Way. Stoke —4C 42
Bond St. Stoke —7G 21
Bonnard Clo. Stoke —1D 48
Bonner Clo. Stoke —2H 39
Boon Av. Stoke —7K 33
Boon Hill Rd. Big E —3G 25
Boostrey Ct. Cong —4H 9 (off Herbert St.)
Boothen Ct. Stoke —1A 40
Boothen Grn. Stoke —1A 40
Boothen Old Rd. Stoke —1A 40
Boothen Rd. Stoke —7A 34
Boothenwood Ter. Stoke —1K 39
Boothroyd St. Stoke —2B 34 (4F 5)
Booth St. A'ly —3E 24
Booth St. Cong —5E 8
Booth St. New —6C 26
Booth St. Stoke —7A 34
Borough Rd. Cong —4H 9
Borough Rd. New —4F 33 (2F 7)
Borrowdale Rd. Stoke —1D 28
Boscombe Gro. Stoke —2B 46
Bosinney Clo. Stoke —1G 41
Bosley Gro. Stoke —4F 21
Bosley View. Cong —6K 9
Boswell St. Stoke —3J 33
Botany Bay Rd. Stoke —7D 28
Botteslow St. Stoke —2C 34 (5G 5)
Boughey Rd. Big E —2G 25
Boughey Rd. Stoke —5B 34
Boughey St. Stoke —7K 33
Boulevard, The. Stoke —1H 27
Boulton St. New —6F 27
Boulton St. Stoke —7C 28
Boundary Clo. Leek —6G 17
Boundary Ct. Stoke —1F 5
Boundary Ct. Stoke —7B 28 (off Union St.)
Boundary La. Cong —7J 9
Boundary St. New —4G 33 (3G 7)
Boundary St. Stoke —7A 28 (1D 4)

Boundary View. *C'dle* —4E **44**
Bourne Cotts. *Stoke* —4H **41**
Bourne Pl. *Leek* —3D **16**
Bourne Rd. *Kid* —1C **20**
Bournes Bank. *Stoke* —4J **27**
Bournes Bank S. *Stoke* —4J **27**
Bourne St. *Mow C* —3G **13**
Bourne St. *Stoke* —2D **40**
Bouverie Pde. *Stoke* —5E **28**
Bowden Clo. *Cong* —4B **8**
Bowden St. *Stoke* —3A **28**
Bower End La. *Mad* —2A **30**
Bower St. *Stoke* —3B **34** (6F **5**)
Bowfell Gro. *Stoke* —6G **35**
Bowhill La. *A'ly* —6A **24**
Bowland Av. *New* —2B **32**
Bowman Gro. *Stoke* —4A **22**
Bowman Ho. *Stoke* —6A **42**
Bowmead Clo. *Stoke* —1B **46**
Bowmere Clo. *Bid* —1B **14**
Bowness Ct. *Cong* —6C **8**
Bowness St. *Stoke* —7A **28**
Bowsey Wood Rd. *Mad* —1B **30**
Bow St. *Stoke* —7B **28** (1F **5**)
Bowyer Av. *Stoke* —6D **22**
Box La. *Cong* —4B **8**
Box La. *Stoke* —4A **42**
Boxwood Pl. *New* —4A **26**
Boyles Hall Rd. *Big E* —2F **25**
Brabazon Clo. *Stoke* —7D **42**
Brackenberry. *New* —2E **32**
Bracken Clo. *Rode H* —2G **11**
Bracken Clo. *Stoke* —2A **48**
Bracken Clo. *T'sor* —6A **46**
Bracken Dale. *Leek* —5C **16**
Brackenfield Av. *Stoke* —4H **35**
Brackens, The. *New* —4E **38**
Bracken St. *Stoke* —2D **40**
Brackley Av. *Stoke* —3A **28**
Bradbury Clo. *Stoke* —1D **28**
Bradbury Gdns. *Cong* —7H **9**
Bradford Ter. *Stoke* —6D **28**
Bradley Village. *Stoke* —1A **28**
Bradshaw Pl. *Cong* —5G **9**
Bradwell Ct. *Cong* —5H **9**
Bradwell Grange. *New* —6E **26**
Bradwell Gro. *Cong* —5H **9**
Bradwell La. *New* —4C **26**
Bradwell Lodge. *New* —6F **27**
Bradwell St. *Stoke* —4G **27**
Braemar Clo. *Stoke* —2J **35**
Braemore Rd. *Stoke* —6G **29**
Braithwell Dri. *Stoke* —2F **29**
Brakespeare St. *Stoke* —4F **21**
Brake, The. *Sch G* —3E **12**
Brake Village. *Sch G* —3E **12**
Bramble Lea. *Mad* —2B **30**
Brambles Ct. *Bid* —3C **14**
Brambles, The. *New* —4F **39**
Bramfield Dri. *New* —3F **33** (1E **7**)
Bramley Clo. *C'dle* —4H **45**
Bramley Pl. *Stoke* —4H **39**
Brammall Dri. *B Bri* —7F **43**
Brammer St. *Stoke* —1B **28**
Brampton Clo. *End* —1K **23**
Brampton Ct. *New* —3F **33** (1E **7**)
Brampton Gdns. *New* —2F **33**
Brampton Ind. Est. *New* —3E **32** (1D **6**)
Brampton Rd. *New* —3F **33** (1E **7**)
Brampton Sidings. *New* —3E **32** (1D **6**)
Brampton Wlk. *Stoke* —5H **41**
Bramshaws Acre. *C'dle* —4H **45**
Brandon Gro. *Stoke* —6J **39**
Branson Av. *Stoke* —3K **41**
Bransty Gro. *Stoke* —2B **46**
Brant Av. *New* —1D **32**
Brassington Way. *Stoke* —4H **35**
Brattswood Dri. *Chu L* —5H **11**
Braystones Clo. *Stoke* —3H **21**
Breach Rd. *Brn E* —4H **23**
Bream Way. *Stoke* —2A **28**
Brecon Way. *Stoke* —3H **35**
Breedon Clo. *New* —2C **32**
Breeze Av. *Stoke* —7H **21**
Brendale Clo. *Stoke* —5K **39**
Brentnor Clo. *Stoke* —3A **42**
Brentwood Dri. *Werr* —1C **36**
Brentwood Gro. *Stoc B* —1H **29**
Brentwood Gro. *Werr* —1C **36**
Brereton Pl. *Stoke* —3H **27**
Bretherton Pl. *Stoke* —5K **21**
Brewery St. *Stoke* —1B **34** (2E **5**)
Brewester Rd. *Stoke* —2E **34**
Brianson Av. *Stoke* —5B **28**
Briarbank Clo. *Stoke* —5J **39**
Briars, The. *New* —3E **32**
Briarswood. *Kid* —2E **20**
Briarwood Pl. *Stoke* —5C **42**
Brickfield Pl. *Stoke* —1H **41**
Brick Ho. St. *Stoke* —4J **27**
Brick Kiln La. *Park I* —5B **26**
Brick Kiln La. *Stoke* —3H **33**
Bridal Path, The. *Mad* —1A **30**
Bridestone Shop. Cen. *Cong* —4F **9**
Bridestowe Clo. *Stoke* —7B **42**
Bridge Clo. *Big E* —2G **25**
Bridge Ct. *Stoke* —3H **39**
Bridge Croft. *Stoke* —5A **22**
Bridge Rd. *Stoke* —3H **39**
Bridge Row. *Cong* —3H **9**
Bridge St. *B Frd* —1A **22**
Bridge St. *Cong* —5F **9**
Bridge St. *New* —4E **32** (3C **6**)
Bridge St. *Sil* —4K **31**
Bridgett Clo. *Stoke* —1H **39**
Bridgewater Clo. *Cong* —6K **9**
Bridgewater St. *Stoke* —4G **27**
Bridgewood St. *Stoke* —3H **41**
Bridgnorth Gro. *New* —2B **26**
Bridgwood Rd. *B Bri & For* —7H **43**
Bridle Path. Dres —5H 41
(off Peel St.)
Bridle Path. *Stoke* —2B **36**
Bridle Path, The. *Mad* —1A **30**
Bridle Path, The. *New* —3C **38**
Brierley Rd. *Cong* —6K **9**
Brierley St. *Stoke* —3B **28**
Brieryhurst Clo. *Stoke* —7H **29**
Brieryhurst Rd. *Kid* —7E **12**
Brightgreen St. *Stoke* —7J **35**
Brighton St. *Stoke* —6K **33**
Brighton, The. *New* —3J **31**
Brights Av. *Kid* —1E **20**
Bright St. *Stoke* —5B **42**
Brindiwell Gro. *Stoke* —1B **46**
Brindley Clo. *Tal* —3B **20**
Brindley La. *L Oaks & Stoc B* —1H **29**
Brindley Pl. *Stoke* —5B **22**
Brindley St. *New* —4E **32** (2C **6**)
Brindleys Way. *Big E* —2G **25**
Brindley Way. *Cong* —6K **9**
Brindon Clo. *Stoke* —3C **42**
Brinscall Grn. *Stoke* —4K **21**
Brinsley Av. *Stoke* —7K **39**
Brisley Hill. *Stoke* —7J **33**
Bristol St. *New* —7G **27**
Britannia St. *Leek* —4E **16**
Brittain Av. *New* —5B **26**
Brittania Pk. Ind. Est. *Stoke* —5A **28**
Brittle Pl. *Stoke* —2C **28**
Britton St. *Stoke* —4J **33**
Brixham Clo. *Stoke* —4E **34**
Broadfield Rd. *Stoke* —4E **20**
Broadhurst La. *Cong* —4E **8**
Broadhurst St. *Stoke* —3A **28**
Broad La. *Brn E* —2H **23**
Broadlawns Dri. *Stoke* —7G **35**
Broadmine St. *Stoke* —7D **34**
Broadoak Way. *Stoke* —5D **40**
Broad St. *Leek* —4F **17**
Broad St. *New* —4E **32** (2C **6**)
Broad St. *Stoke* —3A **34** (6D **4**)
Broadway. *Stoke* —4A **42**
Broadway Ct. *Stoke* —5A **42**
Broadway Pl. *Stoke* —4A **42**
Brockbank Pl. *Stoke* —6A **22**
Brocklehurst Way. *Stoke* —5D **28**
Brockley Sq. *Stoke* —1B **34** (3E **5**)
Brocksford St. *Stoke* —1F **41**
Brocton Wlk. *Stoke* —5D **40**
Brogan St. *Stoke* —7E **34**
Bromley Ct. *Stoke* —7A **28** (1C **4**)
Bromley Hough. *Stoke* —1J **39**
Bromley Rd. *Cong* —5G **9**
Bromley St. *Stoke* —7A **28** (1B **4**)
Brompton Dri. *Stoke* —1G **29**
Bromsberrow Way. *Stoke* —7B **42**
Bromsgrove Pl. *Stoke* —3F **41**
Bronant Wlk. Stoke —5K 27
(off Leonora St.)
Bronte Gro. *Stoke* —2F **29**
Brook Clo. *B Bri* —7H **43**
Brook Clo. *End* —1K **23**
Brooke Pl. *New* —1F **39**
Brookes Ct. *Stoke* —7D **34**
Brookfield Av. *End* —4K **23**
Brookfield Ct. *Stoke* —1E **5**
Brookfield Dri. *Als* —5D **10**
Brookfield Rd. *Stoke* —1H **29**
Brookfield Rd. *T Vale* —1H **39**
Brook Gdns. *Bid* —1C **14**
Brookgate. *For* —6J **43**
Brookhouse Dri. *B'stn* —5B **46**
Brookhouse La. *Cong* —4J **9**
Brookhouse La. *Stoke* —2J **35**
Brookhouse Rd. *Als* —7E **10**
Brookhouse Rd. *C'dle* —3D **44**
Brookhouse Rd. *Park I* —3C **26**
Brookhouse Rd. *Stoke* —4B **42**
Brookhouses Ind. Est. *C'dle* —4E **44**
Brookhouse Way. *C'dle* —4E **44**
Brookland Av. *Stoke* —5F **41**
Brooklands Cotts. *Stoke* —3H **21**
Brooklands Rd. *Cong* —4B **8**
Brooklands Rd. *Stoke* —6J **21**
Brook La. *End* —1K **23**
Brook La. *New* —6E **32** (5D **6**)
Brookmead Gro. *Stoke* —7G **35**
Brook Pl. *Stoke* —4J **33**
Brook Rd. *Stoke* —7K **39**
Brookside. *Stoke* —4G **27**
Brookside Clo. *New* —6D **32** (6A **6**)
Brookside Ct. *C'dle* —3E **44**
Brookside Dri. *End* —1K **23**
Brookside Dri. *Stoke* —4D **40**
Brookside Rd. *Cong* —4F **9**
Brook St. *Brn L* —5K **13**
Brook St. *Cong* —4G **9**
Brook St. *Leek* —4F **17**
Brook St. *Sil* —3K **31**
Brook St. *Stoke* —6A **34**
Brookview Dri. *Stoke* —3A **42**
Brook Vs. *Als* —7F **11**
Brookwood Clo. *New* —3D **38**
Brookwood Dri. *Stoke* —3B **42**
Broome Hill. *New* —5F **39**
Broomfield Pl. N. *Stoke* —2K **33** (4B **4**)
Broomfield Pl. S. *Stoke* —2K **33** (5B **4**)
Broomfield Rd. *Stoke* —6C **22**
Broomfields. *Bid M* —1G **15**
Broomhill St. *Stoke* —7F **21**
Broom St. *Stoke* —7C **28** (1G **5**)
Brough Clo. *Leek* —3F **17**
Brough La. *Stoke* —7A **40**
Broughton Cres. *B'stn* —5D **46**
Broughton Rd. *New* —3G **33** (1H **7**)
Broughton Rd. *Stoke* —2E **34**
Brown Av. *Chu L* —6H **11**
Brownfield Rd. *Stoke* —4B **42**
Brownhill Rd. *Brn E* —4G **23**
Brownhills Rd. *Stoke* —3G **27**
Browning Clo. *C'dle* —4F **45**
Browning Gro. *Tal* —3K **19**
Browning Rd. *Stoke* —4E **40**
Brown Lees Rd. *Brn L* —5A **14**
Brown Lees Rd. *Har* —6J **13**
Brownley Rd. *Stoke* —3C **28**
Brownsea Pl. *Stoke* —2D **40**
Brown St. *Cong* —4G **9**
Brown St. *Stoke* —4K **27**
Brundall Oval. *Stoke* —3J **35**
Brunel Wlk. *Stoke* —2H **41**
Brunswick Pl. *Stoke* —2B **34** (5F **5**)
Brunswick St. *Cong* —4H **9**
Brunswick St. *Leek* —3G **17**
Brunswick St. *New* —4F **33** (3E **7**)
Brunswick St. *Stoke* —1B **34** (3E **5**)
Brunt St. *Stoke* —5G **27**
Brutus Rd. *New* —7A **26**
Bryan St. *Stoke* —1B **34** (1E **5**)
Bryant Rd. *Stoke* —7G **29**
Brymbo Rd. *New* —7C **26**
Buccleuch Rd. *Stoke* —4J **41**
Buckingham Cres. *Stoke* —5K **39**
Buckland Gro. *Stoke* —2B **46**
Buckley Rd. *Stoke* —5B **22**
Buckley's Row. *New* —5E **32** (5C **6**)
Buckmaster Av. *New* —7F **33**
Bucknall New Rd. *Stoke* —1C **34** (3G **5**)
Bucknall Old Rd. *Stoke* —1C **34** (3G **5**)
Bucknall Rd. *Stoke* —1D **34**
Bude Clo. *Als* —7C **10**
Buller St. *Stoke* —3C **34**
Bull La. *B Frd* —1K **21**
Bullocks Ho. Rd. *Har* —7H **13**
Bulstrode St. *Stoke* —4H **27**
Bunny Hill. *New* —1F **39**
Bunts La. *Cong* —6G **9**
Bunt's La. *Stoc B* —7H **23**
Burford Av. *New* —3A **26**
Burford Way. *Stoke* —4F **35**
Burgess St. *Stoke* —5H **27**
Burland Rd. *New* —2K **25**
Burleigh Gro. *New* —2G **33**
Burlidge Rd. *Stoke* —5K **21**
Burlington Av. *New* —2G **33**
Burmarsh Wlk. *Stoke* —5J **27**
Burnaby Rd. *Stoke* —5F **21**
Burnett Pl. *Stoke* —7C **22**
Burnham St. *Stoke* —1F **41**
Burnhays Rd. *Stoke* —2H **27**
Burnley St. *Stoke* —6C **28**
Burns Clo. *Kid* —3D **20**
Burns Clo. *Rode H* —2F **11**
Burnside Clo. *Stoke* —7B **42**
Burns Rd. *Cong* —5J **9**
Burns Row. *Stoke* —4C **42**
Burnwood Gro. *Kid* —1E **20**
Burnwood Pl. *Stoke* —6A **22**
Burrington Dri. *Stoke* —2A **46**
Burslam St. *Cong* —5G **9**
Burslem Enterprise Cen. *Stoke* —4K **27**
Burslem Greenway. *Stoke* —3J **27**
Burslem Walkway. *Stoke* —4K **27**
Bursley Rd. *Stoke* —5K **27**
Bursley Way. *New* —4D **26**
Burton Cres. *Stoke* —5D **28**
Burton Pl. *Stoke* —1B **34** (3G **5**)
Burton St. *Leek* —4E **16**
Burt St. *Stoke* —3C **42**
Bute St. *Stoke* —2F **41**
Butler St. *Stoke* —7A **34**
Butterfield Pl. *Stoke* —1H **27**
Buttermere Clo. *Stoke* —4H **27**
Buttermere Ct. *Cong* —5C **8**
Butterton La. *But* —3A **38**
Butterton La. *Rad G* —2A **18**
Butts Grn. *Stoke* —6H **29**
Butts, The. *Als* —6E **10**
Buxton Av. *New* —3H **31**
Buxton Old Rd. *Cong* —3H **9**
Buxton Rd. *Cong* —3H **9**
Buxton Rd. *Leek* —3G **17**
Buxton St. *Stoke* —5C **28**
Byatt's Gro. *Stoke* —4F **41**
Bycars La. *Stoke* —3J **27**
Bycars Rd. *Stoke* —3J **27**
Bylands Pl. *New* —1D **38**
Byrom St. *Leek* —3E **16**
Byron Clo. *Rode H* —2F **11**
Byron Ct. *Kid* —3C **20**
Byron St. *Stoke* —4G **33** (3H **7**)
Bywater Gro. *Stoke* —7J **35**

Cadeby Gro. *Stoke* —2G **29**
Cadman Cres. *Stoke* —1D **28**
Cairn Clo. *Stoke* —2J **35**
Caistor Clo. *Stoke* —3F **29**
Caldbeck Pl. *Stoke* —1C **34** (3H **5**)
Caldew Gro. *Stoke* —2B **46**
Caldy Rd. *Als* —6D **10**
Caledonia Rd. *Stoke* —4A **34**
California St. *Stoke* —3F **41**
Callender Pl. *Stoke* —4K **27**
Calrofold Rd. *New* —3A **26**
Calvary Cres. *Stoke* —5J **35**
Calverley St. *Stoke* —4J **41**

Calver St. *Stoke* —1G **27**
Calvert Gro. *New* —5E **26**
Camberwell Gro. *Stoke* —1B **46**
Camborne Clo. *Cong* —7G **9**
Camborne Cres. *New* —1C **38**
Cambridge Clo. *Bid* —1B **14**
Cambridge Ct. *New* —1G **39**
Cambridge Dri. *New* —1G **39**
Cambridge St. *Stoke* —2A **34** (5D **4**)
Camden St. *Stoke* —2D **40**
Camelot Clo. *Stoke* —3B **46**
Camillus Rd. *New* —3B **32**
Camoys Ct. *Stoke* —5K **27**
Camoys Rd. *Stoke* —5K **27**
Campbell Av. *Leek* —5E **16**
Campbell Clo. *Cong* —3J **9**
Campbell Pl. *Stoke* —6A **34**
Campbell Rd. *Stoke* —2A **40**
Campbell Ter. *Stoke* —6D **28**
Campion Av. *New* —2G **33**
Camp Rd. *Stoke* —3B **28**
Canal La. *Stoke* —3G **27**
Canal M., The. *Stoke* —1B **46**
Canal Rd. *Cong* —5G **9**
Canal Side. *B'stn* —6C **46**
Canal St. *Cong* —5G **9**
Canal St. *Stoke* —4G **27**
Canberra Cres. *Stoke* —7D **42**
Canning St. *Stoke* —1E **40**
Cannon Pl. *Stoke* —3A **34** (5D **4**)
Cannon St. *Stoke* —2B **34** (5E **5**)
Canterbury Dri. *Stoke* —7A **22**
Canvey Gro. *Stoke* —7C **42**
Capesthorne Clo. *Als* —7D **10**
Capesthorne Clo. *Werr* —2C **36**
Cape St. *Stoke* —7B **28** (1E **5**)
Capewell St. *Stoke* —2H **41**
Capital Wlk. Cong —5F 9 (off High St.)
Capper Clo. *Stoke* —1D **20**
Cappers La. *B'ton* —1D **10**
Capper St. *Stoke* —1H **27**
Capricorn Way. *Stoke* —5J **21**
Caraway Pl. *Stoke* —1B **48**
Carberry Way. *Stoke* —2A **42**
Cardiff Gro. *Stoke* —2B **34** (5F **5**)
Cardigan Gro. *Stoke* —1B **46**
Cardington Clo. *New* —2D **38**
Card St. *Stoke* —5J **27**
Cardway. *New* —5D **26**
Cardwell St. *Stoke* —7D **28**
Carina Gdns. *Stoke* —3C **28**
Carisbrooke Way. *Stoke* —2B **46**
Carling Gro. *Stoke* —1F **41**
Carlisle St. *Stoke* —5G **41**
Carlos Pl. *New* —3E **26**
Carlton Av. *Brn E* —5G **23**
Carlton Av. *New* —3E **38**
Carlton Av. *Stoke* —6K **21**
Carlton Clo. *Brn E* —5G **23**
Carlton Clo. *C'dle* —5G **45**
Carlton Ho. Est. *Stoke* —5A **34**
Carlton Rd. *Stoke* —5B **34**
Carlton Ter. *Leek* —3H **17**
Carlyle Clo. *Rode H* —2F **11**
Carlyon Pl. *Stoke* —4C **28**
Carmount Rd. *Stoke* —5G **29**
Carnation Clo. *Stoke* —7C **36**
Carnforth Gro. *Stoke* —3H **21**
Caroline Clo. *Werr* —1C **36**
Caroline Cres. *Brn E* —5G **23**
Caroline St. *Stoke* —2H **41**
Carpenter Rd. *Stoke* —2F **41**
Carriage Dri. *Bid* —1D **14**
Carrick Pl. *Stoke* —5K **39**
Carr La. *A'ly* —3B **24**
Carroll Dri. *Stoke* —2J **41**
Carron St. *Stoke* —1G **41**
Carr St. *Pac* —2J **21**
Carryer Pl. *New* —5C **32**
Carson Rd. *Stoke* —1J **27**
Cartlich St. *Stoke* —6G **21**
Cartlidge St. *Stoke* —4G **33** (3G **7**)
Cartmel Pl. *Stoke* —1A **28**
Cartwright Ind. Est., The. *Stoke* —3G **41**
Casewell Rd. *Stoke* —5B **28**
Caspian Gro. *Stoke* —7A **40**
Castel Clo. *New* —3B **38**
Castledine Gro. *Stoke* —2J **41**
Castlefield St. *Stoke* —3K **33**
Castle Hill Rd. *New* —4D **32** (3B **6**)
Castle Keep Ct. *New* —5D **32** (4B **6**)
Castle Keep Gdns. *New* —4D **32** (3B **6**)
Castle Keep M. *New* —5D **32** (3B **6**)
Castle La. *Mad* —3B **30**
Castle Ridge. *New* —5C **32**
Castle Rd. *Mow C* —3G **13**
Castle St. *Ches* —5B **26**
Castle St. *New* —4F **33** (3F **7**)
Castleton Rd. *Stoke* —7K **41**
Castletown Grange. *New* —3D **32**
Castle View. *Bid* —4B **14**
Castle View Gro. *Stoke* —4J **21**
Castleview Rd. *Kid* —7E **12**
Catalina Pl. *Stoke* —1D **48**
Caterham Pl. *Stoke* —1C **48**
Catharine Rd. *Stoke* —5A **22**
Catherine St. *New* —1G **33**
Caton Cres. *Stoke* —2E **28**
Cauldon Av. *New* —5D **26**
Cauldon Clo. *Leek* —5G **17**
Cauldon Pl. *Stoke* —4A **34**
Cauldon Rd. *Stoke* —4A **34**
Caulton St. *Stoke* —3J **27**
Causeley Gdns. *Stoke* —2G **35**
Causeley Rd. *Stoke* —2G **35**
Cavendish Cres. *Als* —5D **10**
Cavendish Gro. *New* —3E **38**
Cavendish St. *Stoke* —2K **33** (4B **4**)
Caverswall La. *Stoke* —6D **42**
Caverswall Old Rd. *For* —6G **43**
Caverswall Rd. *B Bri* —7G **43**
Caverswall Rd. *Stoke* —2C **42**
Cavour St. *Stoke* —3J **33**
Cayley Pl. *Stoke* —1D **48**
Cecil Av. *Stoke* —7A **28** (1D **4**)
Cecilly St. *C'dle* —2H **45**
Cecilly Ter. *C'dle* —2H **45**
Cecil Rd. *Gil H* —2H **15**
Cedar Av. *Als* —7D **10**
Cedar Av. *B Bri* —1H **49**
Cedar Av. *Tal* —2A **20**
Cedar Clo. *C'dle* —4H **45**
Cedar Ct. *Als* —6F **11**
Cedar Ct. *Cong* —7H **9**
Cedar Cres. *Big E* —3G **25**
Cedar Cres. *End* —5K **23**
Cedar Gro. *Bid M* —1F **15**
Cedar Gro. *Stoke* —3D **40**
Cedar Rd. *New* —3K **25**
Celandine Clo. *Stoke* —3G **29**
Cellarhead Rd. *Werr* —1E **36**
Celtic Av. *Pac* —3J **21**
Cemetery Av. *Stoke* —4G **41**
Cemetery Rd. *Knut* —2B **32**
Cemetery Rd. *Sil* —5A **32**
Cemetery Rd. *Stoke* —3K **33**
Cemetery View. *New* —2B **32**
Cemetery View. *Stoke* —4G **41**
Cemlyn Av. *Stoke* —3D **40**
Central Av. *Stoke* —1F **35**
Central Dri. *Stoke* —3D **40**
Central St. *Mow C* —4E **12**
Centre Ct. *Als* —6F **11**
Century Rd. *High B* —2C **26**
Century St. *Stoke* —7K **27** (1B **4**) (in two parts)
Chadwell Way. *Stoke* —4J **35**
Chadwick St. *Stoke* —3H **41**
Chadwyn Dri. *Stoke* —2G **29**
Chaffinch Clo. *Cong* —6G **9**
Chaffinch Dri. *Bid* —2D **14**
Chain St. *Stoke* —2B **28**
Chalfont Grn. *Stoke* —3G **35**
Challenge Clo. Stoke —1B 28 (off Unwin St.)
Challinor Av. *Leek* —5F **17**
Challinor St. *Stoke* —1H **27**
Chamberlain Av. *Stoke* —7K **33**
Chamberlain St. *Stoke* —4A **34**
Chamberlain Way. *Bid* —2D **14**
Chance Hall La. *Sch G* —2J **11**
Chancery La. *Als* —7C **10**
Chancery La. *Stoke* —3H **41**
Chantree Row. *Mow C* —3G **13**
Chantry Rd. *New* —7E **32**
Chapel Bank. *Mow C* —4G **13**
Chapel Clo. *Mow C* —4E **12**
Chapel Cotts. *Stoke* —1G **23**
Chapel Ct. *New* —3K **31**
Chapel La. *A'ly* —2E **24**
Chapel La. *Bid M* —2F **15**
Chapel La. *Brn E* —2G **23**
Chapel La. *Har* —6H **13**
Chapel La. *Rode H* —3G **11**
Chapel La. *Stoke* —4J **27**
Chapel St. *Big E* —1F **25**
Chapel St. *C'dle* —3G **45**
Chapel St. *Cong* —5F **9**
Chapel St. *For* —6H **43**
Chapel St. *May B* —2F **33**
Chapel St. *Mow C* —4E **12**
Chapel St. *New* —2B **32**
Chapel St. *Sil* —3K **31**
Chapel St. *Stoke* —1G **35**
Chapel St. *Tal* —1A **20**
Chaplin Rd. *Stoke* —6H **41**
Chapter Wlk. *Stoke* —7F **29**
Charles Cotton Dri. *Mad* —2A **30**
Charles Sq. *Has G* —1A **10**
Charles St. *Bid* —3B **14**
Charles St. *C'dle* —3G **45**
Charles St. *New* —2G **33**
Charles St. *Stoke* —2B **34** (3F **5**)
Charlotte St. *Stoke* —4F **21**
Charlton St. *Stoke* —5A **34**
Charminster Rd. *Stoke* —7B **42**
Charmouth Clo. *Stoke* —6F **29**
Charnock Pl. *Stoke* —4K **21**
Charnwood. *Kid* —2E **20**
Charnwood Clo. *Leek* —5D **16**
Charnwood Rd. *Stoke* —5A **42**
Charsley Pl. *Stoke* —5E **40**
Charter Rd. *New* —2D **32**
Chartley Clo. *B Bri* —1F **49**
Chartwell Clo. *Werr* —2B **36**
Chase La. *T'sor* —7A **46**
Chase Wlk. *Stoke* —7A **42**
Chasewater Gro. *C'dle* —2J **45**
Chatfield Pl. *Stoke* —4J **41**
Chatham St. *Stoke* —3A **34**
Chatsworth Dri. *Cong* —4B **8**
Chatsworth Dri. *Stoke* —7D **22**
Chatsworth Dri. *Werr* —3B **36**
Chatsworth Pl. *New* —5C **26**
Chatsworth Pl. *Stoke* —5A **42**
Chatteris Clo. *Stoke* —1C **48**
Chatterley Clo. *New* —4E **26**
Chatterley Dri. *Kid* —4D **20**
Chatterley Rd. *Stoke* —7E **20**
Chatterley St. *Stoke* —3J **27**
Chatterton Pl. *Stoke* —3J **41**
Chaucer Courts. *Stoke* —5G **41**
Cheadle Rd. *B Bri & For* —7H **43**
Cheadle Rd. *Tean* —7C **44**
Cheapside. *New* —5E **32** (4D **6**)
Cheapside. *Stoke* —1B **34** (4F **5**)
Checkley Dri. *Bid* —1C **14**
Checkley Rd. *New* —3K **25**
Checkly Gro. *Stoke* —7J **35**
Cheddar Dri. *New* —3G **31**
Cheddleton Rd. *Leek* —5F **17**
Chelford Rd. *Som* —3A **8**
Chell Grn. Av. *Stoke* —5K **21**
Chell Grn. Ct. *Stoke* —5K **21**
Chell Gro. *New* —5D **26**
Chell Heath Rd. *Stoke* —5A **22**
Chells Hill. *B'ton* —2E **10**
Chell St. *Stoke* —7C **28**
Chelmorton Dri. *Stoke* —5K **41**
Chelmsford Dri. *Stoke* —3H **35**
Chelmsford Rd. *New* —7E **26**
Chelsea Clo. *Bid* —1B **14**
Chelson St. *Stoke* —3H **41**
Cheltenham Av. *C'dle* —1H **45**
Cheltenham Gro. *New* —3G **31**
Cheltenham Gro. *Stoke* —7E **28**
Chelwood St. *Stoke* —7A **28** (1D **4**)
Chemical La. *Stoke* —2E **26**
Chemical La. Ind. Est. *Stoke* —3F **27**
Chepstow Clo. *Bid* —1B **14**
Chepstow Pl. *Stoke* —7H **35**
Cheriton Grn. *Stoke* —4J **35**
Cherry Clo. *Ful* —7F **49**
Cherry Clo. *New* —3A **26**
Cherry Gro. *Stoke* —3D **40**
Cherry Hill. *Mad* —2B **30**
Cherry Hill Av. *Stoke* —4B **42**
Cherry Hill La. *New* —3B **32**
Cherry La. *Als* —4E **10**
Cherry La. *C'dle* —1K **45**
Cherry Orchard. *New* —4F **33** (3D **6**)
Cherry Tree Av. *Chu L* —5H **11**
Cherry Tree Clo. *Stoke* —7K **39**
Cherry Tree La. *Bid M* —2F **15**
Cherry Tree Rd. *Big E* —3G **25**
Cherry Tree Rd. *New* —3B **26**
Cherrywood Gro. *Stoke* —1A **48**
Chertsey Pl. *Stoke* —4C **28**
Chervil Clo. *Stoke* —1B **48**
Chesham Gro. *Stoke* —1B **48**
Chessington Cres. *Stoke* —7B **40**
Chester Clo. *Tal* —4B **20**
Chester Cres. *New* —1D **38**
Chester Rd. *A'ly* —2E **24**
Chester Rd. *Tal* —4A **20**
Chesterwood Rd. *Stoke* —1A **28**
Chestnut Av. *Rode H* —3G **11**
Chestnut Av. *Stoke* —4H **39**
Chestnut Cres. *B Bri* —1H **49**
Chestnut Dri. *Als* —1F **19**
Chestnut Dri. *Cong* —3B **8**
Chestnut Gro. *New* —3B **26**
Chestnut Rd. *Brn E* —4H **23**
Cheswardine Rd. *New* —4E **26**
Chetwynd Av. *Ash B* —2B **36**
Chetwynd Av. *Stoke* —6D **22**
Chetwynd Rd. *New* —6E **26**
Chetwynd St. *New* —7G **27**
Chetwynd St. *Stoke* —2C **28**
Cheviot Clo. *New* —2B **32**
Cheviot Dri. *Stoke* —1B **28**
Chichester Wlk. *Stoke* —7C **28** (1H **5**)
Childerplay Rd. *Bid* —7B **14**
Chilgrove Clo. *Stoke* —7E **28**
Chiltern Pl. *New* —2B **32**
Chilton St. *Stoke* —1D **40**
Chilworth Gro. *Stoke* —5E **40**
China St. *Stoke* —1E **40**
Chivelstone Gro. *Stoke* —1B **46**
Cholerton Clo. *Stoke* —1D **40**
Chorley Av. *Stoke* —5K **21**
Chorley St. *Leek* —4F **17**
Chorlton Rd. *Stoke* —6C **28**
Christchurch St. *Stoke* —7D **34**
Christie Pl. *Stoke* —1A **42**
Christine St. *Stoke* —2F **35**
Chubb Way. *Stoke* —2H **39**
Chumleigh Gro. *Stoke* —2K **27**
Church Av. *Stoke* —2G **29**
Church Bank. *A'ly* —2E **24**
Church Bank. *K'le* —6G **31**
Church Clo. *Bid* —4C **14**
Church Clo. *Stoke* —2A **48**
Church Dri. *B'stn* —5D **46**
Churchfield Av. *Stoke* —5H **41**
Church Fields. *K'le* —6G **31**
Churchill Av. *Stoke* —7J **39**
Churchill Clo. *B Bri* —1F **49**
Churchill Clo. *Cong* —4C **8**
Churchill Ho. *Stoke* —3B **34** (6F **5**)
Churchill Rd. *C'dle* —1H **45**
Churchill Way. *Stoke* —7J **39**
Church La. *Bid M* —1G **15**
Church La. *Chu L* —6K **11**
Church La. *End* —1K **23**
Church La. *Knut* —4B **32**
Church La. *Leek* —3F **17**
Church La. *L'tn* —4G **41**
Church La. *Mow C* —3H **13**
Church La. *Sch G* —2J **11**
Church La. *Stoke* —4J **39**
Church La. *Wol* —1G **33**
Church Plantation. *K'le* —6H **31**
Church Rd. *Als* —6C **10**
Church Rd. *Bid* —3C **14**
Church Rd. *Brn E* —2F **23**
Church Rd. *Stoke* —5E **40**
Church Sq. *Stoke* —4H **27**
Church St. *A'ly* —2E **24**

Church St. *Big E* —3H **25**
Church St. *C'dle* —3G **45**
Church St. *Ches* —5B **26**
Church St. *Leek* —3F **17**
Church St. *Mow C* —4F **13**
Church St. *New* —4E **32** (3C **6**)
Church St. *Rook* —6E **12**
Church St. *Sil* —3J **31**
Church St. *Stoke* —6A **34**
Church St. *Tal* —1A **20**
Church Ter. *Stoke* —6A **28**
Church View. *New* —3B **32**
Church View. *S Hay* —2F **31**
Church Wlk. *New* —5B **26**
Churnet Gro. *C'dle* —5H **45**
Churnet Rd. *For* —7H **43**
Churnet View. *Leek* —1H **17**
Churston Clo. *New* —4E **38**
Churston Pl. *Stoke* —4C **28**
Cinderhill Ind. Est. *Stoke* —2A **42**
Cinder-Hill La. *Sch G* —4B **12**
Cinderhill La. *Stoke* —3J **41**
City Bank. *Gil H* —2H **15**
City La. *Long* —5A **16**
City Rd. *Stoke* —6B **34**
Clandon Av. *Stoke* —7H **21**
Clanway St *Stoke* —6G **21**
Clare Av. *New* —6E **26**
Claremont Clo. *New* —5F **27**
Clarence Rd. *Stoke* —2G **41**
Clarence St. *New* —5G **33** (3G **7**)
Clarence St. *Stoke* —7D **34**
Clarence St. *Wol* —7E **26**
Clarendon St. *Stoke* —7B **34**
Clare St. *Har* —6H **13**
Clare St. *Mow C* —4F **13**
Clare St. *Stoke* —4G **33** (2H **7**)
Claridge Rd. *Stoke* —4H **33**
Clark Clo. *Rode H* —2F **11**
Clarke St. *Stoke* —3A **34** (6C **4**)
Claud St. *Stoke* —2C **40**
Claydon Cres. *New* —4E **38**
Clayfield Gro. *Stoke* —7H **35**
Clayfield Gro. W. *Stoke* —7G **35**
Clayhanger Clo. *New* —4D **26**
Clayhanger St. *Stoke* —4J **27**
Clay Hills. *Stoke* —1F **27**
Clay Lake. *End* —4J **23**
Clayton Av. *Cong* —2H **9**
Clayton By-Pass. *Cong* —4E **8**
Clayton La. *New & Stoke* —2F **39**
Clayton Rd. *New* —6E **32** (6D **6**)
Clayton St. *Stoke* —3G **41**
Claytonwood Rd. *Stoke* —3H **39**
Cleadon Pl. *Stoke* —6G **29**
Clematis Av. *B Bri* —1G **49**
Clement Pl. *Stoke* —1D **28**
Clement Rd. *Stoke* —6K **21**
Clerk Bank. *Leek* —3F **17**
Clermont Av. *Stoke* —4K **39**
Cleveland Rd. *New* —2B **32**
Cleveland Rd. *Stoke* —3B **34**
Cleveland St. *Stoke* —4J **27**
Clewlow Pl. *Stoke* —1J **41**
Clewlows Bank. *Stoc B* —6K **23**
Clews St. *Stoke* —5H **27**
Clews Wlk. *New* —7F **27**
Cley Gro. *New* —4E **38**
Cliffe Pl. *Stoke* —1K **27**
Clifford Av. *Stoke* —6E **22**
Clifford St. *Stoke* —3C **34** (6G **5**)
Cliff St. *Smal* —3B **28**
Cliff Vale Pl. *Stoke* —4J **33**
Clifton Clo. *Stoke* —1D **40**
Clifton St. *Big E* —1G **25**
Clifton St. *New* —1G **33**
Clifton St. *Stoke* —1D **40**
Clifton Way. *Stoke* —4F **5**
Clinton Sq. *Stoke* —2B **34** (5D **4**)
Clive Av. *Stoke* —1G **29**
Cliveden Pl. *Stoke* —4H **41**
Cliveden Rd. *Stoke* —7G **29**
Clive Rd. *New* —6G **27**
Clive St. *Stoke* —7H **21**
Cloister Wlk. *Stoke* —7F **29**
Close La. *Als* —6A **10**
Close La. *Mow C* —3G **13**
Close, The. *Als* —7B **10**
Close, The. *Mad* —1B **30**
Close, The. *W Coy* —1C **42**
Cloud View. *Cong* —5J **9**
Clough Hall Dri. *Tal* —4B **20**
Clough Hall Rd. *Kid* —3C **20**
Clough La. *Werr* —2B **36**
Clough St. *Stoke* —2K **33** (5B **4**)
Clovelly Wlk. *Stoke* —5H **27**
Cloverdale Pl. *Stoke* —3A **42**
Cloverdale Rd. *New* —2E **32**
Clover Rd. *New* —6G **27**
Clowes Av. *Als* —7G **11**
Clowes Rd. *Stoke* —2F **35**
Club St. *Stoke* —7K **33**
Clumber Av. *New* —7F **33**
Clumber Gro. *New* —1F **39**
Cluny Pl. *Stoke* —7F **29**
Clyde Av. *Bid* —1D **14**
Clyde Pl. *New* —2D **38**
Clyde Rd. *Stoke* —5K **27**
Clyde St. *Stoke* —2A **34** (5C **4**)
Clyde Wlk. *Stoke* —2A **34** (5C **4**)
Clynes Way. *Stoke* —3C **42**
Coalpit Hill. *Tal* —4A **20**
Coalport Clo. *C'dle* —5F **45**
Coalville Pl. *Stoke* —1C **42**
Coates Pl. *Stoke* —3A **22**
Cobden St. *New* —6G **27**
Cobden St. *Stoke* —5G **41**
Cobham Pl. *Stoke* —6B **42**
Cob Moor Rd. *Kid* —5D **12**
Cobridge Ind. Est. *Stoke* —5A **28**
Cobridge Rd. *Stoke* —1K **33** (3B **4**)
Cocklesall La. *Ful* —7F **49**
Cocknage Rd. *R'gh C* —5G **41**
Cockshute Ind. Est. *Stoke* —4K **33**
Cockshuts. *Cong* —5F **9**
Cocks La. *Stoc B* —1H **29**
Cockster Brook La. *Stoke* —4E **40**
Cockster Rd. *Stoke* —3E **40**
Colclough Av. *New* —4D **26**
Colclough La. *Stoke* —4G **21**
Colclough Rd. *Stoke* —5B **42**
Colehill Bank. *Cong* —5G **9**
Colenso Way. *New* —4E **26**
Coleridge Dri. *C'dle* —4F **45**
Coleridge Rd. *Stoke* —4E **40**
Cole St. *Bid* —3B **14**
Colin Cres. *Stoke* —2C **42**
Colindene Gro. *Stoke* —7K **33**
Collard Av. *New* —2E **32**
College Clo. *Mad* —1B **30**
College Rd. *Als* —5C **10**
College Rd. *Stoke* —3A **34** (6D **4**)
Colley Rd. *Stoke* —5J **21**
Colliers Way. *Bid* —2B **14**
Collingwood Gro. *Stoke* —5H **33**
Collin Rd. *Stoke* —2H **39**
Collinson Rd. *Stoke* —4G **21**
Collis Av. *Stoke* —4G **33** (3H **7**)
*Columbine Wlk. Stoke —1G **27***
(off Ladywell Rd.)
Colville St. *Stoke* —7E **34**
Colwyn Dri. *Knyp* —5C **14**
Combe Dri. *Stoke* —2B **48**
Comfrey Clo. *Stoke* —1B **48**
Commerce St. *L'tn* —3H **41**
Commercial Rd. *Stoke* —2C **34** (5H **5**)
Commercial St. *Stoke* —5K **27**
Common La. *R'gh C* —3K **47**
Community Dri. *Stoke* —3C **28**
Como Pl. *New* —7B **32**
Compton. *Leek* —4F **17**
Compton St. *Stoke* —2A **34** (5C **4**)
Conewood Pl. *Stoke* —5D **40**
Coneygreave Clo. *C'dle* —5G **45**
Conford Clo. *Stoke* —3E **34**
Congleton Rd. *Bid* —1C **14**
Congleton Rd. *Ker* —1B **12**
Congleton Rd. *Mow C* —2H **13**
Congleton Rd. *Tal* —3A **20**
Congleton Rd. N. *Chu L & Sch G* —7A **12**
Congleton Rd. S. *Chu L* —7A **12**
Congreve Rd. *Stoke* —4E **40**
Conifer Gro. *Stoke* —4E **40**
Conifers, The. *Als* —7C **10**
Coniston Av. *Cong* —5B **8**
Coniston Dri. *C'dle* —2J **45**
Coniston Gro. *New* —2E **38**
Coniston Pl. *Stoke* —7J **39**
Connaught St. *Stoke* —2G **27**
Conrad Clo. *Stoke* —3J **41**
Consall Gro. *Stoke* —1B **46**
Consall La. *Wet R* —1K **37**
Consett Rd. *Stoke* —6E **40**
Consort St. *Stoke* —6A **34**
Constable Av. *New* —6B **26**
Constable Clo. *Stoke* —7C **42**
Constable Ct. *New* —6C **32**
Constance Av. *Stoke* —6A **40**
Convent Clo. *Stoke* —5J **33**
Convent Ct. *Stoke* —5J **33**
Conway Gro. *C'dle* —5H **45**
Conway Rd. *Knyp* —4B **14**
Conway St. *Stoke* —5B **34**
Cookson Av. *Stoke* —5H **41**
Cook St. *Cong* —5F **9**
Coolidge St. *Stoke* —1G **27**
Co-operative La. *Halm* —5E **24**
Cooper Av. *New* —3H **33**
Coopers Clo. *Leek* —4D **16**
Cooper St. *Cong* —4G **9**
Cooper St. *New* —6B **26**
Cooper St. *Stoke* —3A **34** (6D **4**)
Coopers Way. *Bid* —2A **14**
Copeland Av. *New* —3E **38**
Copeland Av. *T'sor* —6A **46**
Copeland Clo. *C'dle* —5G **45**
Copeland St. *Stoke* —5A **34**
Cope's Av. *Stoke* —7H **21**
Cope St. *Stoke* —3F **29**
Copperhill Rd. *Cong* —7K **9**
Coppice Av. *New* —4H **31**
Coppice Clo. *Bid* —3C **14**
Coppice Gro. *Stoke* —3A **42**
Coppice Rd. *Tal* —3K **19**
Coppice, The. *Stoke* —5B **28**
Coppice View. *New* —1D **32**
Copp La. *Stoke* —2F **27**
Copplestone Gro. *Stoke* —3K **41**
Coppull Pl. *Stoke* —4K **21**
Copthorne Clo. *Cong* —5H **9**
Coral Gro. *Stoke* —7A **40**
*Corbett Wlk. Stoke —1G **27***
(off Ladywell Rd.)
Corby Pl. *Stoke* —3F **41**
Corfe Grn. *Stoke* —1H **41**
Corfield Pl. *Stoke* —6C **22**
Corina Way. *Stoke* —2J **41**
Corinth Way. *Stoke* —1G **27**
Cornelious St. *Stoke* —5B **42**
Cornes St. *Stoke* —4C **34**
Corneville Rd. *Stoke* —2G **35**
Cornfield Rd. *Bid* —3C **14**
Cornhill Clo. *New* —3A **26**
Cornhill Gdns. *Leek* —5F **17**
Cornhill Rd. *Stoke* —6B **22**
Cornhill St. *Leek* —4F **17**
Cornwall Av. *New* —2F **39**
Cornwall Clo. *Cong* —7J **9**
Cornwallis St. *Stoke* —7A **34**
Cornwall St. *Stoke* —2H **41**
Cornwood Gro. *Stoke* —6K **41**
Coronation Av. *Als* —7B **10**
Coronation Av. *Knyp* —5A **14**
Coronation Av. *Stoke* —3G **41**
Coronation Cres. *Kid* —2B **20**
Coronation Gdns. *Als* —6D **10**
Coronation Rd. *Cong* —4H **9**
Coronation Rd. *New* —5F **33** (4E **7**)
Coronation Rd. *Stoke* —5H **33**
Coronation St. *C'dle* —3G **45**
Coronation St. *Stoke* —7H **21**
Corporation St. *New* —4E **32** (3C **6**)
Corporation St. *Stoke* —7K **33**
Corwell Rd. *Stoke* —3G **41**
Coseley St. *Stoke* —3B **28**
Cotehill Rd. *Werr* —2C **36**
Cotesheath St. *Stoke* —4C **34**
Coton Rise. *B'stn* —6D **46**
Cotswold Av. *New* —2B **32**
Cotswold Cres. *Stoke* —3F **29**
Cottage Clo. *Stoke* —5K **41**
Cottage La. *Bid M* —2F **15**
Cottages, The. *Stoke* —5B **36**
Cotterill Dri. *New* —4E **26**
Cotterill Gro. *Stoke* —5J **27**
Cotton Rd. *Stoke* —5F **21**
Cottons Row. *Stoke* —5G **33** (4H **7**)
Cottonwood Gro. *Har* —7H **13**
Coupe Dri. *Stoke* —1B **42**
Court La. *New* —1E **32**
Courtney Pl. *Stoke* —6K **41**
Court Number 1. *Stoke* —4K **41**
Courtway Dri. *Stoke* —4C **28**
Coverdale Clo. *Stoke* —7B **42**
Coverley Pl. *Stoke* —1J **39**
Covert Gdns. *Tal* —3A **20**
Covert, The. *K'le* —6J **31**
Covert, The. *New* —4F **39**
Cowallmoor La. *Lask E* —6G **15**
Cowen St. *Stoke* —5D **22**
Cowley Way. *Stoke* —6K **35**
Cowlishaw Clo. *Brn L* —5K **13**
Cowlishaw Rd. *Stoke* —5A **22**
Cowper St. *Stoke* —7E **34**
Coyney Gro. *Stoke* —3B **42**
Crabtree Av. *Bid* —3B **14**
Crabtree Clo. *Fen I* —5E **34**
Crackley Bank. *New* —2B **26**
Crackley La. *S Hay* —2F **31**
Craig Rd. *Cong* —3H **9**
Craigside. *Bid* —2B **14**
Craig Wlk. *Als* —1G **19**
*Cranage Ct. Cong —4H **9***
(off Herbert St.)
Cranberry Dri. *New* —3A **26**
Cranberry La. *Als* —6A **10**
Cranberry Moss La. *Als* —7B **10**
Cranbourne Av. *Stoke* —2G **29**
Cranbrook Clo. *Stoke* —7K **39**
Crane St. *Stoke* —6A **28**
Cranfield Dri. *Als* —7B **10**
Cranfield Pl. *Stoke* —3G **35**
Cranford M. *Als* —7B **10**
Cranford Way. *Stoke* —2J **35**
Cranleigh Av. *Stoke* —4C **28**
Cranmer St. *Stoke* —6A **34**
Cranswick Gro. *Stoke* —4J **35**
Cranwell Pl. *Stoke* —6A **42**
Cranworth Gro. *Stoke* —6K **41**
Craven Clo. *Stoke* —6K **39**
Crawfurd St. *Stoke* —1C **40**
Crayford Av. *Cong* —2J **9**
Crediton Av. *Stoke* —7B **22**
Crescent Gro. *Stoke* —4H **33**
Crescent Rd. *Cong* —5E **8**
Crescent, The. *Cong* —5E **8**
Crescent, The. *Leek* —3H **17**
Crescent, The. *New* —7D **32**
Crescent, The. *Sil* —3J **31**
Crescent, The. *Stoke* —2H **39**
(Springfields)
Crescent, The. *Stoke* —2C **42**
(Weston Coyney)
Cresswell Av. *New* —3A **26**
Cresswell La. *C'wll* —4K **49**
Cresswell Old La. *C'wll* —4K **49**
Cresswell Rd. *Stoke* —2D **34**
Cresswellshawe Rd. *Als* —6E **10**
Crestbrook Rd. *Stoke* —5G **29**
Crestfield Rd. *Stoke* —6A **42**
Crestway Rd. *Stoke* —2H **29**
Crewe Rd. *Chu L* —6G **11**
Crewe Rd. *Rad G* —1A **18**
Crick Rd. *Stoke* —3D **34**
Critchlow Gro. *Stoke* —5E **40**
Croft Av. *New* —6E **26**
Croft Clo. *Cong* —5H **9**
Croft Ct. *Stoke* —3B **28**
Croft Cres. *Stoke* —7K **33**
Crofters Clo. *Bid* —2A **14**
Crofters Ct. *Red S* —1A **26**
Croftfield St. *Stoke* —5J **35**
Croft Rd. *C'dle* —3G **45**
Croft Rd. *New* —3E **32** (1D **6**)
Croft St. *Stoke* —5J **27**
Croft, The. *C'dle* —1H **45**
Croft, The. *Stoke* —1J **39**
Cromartie St. *Stoke* —4H **41**
(in two parts)
Cromer Cres. *Stoke* —1D **34**
Cromer Rd. *Stoke* —1D **34**
Cromer St. *New* —1G **33**
Crompton Gro. *Stoke* —2B **46**
Cromwell St. *Bid* —1B **14**

Cromwell St. Stoke —6C 28
Cromwell Ter. Leek —4G 17
(off Livingstone St.)
Crosby Rd. Stoke —3H 39
Crossdale Av. Stoke —2F 29
Cross Edge. Brn E —4G 23
Crossfield Av. B Bri —1G 49
Crossfield Av. Knyp —4B 14
Cross Hill. Stoke —5J 27
Crossland Pl. E. Stoke —6B 42
Crossland Pl. W. Stoke —5B 42
Crosslands. Cong —6J 9
Cross La. Big E —7E 18
Cross La. Cong —7H 9
Crossledge. Cong —4D 8
Crossley Rd. Stoke —1K 27
Cross May St. New —5D 32 (5B 6)
Crossmead Gro. Stoke —6E 28
Cross St. Als —7D 10
Cross St. Bid —2B 14
Cross St. C'dle —3G 45
Cross St. Ches —4A 26
Cross St. Cong —4F 9
Cross St. Leek —4G 17
Cross St. Long H —4F 27
Cross St. L'tn —2H 41
Cross St. W Coy —1C 42
Crossway Rd. Chu L —6H 11
Crossway Rd. Stoke —5B 28
Crossways. Bid —1D 14
Crossway, The. New —2F 33
Croston St. Stoke —3A 34
Crouch Av. Stoke —1K 27
Crowborough Rd. Bid M —4E 14
Crowcrofts Rd. Stoke —7D 40
Crown Bank. Tal —4A 20
Crown Bank Cres. Tal P —5A 20
Crowndale Pl. Stoke —3H 21
Crown St. New —4K 31
Crown St. Stoke —2B 34 (4E 5)
Crowther St. Stoke —5B 34
Croxden Clo. C'dle —6G 45
Croxden Rd. Stoke —6G 29
Croyde Pl. Stoke —1C 48
Cruso St. Leek —4E 16
Crystal St. Stoke —6A 28
Cumberbatch Av. Stoke —4A 22
Cumberland Clo. Kid —4B 20
Cumberland Rd. Cong —4C 8
Cumberland St. New —4G 33 (3G 7)
Cumberland St. Stoke —7D 34
Cumbria Ho. New —1F 39
Cumming St. Stoke —4H 33
Curland Pl. Stoke —4A 42
Curtiss Pl. Stoke —1D 48
Curzon Av. Als —5E 10
Curzon Rise. Leek —4C 16
Curzon Rd. Stoke —2K 27
Curzon St. New —3G 33
Cutts St. Stoke —3A 34
Cygnet Clo. Mad H —5B 30
Cynthia Gro. Stoke —2K 27
Cypress Gro. B Bri —1H 49
Cypress Gro. New —4A 26

Dace Gro. Stoke —1A 28
Dahlia Clo. Stoke —7C 36
Dain Pl. New —6E 26
Dain St. Stoke —5H 27
Daintry St. Leek —4F 17
Daintry St. Stoke —2J 39
Dairy Clo. Leek —3H 17
Dairyhouse La. Dil —3K 37
Dairylands Rd. Chu L —6G 11
Daisy Bank. Als —6B 10
Daisy Bank. Leek —3F 17
Daisybank Dri. Cong —2F 9
Daisy Pl. Stoke —2D 40
Dale Av. Stoke —5C 22
Dale Clo. C'dle —4H 45
Dalecot Grn. Stoke —5J 35
Dale Cres. Cong —5H 9
Dalegarth Gro. Stoke —6K 41
Dale Gro. Cong —5J 9
Dalehall Gdns. Stoke —4H 27
Dalehead Ct. Stoke —6A 42
Dale Pl. Cong —5H 9
Dales Clo. Bid M —2G 15
Dales Grn. Rd. Mow C —4F 13
Dale St. Stoke —4H 27
Dale, The. Ful —6F 49
Dale View. Stoke —3C 42
Dale View Ct. Ful —6F 49
Daleview Dri. New —4K 31
Dalton Gro. Stoke —4J 35
Daltry Way. Mad —6A 30
Daly Cres. New —4J 31
Dam La. Bid M —1F 15
Dampier St. Leek —4F 17
Dams, The. Cav —4E 42
Dandillion Av. C'dle —6G 45
Dane Bank Av. Cong —3G 9
Danebower Rd. Stoke —2A 46
Danebridge Gro. Stoke —7E 28
Dane Clo. Als —7B 10
Dane Dri. Bid —1D 14
Dane Gdns. Kid —1F 21
Dane Gro. C'dle —5H 45
Danehill Gro. Stoke —5J 39
Danemead Clo. Stoke —7B 42
Danes Croft. Stoke —7A 40
Danesgate. Leek —3G 17
Dane Side. Cong —4E 8
Daneside Bus. Pk. Cong —3G 9
Dane St. Cong —4E 8
Dane Wlk. Stoke —1C 34 (3H 5)
Darius Clo. New —4E 26
Darley Gro. C'dle —5H 45
Darnley St. Stoke —5B 34
Darrall Gdns. Stoke —3H 39
Darsham Gdns. New —4F 39
Dart Av. Stoke —7K 21
Dart Clo. Als —6B 10
Dart Clo. Bid —1C 14
Dartford Pl. Stoke —7B 22
Dart Gro. C'dle —5H 45
Dartmouth Av. New —7D 32
Dartmouth Pl. Stoke —6A 42
Dartmouth St. Stoke —3A 28
Dart Pl. New —2D 38
Dash Gro. Stoke —3B 28
Davenport Clo. Leek —5C 16
Davenport St. Cong —5E 8
Davenport St. Stoke —4G 27
Daven Rd. Cong —6H 9
Daventry Clo. Stoke —3E 34
David Rd. Stoke —5A 42
Davidson Av. Cong —2J 9
Davis Clo. Als —6F 11
Davison St. Stoke —5K 27
Davis St. Stoke —3K 33
Davy Clo. Stoke —2F 35
Dawlish Dri. Stoke —3G 35
Dawn Av. Stoke —7K 21
Dawn View. Stoke —3C 42
Dayson Pl. New —5D 26
Deakin Gro. New —1F 39
Deakin Rd. Stoke —6A 22
Dean Clo. Bid —2D 14
Dean Hollow. A'ly —2E 24
Dean Pl. Stoke —3C 34
Deansberry Clo. Stoke —6K 39
Deanscroft Way. Stoke —2J 41
Deansgate. New —5D 32 (5A 6)
Dean's La. New —2K 25
Dean St. Stoke —1H 35
Deans Way. Stoke —1A 46
Deaville Rd. Stoke —2H 35
Debenham Cres. Stoke —3E 34
Decade Clo. High B —2C 26
Deebank Av. Leek —3J 17
Dee Clo. Bid —1D 14
Dee Clo. Tal —4B 20
Dee La. New —2E 38
Deepdale Clo. Stoke —2E 28
Defoe Dri. Stoke —2K 41
Delamere Ct. Als —6A 10
Delamere Gro. New —3F 33 (1D 6)
Delamere Gro. Stoke —7K 39
Delamere Rd. Cong —4B 8
Delaney Dri. Stoke —2A 42
Delius Gro. Stoke —7E 28
Dell, The. New —4K 31
Dellwood Gro. Stoke —7J 35
Delphouse Rd. C'dle —4B 44
Delph Side. Big E —2G 25
Delph Wlk. Stoke —7E 34
Delves Pl. New —1E 38
Denbigh Clo. Knyp —4B 14
Denbigh Clo. New —2G 39
Denbigh St. Stoke —7A 28 (1C 4)
Denby Av. Stoke —1H 41
Dency Gro. Stoke —1K 27
Denehurst Clo. Stoke —4B 42
Dene Side. New —5D 32 (5A 6)
Denewood Pl. Stoke —5C 42
Denford Pl. Chu L —4E 10
Denham Sq. Stoke —5D 40
Denmark Ho. Stoke —1E 40
Dennington Cres. Stoke —6D 40
Dennison Av. A'ly —2E 24
Dennis Round Ct. Als —7D 10
Dennis St. Stoke —1E 40
Denry Cres. New —5D 26
Denshaw Wlk. Stoke —2H 41
(off Forrister St.)
Denstone Cres. Stoke —4E 40
Dentdale Clo. Stoke —7B 42
Denton Clo. New —3E 38
Denton Gro. Stoke —3K 41
Derby Pl. New —2F 39
Derby Rd. Tal —4A 20
Derby St. Cong —4F 9
Derby St. Leek —4F 17
Derby St. Stoke —2C 34 (5G 5)
Dereham Way. Stoke —4J 35
Derek Dri. Stoke —6D 28
Derry St. Stoke —2D 40
Derwent Clo. Als —6B 10
Derwent Cres. Kid —1F 21
Derwent Dri. Bid —1D 14
Derwent Dri. C'dle —5H 45
Derwent Dri. Cong —6H 9
Derwent Pl. New —2D 32
Derwent St. Stoke —7A 28
Devana Wlk. Stoke —4D 42
Devil's La. Long —5A 16
Devon Clo. New —2F 39
Devon Gro. Bid —1B 14
Devon Pl. Cong —3G 9
Devonshire Sq. Stoke —4H 35
Dewsbury Rd. Fen I —6D 34
Diamond Av. Kid —1E 20
Diamond Clo. B'stn —7B 46
Diamond Clo. Bid —2B 14
Diamond Clo. Stoke —3B 48
Diamond Ridge. B'stn —6B 46
Diana Rd. Stoke —6E 28
Diarmid Rd. Stoke —5J 39
Dibden Ct. Stoke —6K 33
Dickenson Rd. E. Stoke —5B 28
Dickenson Rd. W. Stoke —5B 28
Dickens St. Stoke —1H 35
Dickson Ho. Stoke —4C 34
Diglake St. Big E —1G 25
Dilhorne Gro. Stoke —5H 41
Dilhorne La. Cav —3F 43
Dilhorne Rd. Cav —3H 43
Dilhorne Rd. C'dle —3E 44
Dilhorne Rd. For —6J 43
Dilke St. Stoke —7C 28
Dill Gro. Stoke —1C 48
Dimmelow St. Stoke —1C 42
Dimsdale Pde. E. New —7E 26
Dimsdale Pde. W. New —6D 26
Dimsdale St. Stoke —5H 27
Dimsdale View. New —6C 26
(Church Fields)
Dimsdale View. New —6E 26
(Dimsdale)
Dimsdale View E. New —6E 26
Dimsdale View W. New —6E 26
Dingle, The. Brn E —4G 23
Dividy Rd. Stoke —2E 34
Dixon Rd. Cong —2J 9
Dixon's Row. New —5A 26
Dobell Gro. Stoke —2J 41
Dobson St. Stoke —5B 28
Doctors Clo. Bid —2B 14
Doddington Pl. New —7E 32
Dodd's La. A'bry —7E 8
Doddswood Dri. Cong —3H 9
Dogcroft Rd. Stoke —6B 22
Dog La. Leek —3F 17
Dolespring Clo. For —6H 43
Dolly's La. Stoke —2K 27
Dominic St. Stoke —5K 33
Donald Bates Ho. Stoke —7J 33
Donald Rd. Stoke —6D 28
Doncaster La. Stoke —6J 33
Donkey La. C'dle —1H 45
Dorcas Dri. Stoke —2E 40
Dorchester Wlk. Stoke —3H 35
Doreen Av. Cong —7K 9
Dorian Way. End —2K 23
Doris Robinson Ct. Stoke —7A 42
Dorking Clo. Stoke —3E 34
Dorlan Clo. Stoc B —1H 29
Dorridge Gro. New —1H 33
Dorrington Clo. Stoke —2F 29
Dorrington Gro. New —6F 27
Dorset Clo. Cong —3G 9
Dorset Clo. Stoke —2H 35
Dorset Dri. Bid —2B 14
Dorset Pl. Kid —7D 12
Dorset Pl. New —2G 39
Douglas Av. Bid —3B 14
Douglas Av. Stoke —1J 39
Douglas Pl. Stoke —3D 34
Douglas Rd. New —2D 32 (2B 6)
Douglas St. Stoke —6A 28
Doulton Clo. C'dle —5G 45
Doulton Dri. New —5E 26
Doulton St. Stoke —4K 27
Dovebank Gro. Stoke —1B 48
Dovecote Pl. Stoke —6K 41
Dovedale Clo. Cong —3J 9
Dovedale Clo. Stoke —4E 20
Dovedale Pl. New —4H 31
Dove Gro. Bid —1C 14
Dove Pl. New —2D 38
Doveridge St. Stoke —1C 40
Dove Rd. For —7H 43
Dover St. Stoke —7C 28 (1H 5)
Downey St. Stoke —2B 34 (5F 5)
Downfield Pl. Stoke —3E 28
Downham Rd. New —3B 32
Downing Av. New —2G 33
Downsview Gro. Stoke —3E 40
Dragon Sq. New —4B 26
Drake Clo. Stoke —4E 34
Drakeford Ct. Stoke —7D 22
Drakeford Gro. Stoke —7D 22
Draw-well La. Werr —1C 36
Draycott Cross Rd. C'dle —6C 44
Draycott Dri. C'dle —5G 45
Draycott Dri. New —2A 26
Draycott Old Rd. For —7J 43
Drayton Grn. Stoke —3F 35
Drayton Rd. Stoke —2G 41
Drayton St. New —5D 32 (4B 6)
Drenfell Rd. Sch G —3C 12
Dresden St. Stoke —2C 34 (4H 5)
Dreys, The. Stoke —7A 40
Driffield Clo. Stoke —4K 35
Drive, The. Als B & New —6G 25
Droitwich Clo. New —3G 31
Drubbery La. Stoke —5E 40
Drumber La. Sch G —2D 12
Drumburn Clo. Stoke —4J 21
Drummond St. Stoke —4G 21
Dryberg Wlk. Stoke —1F 35
Dryden Rd. Stoke —6K 27
Duddell Rd. Stoke —2B 28
Dudley Pl. Stoke —6B 42
Duesbury Grn. Stoke —3F 41
Duke Bank Ter. Stoke —7E 22
Duke Pl. New —4K 31
Duke St. Bid —3C 14
Duke St. Cong —5F 9
Duke St. Leek —4F 17
Duke St. New —6F 33 (6F 7)
Duke St. Stoke —2D 40
(in two parts)
Dulverton Av. New —1D 38
Duncalf Gro. New —5E 26
Duncalf St. Stoke —4J 27
Duncan St. Stoke —7D 34
Dundas St. Stoke —7C 28
Dundee Rd. Stoke —2K 33 (5A 4)
Dundee St. Stoke —4G 41
Dunham Clo. Als —7D 10
Dunkirk. New —4D 32 (2B 6)
Dunkirk Ct. New —4D 32 (3B 6)
Dunning St. Stoke —7G 21

Dunnocksfold Rd. Als —6A 10
Dunnockswood Als —6B 10
Dunnock Way. Bid —2D 14
Dunrobin St. Stoke —5H 41
Dunsany Gro. Stoke —6D 28
Dunsford Av. Stoke —2F 29
Dunster Rd. Stoke —1G 41
Dunwood Dri. Chu L —4E 10
Dunwood Dri. Stoke —1K 27
Durber Clo. A'ly —3E 24
Durber Clo. Stoke —2H 39
Durham Gro. New —2G 39
Durston Pl. Stoke —3K 41
Dyke St. Stoke —1C 34 (2G 5)
Dylan Rd. Stoke —3J 41

Eagland Pl. Cong —3G 9
Eagle St. Stoke —1D 34
Eamont Av. Stoke —7K 21
Eardley Cres. Cong —3G 9
Eardleyend Rd. Big E —5E 18
Eardley St. Stoke —7J 33
Earlsbrook Dri. Stoke —7B 40
Earls Ct. New —4G 33
Earl's Dri. New —7E 32
Earls Rd. Stoke —7A 40
Earl St. Leek —3G 17
Earl St. New —4G 33 (2G 7)
Earl St. Sil —4K 31
Earlswood Rd. Stoke —6F 29
Easdale Pl. New —1E 38
Easedale Clo. Stoke —2F 29
E. Bank Ride. For —6H 43
Eastbank Rd. Stoke —7A 28 (1C 4)
Eastbourne Clo. Leek —3E 16
Eastbourne Rd. Stoke —1C 34 (2H 5)
Eastbridge Av. Stoke —4C 28
Eastcott Clo. Cong —3B 8
East Ct. Als —5F 11
East Cres. New —2G 33
East Cres. Stoke —4D 28
Eastdean Av. Stoke —3F 35
East Dri. Bid —2C 14
Easters Gro. Stoke —3G 29
Eastfield Clo. Stoke —6D 40
East Gro. Stoke —5B 42
Easthead Wlk. Stoke —2A 34 (5C 4)
E. Precinct. Stoke —1C 34 (3G 5)
East St. Leek —3H 17
East St. Stoke —1C 42
East Ter. Stoke —5A 22
E. View. Stoke —5J 27
Eastwick Cres. Stoke —6K 39
Eastwood Av. Stoke —7K 21
Eastwood Pl. Stoke —2B 34 (5F 5)
Eastwood Rd. Stoke —2C 34 (5G 5)
Eaton Bank. Cong —2G 9
Eaton Bank Ind. Est. Cong —3H 9
Eaton Rd. Als —6D 10
Eaton St. Stoke —1C 34 (2G 5)
Eaves La. C'dle —6G 45
Eaves La. Stoke —7H 29
Eaveswood Rd. Stoke —6H 29
Ebury Gro. Stoke —5A 42
Ecclestone Pl. Stoke —5K 21
Edale Clo. New —4J 31
Edale Clo. Stoke —4E 20
Eddisbury Dri. New —2A 26
Eden Clo. Bid —1D 14
Eden Clo. Kid —1E 20
Eden Gro. C'dle —5H 45
Eden Gro. Stoke —5A 42
Edenhurst Av. Stoke —5C 42
Edensor Ct. New —5B 26
Edensor Rd. Stoke —4G 41
(in two parts)
Edensor St. New —5B 26
Edensor Ter. Stoke —4G 41
Edgar Pl. Stoke —7H 35
Edge Av. Stoke —5K 21
Edgefield Rd. Stoke —1H 41
Edgefields La. Stoc B —5H 23
Edgehill Rd. Leek —4D 16
Edge La. End —4J 23
Edgeley Rd. Bid —3C 14
Edge St. Stoke —2J 27
Edge View Clo. Stoke —2H 29
Edge View Ct. Bid —3B 14
Edgeview Rd. Cong —7K 9
Edge View Rd. Stoke —1H 29
Edgeware St. Stoke —7A 28
Edinburgh Pl. Cong —5H 9
Edinburgh Rd. Cong —5H 9
Edison St. Stoke —7C 34
Edmonton Gro. Stoke —3E 28
Ednam Pl. Stoke —5B 42
Edwal Rd. Stoke —2B 42
Edward Av. New —7E 32
Edward Av. Stoke —7A 40
Edward Davies Rd. Stoke —2B 28
Edward St. Big E —1G 25
Edward St. New —1G 33
Edward St. Stoke —6D 34
Edwards Way. Als —6F 11
Egerton Rd. Stoke —5H 33
Egerton St. Cong —5E 8
Egerton St. Stoke —4C 34
Elaine Av. Stoke —3A 28
Elburton Rd. Stoke —7F 35
Elder Pl. Stoke —6A 28
Elder Rd. Stoke —5A 28
Eldon St. Stoke —6C 28
Eleanor Cres. New —7D 32
Eleanor Pl. New —7D 32
Eleanor View. New —7E 32
Elenora St. Stoke —6A 34
Elers Gro. Stoke —5H 27
Elgar Cres. Stoke —7F 29
Elgin St. Stoke —4A 34
Elgood La. Stoke —4F 21
Elizabeth Ct. Stoke —5J 33
Elizabeth Ct. Tal P —6A 20
Elizabeth Dri. New —5B 26
Elizabeth St. Cong —5E 8
Elizabeth St. Stoke —1D 34
Elkington Rise. Mad —6A 30
Elkstone Clo. Stoke —7H 21
Ellam's Pl. New —4B 32
Ellastone Gro. Stoke —7J 33
Elldawn Av. Stoke —2E 28
Ellerby Rd. Stoke —6D 40
Ellgreave St. Stoke —4H 27
Ellington Clo. Stoke —3F 35
Elliot Dri. Werr —1C 36
Elliot Rd. Stoke —7E 34
Elliott St. New —4G 33 (2G 7)
Ellison St. New —7G 27
Ellis St. Stoke —5B 28
Elmbrook Clo. Stoke —6A 42
Elm Clo. Kid —3E 20
Elm Clo. Leek —4D 16
Elmcroft Rd. Stoke —6G 29
Elmdon Pl. Stoke —7C 42
Elm Dri. C'dle —4J 45
Elm Gro. Als —6F 11
Elmhurst. New —2C 38
Elmhurst Clo. Stoke —3E 34
Elm Pl. Stoke —5E 40
Elm Rd. Cong —4D 8
Elmsmere Av. Stoke —5F 41
Elmsmere Rd. Stoke —6G 29
Elmstead Clo. Stoke —5J 39
Elms, The. New —5F 27
Elm St. New —3G 33
Elm St. Stoke —5K 27
Elms Way. Stoke —4B 42
Elm Tree Dri. Big E —3G 25
Elmwood Clo. B Bri —1H 49
Elmwood Clo. Chu L —6H 11
Elmwood Dri. B Bri —1H 49
Elphinstone Rd. Stoke —3J 39
Elsby Pl. Stoke —5K 21
Elsby Rd. Als —1G 19
Elsing St. Stoke —7C 34
Elstree Clo. Stoke —4A 42
Elstree Gro. Stoke —6F 29
Elswick Rd. Fen I —5D 34
Eltham Gdns. New —2G 33
Elton Ter. Stoke —4G 21
Elworth Ct. Cong —4H 9
(off Herbert St.)
Ely Wlk. Stoke —2H 41
Embers Way. End —1K 23
Emberton St. Ches —5B 26
Emberton St. Wol —7F 27
Embleton Wlk. Stoke —5H 27
Emerson Rd. Stoke —6K 27
Emery Av. New —6C 32
Emery Av. Stoke —4D 28
Emery St. Stoke —6A 28
Empire Pas. Stoke —7K 33
Empire St. Stoke —7K 33
Emsworth Rd. Stoke —6D 40
Encounter Pl. Stoke —7D 28
Enderley St. New —4E 32 (2C 6)
Endon Dri. Brn L —5A 14
Endon Rd. Stoke —7D 22
Englesea Av. Stoke —1B 42
Ennerdale Clo. Stoke —4H 27
Ennerdale Dri. Cong —5D 8
Enoch St. Stoke —5J 27
Enstone Clo. Stoke —6E 40
Enstone Ct. New —3E 38
Enterprise Cen. Stoke —3K 33
Ephraim St. Stoke —3C 34 (6G 5)
Epping Rd. Stoke —3H 39
Epsom Clo. C'dle —1H 45
Epworth St. Stoke —6K 33
Ernest Pl. Stoke —6D 34
Eros Cres. Stoke —6D 28
Errill Clo. Stoke —7B 34
Erskine St. Stoke —5H 41
Eskdale Pl. New —1E 38
Eskdale Pl. Stoke —7J 39
Esk Way. New —2E 38
Esperanto Way. Smal —4B 28
Essex Clo. Cong —2G 9
Essex Dri. Gil H —2J 15
Essex Dri. Kid —1C 20
Essex Pl. New —7D 32
Eton Av. New —2C 38
Etruria Old Rd. Stoke —3J 33
Etruria Rd. New & Stoke —4G 33 (1G 7)
Etruria Trad. Est. ST4 —2H 33
Etruria Vale Rd. Stoke —2K 33 (4A 4)
Etruria Way. Stoke —2H 33
Etruscan St. Stoke —3J 33
Etruscan Wlk. B'stn —3E 46
Eva Gro. New —6G 39
Evans St. Stoke —3J 27
Evelyn St. Stoke —1D 40
Everall Dri. Tren —6K 39
Everest Rd. Kid —7E 12
Eversley Av. Leek —4F 17
Eversley Rd. Stoke —4K 41
Evesham Way. Stoke —3K 41
Excalibur Ind. Est. Als —7F 11
Exeter Grn. Stoke —3H 35
Exmouth Gro. Stoke —5K 27
Eyre St. Stoke —5H 27

Faceby Gro. Stoke —7D 42
Fairbank Av. Stoke —1J 39
Fairclough Pl. Stoke —1K 27
Fairfax St. Stoke —6C 28
Fairfield Av. Brn E —4G 23
Fairfield Av. New —1F 33
Fairfield Av. Stoke —6H 41
Fairfields. Big E —2G 25
Fairfields Rd. Bid M —1F 15
Fairhaven Gro. Stoke —6D 28
Fairlawn Clo. Stoke —6K 41
Fairlawns. New —3E 32
Fairlight Gro. Stoke —7B 42
Fairoak. New —2C 38
Fair Oak Rd. New —3A 26
Fairview Av. Als —6E 10
Fair View Rd. Leek —4H 17
Fairway. Stoke —6H 39
Fairway Rd. Stoke —1K 27
Fairway, The. Als —6D 10
Falcon Rd. Stoke —1B 48
Falkirk Grange. New —6C 32
Fallowfield. Stoke —6E 40
Falmouth Rd. Cong —7G 9
Fancett La. Mad H —5B 30
Fanny's Croft. Als —1F 19
Faraday Pl. Stoke —6H 33
Farams Rd. Rode H —3F 11
Farcroft Av. New —6C 26
Fareham Gro. Stoke —7K 41
Far Grn. Ind. Est. Stoke —7C 28
Farington Pl. Stoke —5K 21
Farland Gro. Stoke —5K 21
Farleigh Gro. Stoke —4H 35
Farmadine. Stoke —7A 40
Farman Clo. Stoke —7D 42
Farmers Bank. New —4K 31
Farmer St. Stoke —4H 41
Farm Hollow. Big E —2H 25
Farmside La. Bid M —1G 15
Farms Rd. Rode H —3F 11
Farmwood Clo. Stoke —5C 42
Farnborough Dri. Stoke —7D 42
Farndale St. Stoke —1G 27
Farne Gro. Stoke —3F 41
Farnham Dri. Brn L —5A 14
Farnworth Clo. Knyp —4A 14
Farnworth Rd. Stoke —2K 41
Farrington Clo. Stoke —1D 28
Faulkner Pl. Stoke —2A 42
Fawcett Way. Stoke —1G 5
Fawfield Dri. Stoke —5F 21
Fearns Av. New —3D 26
Fearon Grn. Stoke —1D 28
Featherstone Gro. Stoke —6K 33
Federation Rd. Stoke —3H 27
Fegg Hayes Rd. Stoke —5K 21
Felcourt Gdns. Stoke —7D 28
Fellbrook Ct. Stoke —1F 35
Fellbrook La. Stoke —1F 35
Fellgate Ct. New —4E 32 (3C 6)
Fell St. Stoke —3B 28
Felstead St. Stoke —1G 29
Fenlow Av. Stoke —3E 34
Fennel Gro. Stoke —1C 48
Fen Pk. Ind. Est. Stoke —1F 41
Fenpark Rd. Stoke —7E 34
Fenton Clo. Cong —6J 9
Fenton Ind. Est. Stoke —5D 34
Fenton Pk. Stoke —6F 35
Fenton Rd. Stoke —4D 34
Fermain Clo. New —3C 38
Fern Cres. Cong —4J 9
Ferncroft Clo. Stoke —7A 40
Ferndale Clo. B Bri —1G 49
Ferndale Clo. Werr —1B 36
Fern Dene. Mad —1A 30
Ferndown Clo. Stoke —5J 41
Ferndown Dri. New —4F 39
Ferndown Dri. S. New —5F 39
Ferney Pl. Stoke —5F 21
Fernhurst Gro. Stoke —6K 41
Fernlea Cres. End —1K 23
Fernleaf Clo. Rode H —2G 11
Fernlea Gro. L'tn —1C 42
Fernlea Gro. Meir H —3B 48
Fern Pl. Stoke —4H 41
Fernwood Croft. Leek —5D 16
Fernwood Dri. Leek —5D 16
Fernwood Grn. Stoke —7B 40
Ferrand Clo. Stoke —4K 39
Festing St. Stoke —7C 28 (1G 5)
Festival Hill. Cong —5H 9
Festival Way. Stoke —7J 27
Fiddlers Bank. Brn E —3G 23
Field Av. Stoke —2G 29
Field Clo. Als —6F 11
Field Clo. B Bri —1F 49
Fielden Clo. Stoke —2E 28
Field End Clo. Stoke —7A 40
Fielding St. Stoke —1A 40
Field Pl. Stoke —1H 41
Fields Rd. Als —6E 10
Fields Rd. Cong —7G 9
Field St. Leek —4F 17
Field View. Bid —1C 14
Field View. Stoke —2C 42
Field Way. Als —6F 11
Fieldway. Ash B —2A 36
Fieldway. B Bri —7E 42
Fieldway. L'tn —3D 40
Fieldway. Stoke —7H 39
Fife St. Stoke —2F 41
Fifth Av. Kid —2B 20
Filey Clo. Stoke —3J 35
Finchdean Clo. Stoke —7B 42
Finch Pl. B Frd —1A 22
Finch St. B Frd —2B 22
Finney Grn. Stoke —1F 35
Finstock Av. Stoke —7D 40

Firbank Pl. *Stoke* —2A **42**
Firbeck Clo. *Cong* —4B **8**
First Av. *Kid* —2B **20**
First Av. *New* —5F **27**
First Av. *Stoke* —1J **35**
Fir Tree Pl. *New* —4B **26**
Fir Tree Rd. *Stoke* —6K **41**
Firwood Rd. *Bid* —1E **14**
Fisher St. *B Frd* —1A **22**
Fishpond Way. *Stoke* —6F **29**
Fistral Clo. *Stoke* —2J **41**
Fitzgerald Clo. *Stoke* —2C **42**
Fitzherbert Rd. *Stoke* —4D **28**
Five Oaks Clo. *New* —3B **38**
Flackett St. *Stoke* —1H **41**
Flamborough Gro. *Stoke* —5H **27**
Flash La. *L Oaks* —2H **29**
Flash La. *Stoke* —3H **39**
Flatts Rd. *Stoke* —6D **22**
Flaxman Clo. *B'stn* —3D **46**
Flax St. *Stoke* —7A **34**
Fleckney Av. *Stoke* —3K **41**
Fleming St. *Stoke* —6A **34**
Fletcher Bank. *New* —4D **32** (2B **6**)
Fletcher Cres. *Stoke* —2G **29**
Fletcher Rd. *Stoke* —1K **39**
Fletcher St. *Stoke* —3A **34** (6D **4**)
Fleur Gro. *Stoke* —7G **35**
Flintsham Gro. *Stoke* —7B **28**
Flint St. *Stoke* —1C **42**
Florence Rd. *Stoke* —5J **39**
Florence St. *New* —4E **32** (2D **6**)
Florida Clo. *Hot I* —4A **28**
Floyd St. *Stoke* —5A **34**
Flynn Rd. *Stoke* —5D **34**
Foden Av. *Als* —7G **11**
Foden St. *Stoke* —1K **39**
Fogg St. *New* —4E **32** (3D **6**)
Fogg St. E. *New* —4E **32** (3D **6**)
Fogg St. W. *New* —4E **32** (3D **6**)
Fold La. *Bid* —1J **15**
Foley Pl. *Stoke* —2F **41**
Foley Rd. *Stoke* —3F **41**
Foley St. *Stoke* —2G **41**
Fol Hollow. *A'bry* —6D **8**
Fontaine Pl. *Stoke* —1K **39**
Fonthill Wlk. *Stoke* —1G **35**
Forber Rd. *Stoke* —2J **39**
Ford Av. *Stoke* —6A **22**
Ford Grn. Rd. *Stoke* —3B **28**
Ford Hayes La. *Stoke & Hul* —5J **35**
Fords La. *Mow C* —4G **13**
Ford St. *Leek* —3G **17**
Ford St. *Sil* —3J **31**
Ford St. *Stoke* —4H **33**
Forest Clo. *New* —2B **38**
Forest Ct. *Stoke* —1F **5**
Forest Rd. *Stoke* —7A **42**
Forestside Gro. *Stoke* —4J **39**
Forge La. *Cong* —4D **8**
Forge La. *Stoke* —2J **33**
Forge Way Ind. Est. *Bid* —6A **14**
Forrester Clo. *Bid* —2B **14**
Forresters Bank. *L Oaks* —1H **29**
Forrister St. *Stoke* —2H **41**
Forster St. *Stoke* —1G **27**
Forsyte Rd. *Stoke* —7G **35**
Forum Rd. *New* —7A **26**
Fosbrook Pl. *Stoke* —5G **33** (5H **7**)
Foster Ct. *Stoke* —3E **40**
Foster Rd. *Cong* —2J **9**
Foundry Bank. *Cong* —4G **9**
Foundry La. *Sch G* —3C **12**
Foundry La. *Stoke* —2F **35**
Foundry Sq. *Stoke* —6E **22**
Foundry St. *Stoke* —1B **34** (2E **5**)
Fountain Ct. *Bid* —1C **14**
Fountain Pl. *Stoke* —4J **27**
Fountains Av. *New* —2E **38**
Fountain Sq. *Stoke* —1B **34** (3F **5**)
Fountain St. *Cong* —5F **9**
Fountain St. *Leek* —3G **17**
Fountain St. *Stoke* —7D **34**
Fourth Av. *Kid* —2C **20**
Fourth Av. *Stoke* —1J **35**
*Fowcett Way. Stoke —7C **28***
(off Dilke St.)
Fowlchurch Rd. *Leek* —2G **17**
Fowler's La. *L Oaks* —2J **29**

Foxfield Way. *Stoke* —6E **40**
Fox Gdns. *Tal* —3A **20**
Foxglove Clo. *Stoke* —1C **42**
Foxglove La. *New* —5F **39**
Fox Gro. *New* —4F **39**
Foxlands Clo. *Stoke* —2J **35**
Foxley La. *Stoke* —3E **28**
Fox St. *Cong* —4G **9**
Frampton Gro. *Stoke* —5H **21**
Francis St. *Stoke* —6J **21**
Franklin Rd. *Stoke* —6J **33**
Franklyn St. *Stoke* —3C **34** (6H **5**)
Frank St. *Stoke* —7K **33**
Fraser St. *Stoke* —5A **28**
Freckleton Pl. *Stoke* —7D **42**
Frederick Av. *Stoke* —6K **33**
Frederick St. *Stoke* —7D **34**
Freebridge Clo. *Stoke* —2K **41**
Freedom Dri. *Har* —7H **13**
*Freedom Wlk. Stoke —1B **28***
(off Unwin St.)
Freehold St. *New* —5F **33** (5F **7**)
Free Trade St. *Stoke* —7C **28** (1G **5**)
Fremantle Rd. *Stoke* —2J **39**
Frenchmore Gro. *Stoke* —5K **41**
Freshwater Gro. *Stoke* —2E **34**
Friars Clo. *C'dle* —3G **45**
*Friars Ct. C'dle —3G **45***
(off Prince George St.)
Friars Pl. *Stoke* —5G **29**
Friars Rd. *Stoke* —5G **29**
Friars St. *New* —5E **32** (4D **6**)
Friar St. *Stoke* —2H **41**
Friars Wlk. *New* —7E **32**
Friarswood Rd. *New* —5E **32** (5C **6**)
Friendly Av. *New* —4E **26**
Friesian Gdns. *New* —2K **25**
Frith St. *Leek* —3E **16**
Frobisher St. *Stoke* —6F **23**
Frodingham Rd. *Stoke* —4J **35**
Froghall. *New* —4E **32** (3C **6**)
Froghall Rd. *C'dle* —2G **45**
Frome Wlk. *Stoke* —6K **21**
Frozer Ho. *Stoke* —6A **42**
Fulford Dale. *Ful* —5C **48**
Fulford Rd. *Ful* —7E **48**
Fuller St. *Stoke* —7H **21**
Fullwood Wlk. *Stoke* —4H **35**
Fulmar Pl. *Stoke* —7C **42**
Furlong La. *Stoke* —5H **27**
Furlong Pde. *Stoke* —4J **27**
Furlong Pas. *Stoke* —4J **27**
Furlong Rd. *Stoke* —7H **21**
Furmston Pl. *Leek* —2H **17**
Furnace La. *Mad* —1A **30**
Furnace Rd. *Stoke* —4J **41**
Furnival St. *Stoke* —6A **28**
Fynney St. *Leek* —4G **17**

Gables, The. *Als* —6D **10**
Gable St. *Stoke* —7A **34**
Gainsborough Rd. *New* —6B **26**
Gainsborough Rd. *Stoke* —6D **40**
Galleys Bank. *Kid* —7E **12**
Galloway Rd. *Stoke* —5K **35**
Gallowstree La. *New* —6B **32**
Galsworthy Rd. *Stoke* —7G **35**
Garbett St. *Stoke* —4F **21**
Gardeners Clo. *Brn L* —5A **14**
Gardenholm Clo. *Stoke* —6A **42**
Garden Pl. *Stoke* —5H **33**
Garden Rd. *Leek* —3E **16**
Garden St. *Cong* —5E **8**
Garden St. *New* —5F **33** (4E **7**)
Garden St. *Stoke* —7J **33**
Gardiner Dri. *Stoke* —4F **41**
Garfield Av. *Stoke* —5J **39**
Garfield Ct. *Stoke* —5J **39**
Garfield Cres. *Stoke* —5J **39**
Garfield St. *Stoke* —3A **34** (6C **4**)
Garibaldi St. *Stoke* —2J **33**
Garlick St. *Stoke* —3A **28**
Garner St. *Stoke* —2H **33**
(in two parts)
Garner's Wlk. *Mad* —1B **30**
Garnet St. *Stoke* —2K **33** (4B **4**)
Garnett Rd. E. *New* —7E **26**
Garnett Rd. W. *New* —6E **26**

Garsdale Cres. *Stoke* —6D **40**
Garside Dri. *B'stn* —5B **46**
Garth St. *Stoke* —1C **34** (2G **5**)
Gaskell Rd. *Stoke* —2J **35**
Gate St. *Stoke* —1C **42**
Gate Way. *New* —2A **26**
Gatley Gro. *Stoke* —1C **48**
Gaunt St. *Leek* —3E **16**
Gawsworth Clo. *Als* —7D **10**
Gawsworth Clo. *Stoke* —7H **35**
Gayton Av. *Stoke* —2G **29**
Gedney Gro. *New* —4E **38**
Geen St. *Stoke* —6A **34**
Gemini Gro. *Stoke* —5J **21**
Geneva Dri. *New* —7B **32**
Geneva Dri. *Stoke* —5E **28**
Geoffrey Av. *Leek* —4E **16**
Geoffrey Gro. *Stoke* —2B **42**
George Av. *Stoke* —5C **42**
George Bates Clo. *Als* —7D **10**
George Ct. *Stoke* —3G **41**
George St. *A'ly* —3E **24**
George St. *Ches* —5B **26**
George St. *New* —4F **33** (3F **7**)
George St. *Sil* —4J **31**
George St. *Stoke* —6D **34**
George St. *Wol* —6F **27**
Georges Way. *Big E* —2G **25**
Gerrard St. *Stoke* —5K **33**
Giants Wood La. *Hul W* —1C **8**
Gibbins St. *Stoke* —7C **28**
Gibson Gro. *New* —4A **26**
Gibson Pl. *Stoke* —4B **42**
Gibson St. *Stoke* —2H **27**
Gifford Pl. *Stoke* —7J **33**
Gilbern Dri. *Knyp* —5A **14**
Gilbert Clo. *Kid* —1D **20**
Gilbert St. *Stoke* —4F **21**
Giles Clo. *C'dle* —3G **45**
Giles Wlk. *Stoke* —7D **28**
Gill Bank. *Stoke* —4E **20**
Gill Bank Rd. *Kid* —3E **20**
Gilliat Wlk. *Stoke* —5H **35**
Gill Wlk. *Stoke* —5D **4**
Gilman Av. *Stoke* —2G **29**
Gilman Pl. *Stoke* —1C **34** (3G **5**)
Gilman St. *Stoke* —2C **34** (4G **5**)
Gimson St. *Stoke* —7D **34**
Girsby Clo. *Stoke* —2B **46**
Gitana St. *Stoke* —1B **34** (3E **5**)
Glade, The. *New* —4D **38**
Gladstone Gro. *Stoke* —2C **14**
Gladstone Pl. *Stoke* —1J **39**
Gladstone St. *Leek* —4F **17**
Gladstone St. *Stoke* —3H **33**
Gladwyn St. *Stoke* —1H **35**
Glaisher Dri. *Stoke* —7D **42**
Glandore Rd. *Stoke* —2A **42**
Glass St. *Stoke* —1B **34** (2F **5**)
Glastonbury Clo. *Stoc B* —1J **29**
Glebe Clo. *B Bri* —1H **49**
Glebe Ct. *C'dle* —4E **44**
Glebe Ct. *Stoke* —6B **34**
Glebedale Ct. *Stoke* —1D **40**
Glebedale Rd. *Stoke* —7D **34**
Glebe Rd. *C'dle* —4E **44**
(Brookhouses)
Glebe Rd. *C'dle* —4F **45**
(Cheadle)
Glebe St. *Stoke* —6A **34**
Glebe St. *Tal* —1A **20**
Glebeville. *Leek* —5F **17**
Glencastle Way. *Stoke* —2B **46**
Glencoe St. *Stoke* —4G **41**
Glendale Ct. *New* —4F **39**
Glendale St. *Stoke* —5K **27**
Glendue Gro. *Stoke* —1B **46**
Gleneagles Cres. *Stoke* —6D **28**
Glenfield Way. *Stoke* —6K **35**
Glenroyd Av. *Stoke* —4F **35**
Glenroyd Wlk. *Stoke* —4H **35**
Glenwood Clo. *New* —4K **31**
Glenwood Clo. *Stoke* —2G **41**
Globe St. *Stoke* —4H **27**
Gloucester Grange. *New* —1F **39**
Gloucester Rd. *Kid* —1C **20**
Glover St. *Stoke* —7C **28**
Glyn Pl. *Stoke* —1J **27**
Goddard St. *Stoke* —2H **41**

Godfrey Rd. *Stoke* —2G **35**
Godleybarn La. *Dil* —1A **44**
Godley La. *Dil* —2A **44**
Golborn Av. *Stoke* —3B **48**
Golborn Clo. *Stoke* —3B **48**
Goldcrest Way. *Bid* —2D **14**
Goldenhill Rd. *Stoke* —2G **41**
Goldfinch Clo. *Cong* —6G **9**
Goldsmith Pl. *Stoke* —2J **41**
Gold St. *Stoke* —3G **41**
Golf Links Clo. *Stoke* —4F **21**
Goms Mill Rd. *Stoke* —5F **41**
(in two parts)
Goodfellow La. *C'dle* —3J **45**
Goodfellow St. *Stoke* —7G **21**
(in two parts)
Goodson St. *Stoke* —1B **34** (3F **5**)
Goodwick Clo. *Stoke* —2B **46**
Goodwin Av. *New* —3E **32**
Goodwin Rd. *Stoke* —4C **42**
Goodwood Av. *C'dle* —2J **45**
Goodwood Pl. *Stoke* —7K **39**
Goosemoor Gro. *Stoke* —7C **42**
Gordale Clo. *Cong* —2J **9**
Gordan Clo. *Leek* —5D **16**
Gordon Av. *C'dle* —3E **44**
Gordon Av. *Stoke* —5B **28**
Gordon Ct. *New* —2B **32**
Gordon Cres. *Stoke* —5D **28**
Gordon Rd. *Stoke* —5F **21**
Gordon St. *New* —2B **32**
Gordon St. *Stoke* —3A **28**
Gorse St. *Stoke* —2D **40**
Gorsey Bank. *Stoke* —5D **22**
Gort Rd. *New* —1C **32**
Gosforth Gro. *Stoke* —7D **42**
Govan Rd. *Fen I* —5D **34**
Gowan Av. *Stoke* —7K **21**
Gower St. *New* —4F **33** (2F **7**)
Gower St. *Stoke* —3H **41**
Gowy Clo. *Als* —7A **10**
Goy Gdns. *Tal* —3A **20**
Grace St. *Leek* —3D **16**
Graffam Gro. *C'dle* —2J **45**
Grafton Av. *Stoke* —3A **28**
Grafton Rd. *Stoke* —2H **41**
Grafton St. *Stoke* —7C **28** (1G **5**)
Graham St. *Stoke* —2F **35**
Granby Wlk. *Stoke* —7J **33**
Granchester Clo. *Stoke* —1C **48**
Grange Ct. *Bid* —2J **15**
Grangefields. *Bid* —1K **15**
Grange Gdns. *Leek* —5E **16**
Grange La. *New* —1G **33**
Grange Rd. *Bid* —1K **15**
Grange Rd. *Stoke* —1A **48**
Grange St. *Stoke* —6A **28**
Grange, The. *Stoke* —4B **42**
Grangewood Av. *Stoke* —1A **48**
Grangewood Rd. *Stoke* —6B **42**
Granstone Clo. *Stoke* —4K **21**
Grantham Pl. *Stoke* —6F **29**
Grantley Clo. *Stoke* —5F **41**
Grant St. *Stoke* —6B **34**
Granville Av. *New* —3F **33** (1F **7**)
Granville Av. *Stoke* —5C **28**
Granville Rd. *Stoke* —1G **35**
Grasmere Av. *Cong* —5B **8**
Grasmere Av. *New* —2E **38**
Grasmere Ter. *Stoke* —1K **27**
Grass Rd. *Dray* —7B **44**
Grass Rd. *Stoke* —6F **23**
Grassygreen La. *A'ly* —3E **24**
Gratton Rd. *Stoke* —2J **35**
Gravelly Bank. *Stoke* —7A **42**
Grayling Gro. *Stoke* —1A **28**
Gray's Clo. *Sch G* —3E **12**
Grayshott Rd. *Stoke* —6H **21**
Greasley Rd. *Stoke* —6G **29**
Greatbatch Av. *Stoke* —6J **33**
Greatoak Rd. *Big E* —7G **19**
Greenacres Av. *B Bri* —6D **42**
Greenacres Rd. *Cong* —5B **8**
Greenbank Rd. *New* —2F **33**
Greenbank Rd. *Stoke* —1J **27**
Green Clo. *B'stn* —6C **46**
Green Clo. *B Bri* —7E **42**
Greendale Dri. *New* —3A **26**
Greendock St. *Stoke* —3G **41**

Green Dri. *Als* —6E **10**
Greenfield. *Bid* —4C **14**
Greenfield Av. *Brn E* —4H **23**
Greenfield Clo. *Brn E* —4H **23**
Greenfield Cres. *C'dle* —2H **45**
Greenfield Farm Trad. Est. *Cong* —4D **8**
Greenfield Pl. *Brn E* —4H **23**
Greenfield Rd. *Cong* —4D **8**
Greenfield Rd. *Stoke* —6H **21**
Greenfields Dri. *Als* —7F **11**
Greenfields Rd. *Werr* —3K **23**
Greengate Rd. *Chu L* —5G **11**
Greengates St. *Stoke* —7H **21**
Greenhead St. *Stoke* —4J **27**
Greenhill Rd. *Stoke* —5D **22**
Green La. *B Bri* —1H **49**
Greenlea Clo. *Stoke* —2B **46**
Greenmeadow Gro. *End* —5K **23**
Greenmeadows Rd. *Mad* —1B **30**
Greenmoor Av. *Stoke* —3K **21**
Greenock Clo. *New* —5C **32**
Green Pk. *Ful* —6F **49**
Green Rd. *Stoke* —3H **39**
Greenside. *New* —4D **32** (2B **6**)
Greenside Av. *Stoc B* —1H **29**
Greenside Clo. *Kid* —4D **20**
Green's La. *Stoke* —2K **35**
Green, The. *B'stn* —6D **46**
Green, The. *Brn E* —4G **23**
Green, The. *Cav* —3E **42**
Green, The. *C'dle* —4E **44**
Green, The. *Chu L* —6H **11**
Green, The. *New* —3F **39**
Green, The. *Stoc B* —7H **23**
Green, The. *Stoke* —5H **33**
Greenway. *Als* —5C **10**
Greenway. *Cong* —4D **8**
Greenway. *L'tn* —3D **40**
Greenway. *Tren* —7H **39**
Greenway Av. *Stoke* —2A **28**
Greenway Bank. *B Frd* —1B **22**
Greenway Bank. *L Oaks* —2H **29**
Greenway Clo. *Rode H* —2G **11**
Greenway Hall Rd. *L Oaks* —2J **29**
Greenway Hall Rd. *Stoc B* —1H **29**
Greenway Pl. *Stoke* —5G **29**
Greenway Rd. *Bid* —2K **15**
Greenways. *Big E* —2G **25**
Greenways. *C'dle* —4E **44**
Greenways Dri. *C'dle* —2G **45**
Greenway, The. *New* —2F **33**
Greenwood Av. *Cong* —4H **9**
Greenwood Av. *Stoke* —4H **39**
Greenwood Rd. *For* —6H **43**
Greeting St. *Stoke* —5K **27**
Gregory St. *Stoke* —3G **41**
Gregson Clo. *Stoke* —3F **41**
Grenadier Clo. *Stoke* —3B **46**
Grendon Grn. *Stoke* —3H **35**
Gresley Way. *Big E* —2G **25**
Gresty St. *Stoke* —6K **33**
Greville St. *Stoke* —7C **28**
Greyfriars Rd. *Stoke* —7F **29**
Greysan Av. *Pac* —3J **21**
Greystones. New —5F 27
(off First Av.)
Greyswood Rd. *Stoke* —3H **39**
Grice Rd. *Stoke* —5H **33**
Griffin St. *Stoke* —2G **41**
Grig Pl. *Als* —5D **10**
Grindley La. *B Bri* —7F **43**
Grindley La. *Stoke* —2B **48**
Grindley Pl. *Stoke* —7J **33**
Grisedale Clo. *Stoke* —7B **42**
Gristhorpe Way. *Stoke* —4J **35**
Gritter St. *Stoke* —2G **27**
Grosvenor Av. *Als* —5E **10**
Grosvenor Av. *Stoke* —2J **39**
Grosvenor Clo. *Als* —5E **10**
Grosvenor Clo. *End* —1K **23**
Grosvenor Gdns. *New* —5F **33** (5E **7**)
Grosvenor Pl. *New* —7F **27**
Grosvenor Pl. *Stoke* —7G **21**
Grosvenor Rd. *Cong* —4C **8**
Grosvenor Rd. *New* —5F **33** (5E **7**)
Grosvenor Rd. *Stoke* —5A **42**
Grosvenor St. *Leek* —4G **17**
Grosvenor St. *Stoke* —3G **41**
Grove Av. *Chu L* —6H **11**
Grove Av. *Stoke* —2D **40**
Grove Av. *Tal* —2B **20**
Grovebank Rd. *Stoke* —3H **39**
Grove Ct. *Als* —6F **11**
Grove Pk. Av. *Chu L* —6H **11**
Grove Pl. *Stoke* —3A **34** (6C **4**)
Grove Rd. *Stoke* —1C **40**
Grove St. *Leek* —3E **16**
Grove St. *New* —2B **32**
Grove St. *Stoke* —6K **27**
Grove, The. *B Bri* —1F **49**
Grove, The. *Chu L* —6H **11**
Grove, The. *New* —7E **32**
Grove, The. *Stoke* —2A **28**
Guernsey Clo. *Cong* —6J **9**
Guernsey Dri. *New* —2B **38**
Guernsey Wlk. Stoke —3F 41
(off Anglesey Dri.)
Guildford St. *Stoke* —5B **34**
Gun Battery La. *Bid M* —2F **15**
Gunderson Clo. *B Bri* —6J **43**
Gunn St. *Bid* —2B **14**
Guy St. *Stoke* —1G **35**
Gwenys Cres. *Stoke* —2D **40**
Gwyn Av. *Knyp* —5C **14**

Hackett Clo. *Stoke* —2J **41**
Hackwood Clo. *B'stn* —3E **46**
Hadden Clo. *Werr* —3C **36**
Haddon Gro. *New* —6C **26**
Haddon Pl. *Stoke* —7H **29**
Hadfield Grn. *Stoke* —2C **28**
Hadleigh Clo. *New* —4E **38**
Hadleigh Rd. *Stoke* —6G **29**
Hadrian Way. *New* —7A **26**
Haig Rd. *Leek* —2H **17**
Haig St. *Stoke* —4J **41**
Hailsham Clo. *Stoke* —6J **21**
Hales Hall Rd. *C'dle* —2J **45**
Hales Pl. *Stoke* —5H **41**
Halesworth Cres. *New* —4F **39**
Halfway Pl. *New* —4B **32**
Halifax Clo. *Stoke* —7D **42**
Haliford Av. *Stoke* —5C **28**
Hallahan Gro. *Stoke* —5K **33**
Hallam St. *Stoke* —7D **34**
Hall Av. *Leek* —2H **17**
Halldearn Av. *Cav* —3E **42**
Hall Dri. *Als* —7D **10**
Hall Dri. *Stoke* —2C **42**
Hallfield Gro. *Stoke* —6H **21**
Hall Hill Dri. *Stoke* —5J **35**
Hall Orchard. *C'dle* —3G **45**
Hall Pl. *New* —7G **27**
Halls Rd. *Bid* —1B **14**
Halls Rd. *Mow C* —3F **13**
Hall St. *A'ly* —2E **24**
Hall St. *New* —4E **32** (2C **6**)
Hall St. *Stoke* —4H **27**
Halton Grn. *Stoke* —6D **40**
Hambleton Pl. *Knyp* —5A **14**
Hamble Way. *Stoke* —4J **35**
Hambro Pl. *Stoke* —4A **22**
Hamil Dri. *Leek* —3E **16**
Hamil Rd. *Stoke* —3K **27**
Hamilton Ct. *New* —4F **39**
Hamilton Ind. Cen. *Stoke* —1D **40**
Hamilton Rise. *Stoke* —2G **29**
Hamilton Rd. *Stoke* —4J **41**
Hamilton St. *Stoke* —1B **40**
Hamlett Pl. *Stoke* —1D **28**
Hammersley Hayes Rd. *C'dle* —1H **45**
Hammersley St. *Stoke* —6D **28**
Hammerton Av. *Stoke* —3E **34**
Hammond Av. *Brn E* —4G **23**
Hammond Ho. *Stoke* —3C **34**
Hammond Rd. *Park I* —4B **26**
Hammoon Gro. *Stoke* —3G **35**
Hamner Grn. *Stoke* —5J **35**
Hampshire Clo. *Cong* —3F **9**
Hampshire Clo. *End* —2K **23**
Hampstead Gro. *Stoke* —7B **40**
Hampton St. *Join I* —3C **34**
Hams Clo. *Bid* —3B **14**
Hanbridge Av. *New* —6D **26**
Hanchurch La. *Han* —7E **38**
Hancock Rd. *Cong* —3H **9**
Hancock St. *Stoke* —6B **34**
Handel Gro. *Stoke* —6F **29**
Handley Banks. *Cav* —3F **43**
Handley Dri. *B Frd* —1A **22**
Handley St. *Pac* —1K **21**
Handsacre Rd. *Stoke* —1J **41**
Hand St. *Stoke* —2H **27**
Hanley Bus. Pk. *Stoke* —3B **34** (6E **5**)
Hanley Mall. Stoke —1B 34
(off Stafford St.)
Hanley Rd. *Stoke* —3B **28**
Hanover Ct. New —4F 33
(off Hanover St.)
Hanover St. *New* —4F **33** (2E **7**)
(in three parts)
Hanover St. *Stoke* —1B **34** (1E **5**)
Harber St. *Stoke* —3H **41**
Harbourne Cotts. *C'dle* —2H **45**
Harbourne Cres. *C'dle* —2H **45**
Harbourne Rd. *C'dle* —2H **45**
Harcourt Av. *Stoke* —5A **42**
Harcourt St. *Stoke* —4A **34**
Hardewick Clo. *Werr* —2C **36**
Hardinge St. *Stoke* —7C **34**
Harding Rd. *Stoke* —3B **34** (6F **5**)
Hardings Meadow. *Kid* —1B **20**
Hardings Row. *Mow C* —3G **13**
Hardingswood Ind. Est. *Kid* —1B **20**
Hardingswood Rd. *Kid* —1B **20**
Harding Ter. *Stoke* —7K **33**
Hardman St. *Stoke* —3F **29**
Hardwick Clo. *Stoke* —3B **46**
Hardy Clo. *C'dle* —4F **45**
Hardy St. *Stoke* —7G **21**
Harebell Gro. *Pac* —2J **21**
Harecastle Av. *Tal* —2B **20**
Harecastle Vs. *Kid* —1B **20**
Haregate Rd. *Leek* —2H **17**
Hareshaw Gro. *Stoke* —3K **21**
Harewood Clo. *C'dle* —2G **45**
Harewood Rd. *Stoke* —2G **27**
Harewood St. *Stoke* —2G **27**
Hargreave Clo. *Stoke* —7D **42**
Harington Dri. *Stoke* —1K **41**
Harlech Av. *Stoke* —5K **41**
Harlech Dri. *Knyp* —4B **14**
Harlequin Dri. *Stoke* —2B **28**
Harley St. *Stoke* —2C **34** (5G **5**)
Harold St. *Stoke* —3B **28**
Harper Av. *New* —1D **32**
Harper Gro. *Cong* —3G **9**
Harper St. *Stoke* —5H **27**
Harpfield Rd. *Stoke* —7H **33**
Harplow Rd. *C'dle* —5D **44**
Harptree Wlk. *Stoke* —4J **39**
Harpur Cres. *Als* —5C **10**
Harrier Clo. *Stoke* —1B **48**
Harriseahead La. *Har* —6F **13**
Harrison Clo. *Halm* —6E **24**
Harrison Ct. New —6F 33
(off Occupation St.)
Harrison Rd. *Stoke* —1D **28**
Harrison St. *New* —5F **33** (5F **7**)
Harris St. *Stoke* —5K **33**
Harrogate Gro. *New* —3G **31**
Harrop St. *Stoke* —6C **28**
Harrowby Dri. *New* —2C **38**
Harrowby Rd. *Stoke* —6B **42**
Hart Ct. *New* —4E **32** (2C **6**)
Hartill St. *Stoke* —5B **34**
Hartington Clo. *Leek* —5F **17**
Hartington St. *Leek* —4F **17**
Hartington St. *New* —7E **26**
Hartland Av. *Stoke* —7B **22**
Hartshill Rd. *Stoke* —4G **33** (3G **7**)
Hartwell. *New* —2C **38**
Hartwell La. *Stone & R'gh C* —5F **47**
Hartwell Rd. *Stoke* —6B **42**
Harvey Rd. *Cong* —2J **9**
Harvey Rd. *Stoke* —4B **42**
Haslemere Av. *Stoke* —3G **29**
Haslington Clo. *New* —3A **26**
Hassall Rd. *Wint & Als* —2A **10**
Hassall St. *Stoke* —2C **34** (4G **5**)
Hassam Av. *New* —3D **32**
Hassam Pde. *New* —7E **26**
Hassell St. *New* —5E **32** (4D **6**)
Hatfield Cres. *Stoke* —6D **40**
Hathersage Clo. *Stoke* —1H **41**
Hatherton Clo. *New* —2A **26**
Hatrell St. *New* —5F **33** (5E **7**)
Hatter St. *Cong* —4G **9**
Havannah La. *Bug* —3J **9**
Havannah La. *Hav* —1H **9**
Havannah St. *Cong* —3H **9**
Havelet Dri. *New* —3C **38**
Havelock Gro. *Bid* —3B **14**
Havelock Pl. *Stoke* —3A **34**
Haven Av. *Stoke* —4C **28**
Haven Cres. *Werr* —1C **36**
Haven Gro. *New* —5F **27**
Havergal Wlk. *Stoke* —1H **41**
Hawes St. *Stoke* —7G **21**
Hawfinch Rd. *C'dle* —3H **45**
Hawk Clo. *Stoke* —7B **42**
Hawkins St. *Stoke* —7B **34**
Hawksdale Clo. *Stoke* —7B **42**
Hawkstone Clo. *New* —5F **33** (5F **7**)
Hawksworth Av. *Leek* —5E **16**
Hawksworth Clo. *Leek* —5E **16**
Haworth Av. *Cong* —2H **9**
Hawthorne Av. *Big E* —3G **25**
Hawthorne Av. *Stoke* —1H **39**
Hawthorne Clo. *Cong* —3C **8**
Hawthorne Ter. *Leek* —3G **17**
Hawthorn Gdns. *Tal* —3A **20**
Hawthorn Pl. *Stoke* —6A **42**
Hawthorn Rd. *New* —3B **26**
Hawthorn St. *Stoke* —6K **27**
Hawthorn Vs. *Als* —7H **11**
Haydock Clo. *C'dle* —1H **45**
Haydon Ct. *Stoke* —3H **33**
Haydon St. *Stoke* —3H **33**
Hayes Clo. *Leek* —3G **17**
Hayes St. *Stoke* —2B **28**
Hayeswood La. *Halm* —6F **25**
Hayfield Cres. *Stoke* —6D **34**
Hayfield Rd. *New* —4J **31**
Hayhead Clo. *Kid* —1E **20**
Hayling Pl. *Stoke* —3E **40**
Haymarket. *Stoke* —1G **27**
Hayner Gro. *Stoke* —2C **42**
Haywood Rd. *Stoke* —2J **27**
Haywood St. *Leek* —4G **17**
Haywood St. *Stoke* —4A **34**
Hazel Clo. *Kid* —7E **12**
Hazel Clo. *Stoke* —1J **39**
Hazeldene Rd. *Stoke* —7B **40**
Hazel Gro. *Als* —7H **11**
Hazel Gro. *Bid M* —1G **15**
Hazel Gro. *Leek* —5D **16**
Hazel Gro. *Stoke* —4A **42**
Hazelhurst Rd. *Stoke* —5J **21**
Hazelhurst St. *Stoke* —3C **34** (6H **5**)
Hazel Rd. *New* —4A **26**
Hazelwood Clo. *Stoke* —6B **28**
Hazelwood Rd. *End* —5K **23**
Hazlitt Way. *Stoke* —1K **41**
Heakley Av. *Stoke* —7E **22**
Healey Av. *Knyp* —5A **14**
Heanor Pl. *Stoke* —3F **41**
Heath Av. *New* —2F **33**
Heath Av. *Rode H* —2F **11**
Heath Av. *Werr* —1F **37**
Heathcote Ct. *Stoke* —1J **41**
Heathcote Rise. *Stoke* —2C **42**
Heathcote Rd. *Halm* —5F **25**
Heathcote Rd. *Stoke* —3F **41**
(in two parts)
Heathcote St. *Kid* —2D **20**
Heathcote St. *New* —4B **26**
Heathcote St. *Stoke* —7H **35**
Heath Ct. *Chu L* —4G **11**
Heathdene Clo. *Stoke* —2G **41**
Heath End Rd. *Als* —4C **10**
Heather Clo. *Werr* —1B **36**
Heather Cres. *Stoke* —3B **48**
Heather Glade. *Mad* —1A **30**
Heather Hills. *Stoc B* —6J **23**
Heatherlands Clo. *R'gh C* —2A **48**
Heatherleigh Gro. *Stoke* —6E **28**
Heathfield Clo. *Cong* —4B **8**
Heathfield Ct. *Stoke* —4F **21**
Heathfield Dri. *New* —3A **26**

Heathfield Gro. Stoke —1A 48
Heathfield Rd. Stoke —6B 22
Heath Gro. Stoke —2B 48
Heath Ho. La. Stoke —1E 34
Heath Pl. New —2F 33
Heath Rd. Cong —5C 8
Heath Row. Mad H —5B 30
Heathside La. Stoke —4E 20
Heath's Pas. Stoke —3J 41
Heath St. Bid —3B 14
Heath St. Ches —6C 26
Heath St. New —4E 32 (2D 6)
Heath St. Stoke —4F 21
Heathwood Dri. Als —5C 10
Heaton Ter. New —6E 26
Heaton Ter. Werr —1K 23
Heaton Vs. Brn E —4H 23
Heber St. Stoke —2H 41
Hedley Pl. New —5C 32
Heighley Castle Way. Mad —4A 30
Heighley La. Bet —7A 24
Heights, The. Leek —7C 16
Hellyar-Brook Rd. Als —6C 10
Helston Av. Stoke —3K 41
Heming Pl. Stoke —2F 35
Hemingway Rd. Stoke —2J 41
Hempstalls Ct. New —3E 32 (1D 6)
Hempstalls Gro. New —2E 32
Hempstalls La. New —3E 32 (1D 6)
Hemsby Way. New —4E 38
Hencroft. Leek —3F 17
Henderson Gro. Stoke —3C 42
Henley Av. Knyp —4K 13
Henley Clo. B'stn —3D 46
Henrietta St. Cong —4E 8
Henry St. Stoke —7G 21
Henshall Hall Dri. Cong —6K 9
Henshall Pl. Stoke —5G 21
Henshall Rd. Park I —4B 26
Herbert St. Cong —4G 9
Herbert St. Stoke —7C 34
Herd St. Stoke —3J 27
Hereford Av. New —2F 39
Hereford Gro. Stoke —3J 35
Herm Clo. New —2B 38
Hermes Clo. Stoke —7D 42
Heron Clo. Mad —6A 30
Heron St. Stoke —1D 40
Hertford Clo. Cong —3G 9
Hertford Gro. New —2G 39
Hertford St. Stoke —2D 40
Hesketh Av. Stoke —6C 22
Heskin Way. Stoke —5K 21
Hester Clo. Stoke —7H 35
Hethersett Wlk. Stoke —3J 35
Hewitt Cres. Werr —2C 36
Hewitt St. Stoke —5J 21
Heyburn Cres. Stoke —4H 27
Heyfield Cotts. T'sor —7A 46
Heysham Clo. Stoke —2C 42
Heywood St. Cong —5E 8
Hickman St. New —4E 32 (3C 6)
Hick St. New —5E 32 (4D 6)
Hidden Hills. Mad —5A 30
Hide St. Stoke —6A 34
High Bank Pl. Stoke —3A 28
Highbury Rd. Werr —1D 36
High Carr Bus. Pk. New —2C 26
Highcroft Av. Cong —5H 9
Highcroft Wlk. Stoke —2A 28
Higher Ash Rd. Tal —2A 20
Higherland. New —5D 32 (5B 6)
Higherland Ct. Kid —1D 20
(off Attwood St.)
Higher Woodcroft. Leek —5E 16
Highfield Av. C'dle —2G 45
Highfield Av. Kid —1E 20
Highfield Av. New —1G 33
Highfield Av. Stoke —5A 42
Highfield Clo. B Bri —7E 42
Highfield Ct. New —7F 33
Highfield Cres. C'dle —2G 45
Highfield Dri. Stoke —2D 40
Highfield Grange. New —1H 33
Highfield Pl. Bid —2C 14
Highfield Rd. Cong —5G 9
Highfield Rd. E. Bid —3C 14
Highfield Rd. W. Bid —3C 14
Highgate Clo. Stoke —1D 28
Highgrove Rd. Stoke —3J 39
Highland Clo. Bid M —2G 15
Highland Clo. B Bri —1F 49
High La. Als B & New —7G 25
High La. Nort G & Brn E —6F 23
High La. Stoke —5K 21
High Lowe Av. Cong —3J 9
High St. Leek, Leek —3F 17
High St. Biddulph, Bid —2B 14
High St. Bignall End, Big E —3H 25
High St. Caverswall, Cav —3F 43
High St. Cheadle, C'dle —3G 45
High St. Chesterton, Ches —5B 26
High St. Congleton, Cong —5F 9
High St. Dilhorne, Dil —2K 43
High St. Halmer End, Halm —5D 24
High St. Harriseahead, Har —6H 13
High St. Knutton, Knut —2B 32
High St. May Bank, May B —2G 33
High St. Mow Cop, Mow C —3G 13
High St. Newcastle-Under-Lyme, New —4E 32 (3C 6)
(in three parts)
High St. Newchapel, N'cpl —1H 21
High St. Rookery, Rook —7F 13
High St. Silverdale, Sil —3H 31
High St. Stoke-on-Trent, Stoke —4F 21
High St. Talke Pits, Tal P —5A 20
High St. Tunstall, Stoke —1G 27
High St. Wolstanton, Wol —6F 27
Highton St. Stoke —3H 29
Highup Rd. Leek —1C 16
High View. Stoke —2B 48
High View Rd. End —1K 23
Highview Rd. Ful —7F 49
High View Rd. Leek —4J 17
Highville Pl. Stoke —1J 39
Highway La. K'le —7E 30
Higson Av. Stoke —5K 33
Hilderstone Rd. Stoke —3A 48
Hilgreen Rd. Stoke —1J 41
Hillary Av. Cong —5J 9
Hillary Rd. Kid —7E 12
Hillary St. Stoke —6A 28
Hillberry Clo. Stoke —3F 35
Hillchurch St. Stoke —1B 34 (2F 5)
Hillcott Wlk. Stoke —3J 41
Hill Cres. Als B —6G 25
Hillcrest. Cong —3F 9
Hillcrest. Leek —3E 16
Hillcrest Ho. Stoke —1C 34 (3G 5)
Hillcrest St. Stoke —1C 34 (3G 5)
Hillfield Av. Stoke —2H 39
Hillfields. Cong —3F 9
Hill Fields Clo. Cong —3F 9
Hillman St. Stoke —3H 29
Hillport Av. New —5E 26
Hillport Ho. New —5F 27
(off Claremont Clo.)
Hillside. New —5D 32 (5A 6)
Hillside Av. End —1K 23
Hillside Av. For —6H 43
Hillside Av. Kid —4D 20
Hillside Av. Stoke —5A 42
Hillside Clo. Bid M —1G 15
Hillside Clo. Ful —7F 49
Hillside Clo. Mow C —3G 13
Hillside Clo. Stoke —1H 29
Hillside Dri. Leek —5D 16
Hillside Rd. Stoke —1H 29
Hillside Rd. Werr —1C 36
Hillside Wlk. Stoke —5G 33 (5H 7)
Hill St. New —3D 32 (1B 6)
Hill St. Stoke —6K 33
Hillswood Av. Leek —3D 16
Hillswood Clo. End —4K 23
Hillswood Dri. End —3K 23
Hill Ter. A'ly —2E 24
Hill Top. Brn E —2G 23
Hilltop Av. New —3H 33
Hilltop Clo. Brn E —2G 23
Hill Top Cres. Stoke —2B 48
Hillview. Leek —4H 17
Hill View. Stoke —2G 29
Hill Village Rd. Werr —1D 36
Hillwood Rd. Mad H —5B 30
Hilton Ho. Stoke —6H 33
Hilton Rd. Stoke —6G 33 (6H 7)
Hincho Pl. Stoke —7D 22
Hinckley Gro. Stoke —2A 46
Hines St. Stoke —1D 40
Hinton Clo. Stoke —6E 40
Hitchman St. Stoke —7D 34
Hobart St. Stoke —5K 27
Hobby Clo. Stoke —7B 42
Hobson St. Stoke —4K 27
Hodgkinson St. New —6C 26
Hodnet Gro. Stoke —7A 28
Hogarth Pl. New —6B 26
Holbeach Av. Stoke —3F 35
Holborn. New —4E 32 (3C 6)
Holborn, The. Mad —3B 30
Holbrook Wlk. Stoke —4H 35
Holdcroft Rd. Stoke —7G 29
Holden Av. New —2G 33
Holden Av. N. Stoke —4C 28
Holden Av. S. Stoke —4C 28
Holder St. Stoke —7A 28
Holding Cres. Halm —5E 24
Holditch Ind. Est. New —7C 26
Holditch Rd. New —7C 26
Holecroft St. Stoke —4K 27
Holehouse La. Brn E & End —1H 23
Holehouse La. Sch G —3K 11
Holehouse Rd. Stoke —6G 29
Holford St. Cong —4F 9
Holland St. Stoke —1G 27
Hollies Dri. Stoke —2B 48
Hollies, The. New —3F 33 (1E 7)
Hollings St. Stoke —1F 41
Hollington Dri. Stoke —3K 21
Hollins Cres. Tal —2B 20
Hollins Grange. Tal —3A 20
Hollinshead Av. New —1D 32
Hollinshead Clo. Sch G —3C 12
Hollinwood Clo. Kid —3B 20
Hollinwood Rd. Kid —3B 20
Hollowood Pl. Stoke —6D 22
Hollowood Wlk. Stoke —6C 22
Hollow, The. Cav —4F 43
Hollow, The. Mow C —5E 12
Holly Bank Cres. Stoke —1K 39
Hollybush Cres. Stoke —3D 40
Hollybush Rd. Stoke —3D 40
Holly Dri. Stoke —2B 36
Holly La. Als —7F 11
Holly La. Har —5H 13
Holly Pl. Stoke —2D 40
Holly Rd. New —3A 26
Holly Tree Dri. Gil H —2H 15
Hollywall La. Stoke —7E 20
(in two parts)
Hollywood La. New —4D 30
Holmes Chapel Rd. Som —3A 8
Holmesfield Wlk. Stoke —3J 41
Holmesville Av. Cong —5D 8
Holmes Way. Stoke —3A 22
Holm Oak Dri. Mad —1B 30
Holst Dri. Stoke —6F 29
Holyhead Cres. Stoke —2C 42
Homer Pl. Stoke —6A 22
Homer St. Stoke —1D 34
Homeshire Ho. Als —7E 10
Homestead St. Stoke —5J 35
Homestead, The. New —3F 33
Homestead, The. Stoke —1H 29
Honeysuckle Av. B Bri —1G 49
Honeywall. Stoke —6K 33
Honeywall Ho. Stoke —6K 33
Honeywall La. Mad H & New —5C 30
Honeywood. New —2E 32
Honiton Wlk. Stoke —3J 41
Hoon Av. New —1E 32
Hoover St. Stoke —1G 27
Hopedale Clo. New —3E 38
Hopedale Clo. Stoke —7G 35
Hope St. Big E —1G 25
Hope St. Stoke —1B 34 (2E 5)
Hopton Way. Stoke —3K 21
Hopwood Pl. Stoke —2G 35
Horace Lawton Ct. Cong —4F 9
Horatius Rd. New —6A 26
Hordley St. Stoke —2C 34 (4G 5)
Hornby Row. Stoke —6K 33
Horsecroft Cres. Leek —1H 17
Horsecroft Gro. Leek —2H 17
Horsley Gro. Stoke —6D 40
Horton Dri. Stoke —2B 42
Horton St. Leek —3G 17
Horton St. New —4G 33 (2G 7)
Horwood. K'le —7K 31
Horwood Gdns. Smal —3B 28
(off Cliff St.)
Hose St. Stoke —1G 27
Hoskins Rd. Stoke —6H 21
Hot La. Bid M —1G 15
Hot La. Hot I —5A 28
Hot La. Ind. Est. Stoke —4A 28
Hougher Wall Rd. A'ly —3E 24
Hough Hill. Brn E —2G 23
Hough Hill La. Stoke —1G 23
Houghton St. Stoke —3B 34 (6F 5)
Houghwood La. Stoc B —7J 23
Houldsworth Dri. Stoke —4A 22
Housefield Rd. Stoke —5J 35
Houseman Dri. Stoke —1A 42
Houston Av. End —3K 23
Hoveringham Dri. Stoke —4E 34
Howard Clo. Leek —5D 16
Howard Clo. Werr —1C 36
Howard Cres. Stoke —3D 34
Howard Gro. New —7D 32
Howard Pl. New —7D 32
Howard Pl. Stoke —3A 34
Howard St. Stoke —4H 41
Howard Wlk. Stoke —4H 41
Howe Gro. New —3B 32
Howey Hill. Cong —6F 9
Howey La. Cong —5F 9
Howson St. Stoke —2C 34 (5G 5)
Hudson Wlk. Stoke —2H 41
Hugh Bourne Pl. B Frd —1A 22
Hughes Av. New —3E 32
Hughes St. Stoke —5K 27
Hughson Gro. Stoke —1D 28
Hugo St. Leek —4F 17
Hulland Clo. New —4J 31
Hullock's Pool Rd. Big E —6E 18
Hulme Clo. New —4J 31
Hulme La. Werr —3B 36
Hulme Rd. Stoke —1A 42
Hulme St. Stoke —5H 33
Hulse St. Stoke —7G 35
Hulton Clo. Cong —6K 9
Hulton Rd. Stoke —6G 29
Hulton St. Stoke —7C 28
Humber Dri. Bid —1D 14
Humbert St. Stoke —2J 33
Humber Way. New —3E 38
Huneford Clo. Stoke —2H 41
(off Goddard St.)
Hungerford La. Mad —7A 30
Hunsford Clo. Stoke —2H 41
(off Goddard St.)
Huntbach St. Stoke —1B 34 (3F 5)
Hunters Clo. Bid —2B 14
Hunters Dri. Stoke —7J 33
Hunters Way. Stoke —1J 39
Huntilee Rd. Stoke —1H 27
Huntingdon Pl. Stoke —6E 28
Huntley Av. Stoke —7K 33
Huntley Clo. C'dle —6G 45
Huntley La. C'dle —7F 45
Huntsbank Dri. New —3A 26
Hunt St. Stoke —1H 27
Huron Gro. Stoke —6K 39
Hurst Clo. Tal P —5A 20
Hurst St. Stoke —3F 41
Hutchinson Wlk. Stoke —3F 41
Hutton Dri. Cong —5J 9
Hutton Way. Stoke —3J 35
Huxley Pl. Stoke —2J 41
Hyacinth Ct. New —3F 33
Hyndley Clo. Stoke —2F 35

Ian Rd. N'cpl —1G 21
Ibsen Rd. Stoke —2B 42
Ikins Dri. Big E —2G 25
Ilam Clo. New —4J 31
Ilford Side. Stoke —6D 40
Ilkley Pl. New —3G 31
Imandra Clo. Stoke —7K 39
I-Mex Bus. Pk. Stoke —1E 40
Imogen Clo. Stoke —7G 35

Ingelow Clo. *Stoke* —4F **41**
Ingestre Sq. *Stoke* —6D **40**
Ingleborough Pl. *Stoke* —3J **29**
Ingleby Rd. *Stoke* —6D **40**
Inglefield Av. *Stoke* —3A **28**
Ingleton Gro. *Stoke* —7B **42**
Inglewood Dri. *New* —6F **27**
Inglewood Gro. *New* —6F **27**
Inglis St. *Stoke* —5B **34**
Intake Rd. *Stoke* —7C **22**
Iona Pl. *Stoke* —3E **40**
Ipswich Wlk. *Stoke* —3G **35**
Irene Av. *New* —3G **33**
Irene Av. *Stoke* —1J **27**
Iris Clo. *Stoke* —1D **42**
Ironmarket. *New* —4E **32** (3D **6**)
Irvine Rd. *Werr* —1D **36**
Irwell St. *Stoke* —6H **27**
Isherwood Pl. *Stoke* —2J **41**
Isis Clo. *Cong* —6H **9**
Islay Wlk. *Stoke* —3F **41**
Ivy Clo. *B Bri* —1G **49**
Ivy Gdns. *Cong* —5E **8**
Ivy Gro. *Stoke* —6J **39**
Ivyhouse Dri. *B'stn* —3D **46**
Ivy Ho. Rd. *Gil H* —2H **15**
Ivy Ho. Rd. *Stoke* —2D **34**
Ivy La. *Als* —1F **19**
Izaac Walton Way. *Mad* —3B **30**

Jack Ashley Ct. *Stoke* —7C **34**
Jackfield St. *Stoke* —3A **28**
Jack Haye La. *L Oaks* —3J **29**
Jackson Rd. *Cong* —2G **9**
Jackson St. *Stoke* —4K **27**
Jacqueline St. *Stoke* —7F **21**
Jade Ct. *Stoke* —2J **41**
Jamage Ind. Est. *Tal P* —5K **19**
Jamage Rd. *Tal P* —5A **20**
James Brindley Clo. *Stoke* —3K **33** (6B **4**)
James Cres. *Werr* —1D **36**
James St. *Leek* —4E **16**
James St. *New* —7F **27**
James St. *Stoke* —1J **39**
James Way. *Knyp* —4K **13**
Jamieson Clo. *Als* —6F **11**
Janet Pl. *Stoke* —1D **34**
Janson St. *Stoke* —5J **39**
Jasmine Clo. *B Bri* —7G **43**
Jasmin Way. *Pac* —2J **21**
Jason St. *New* —3D **32** (1B **6**)
Jasper Clo. *B'stn* —3E **46**
Jasper Clo. *New* —5E **26**
Jasper St. *Stoke* —2B **34** (5F **5**)
Java Cres. *Stoke* —7A **40**
Jaycean Av. *Stoke* —7H **21**
Jean Clo. *Stoke* —2K **27**
Jefferson St. *Stoke* —7G **21**
Jenkinson Clo. *New* —5C **32**
Jenkins St. *Stoke* —4J **27**
Jerbourg Clo. *New* —2B **38**
Jeremy Clo. *Stoke* —7J **33**
Jersey Clo. *Cong* —5J **9**
Jersey Clo. *New* —2B **38**
Jervison St. *Stoke* —7J **35**
Jervis St. *Stoke* —1C **34** (2H **5**) (in two parts)
Jesmond Gro. *Stoke* —6D **40**
Joanhurst Cres. *Stoke* —3A **34** (6C **4**)
Jodrell View. *Kid* —3E **20**
John Bright St. *Stoke* —7C **28** (1H **5**)
John Offley Rd. *Mad* —2A **30**
John O'Gaunt's Rd. *New* —4D **32** (3B **6**)
Johnson Av. *New* —1D **32**
Johnson Clo. *Cong* —6J **9**
Johnson Pl. *Stoke* —5A **22**
Johnson St. *New* —5A **26**
Johnstone Av. *Werr* —1D **36**
John St. *Bid* —3B **14**
John St. *Cong* —5E **8**
John St. *Knut* —3B **32**
John St. *Leek* —4F **17**
John St. *New* —4B **26** (Chesterton)
John St. *New* —4G **33** (3G **7**) (Newcastle)
John St. *Stoke* —4F **27** (Longport)
John St. *Stoke* —2B **34** (4F **5**) (Stoke)
John St. *Tal* —3A **20**
Joiner's Sq. Ind. Est. *Stoke* —3C **34** (6H **5**)
Jolley St. *Stoke* —3B **28**
Jolliffe St. Leek —4F 17 (off Cornhill St.)
Jolyon Clo. *Stoke* —7G **35**
Jonathan Rd. *Stoke* —3B **46**
Jordan St. *Stoke* —3A **34** (6C **4**)
Joseph Cres. *Als* —1G **19**
Joseph St. *Stoke* —4H **27**
Josiah Wedgwood St. *Stoke* —2K **33** (4B **4**)
Joyce Av. *Stoke* —2A **28**
Jubilee Av. *Stoke* —2K **33** (5B **4**)
Jubilee Clo. *Bid* —3C **14**
Jubilee Rd. *Cong* —5G **9**
Jubilee Rd. *New* —2G **33**
Jubilee Rd. *Stoke* —6J **39**
Jubilee Ter. *Leek* —3E **16**
Judgefield La. *Brn E* —1E **22**
Judith Gro. *Stoke* —1B **40**
Jug Bank. *Stoke* —6A **28**
June Rd. *Stoke* —7G **35**
Juniper Clo. *Stoke* —1B **48**
Jupiter St. *Stoke* —3B **28**
Justin Clo. *New* —6G **27**

Kara Pl. *Stoke* —6A **40**
Kaydor Clo. *Werr* —1C **36**
Kearsley Way. *Stoke* —6D **40**
Keary St. *Stoke* —7A **34**
Keates St. *Stoke* —4J **27**
Keats Dri. *Rode H* —2F **11**
Keats Gdns. *Kid* —3D **20**
Keble Way. *Stoke* —4E **40**
Kedleston Rd. *Stoke* —2K **27**
Keele By-Pass. *K'le* —5F **31**
Keele Rd. *K'le* —6H **31**
Keele Rd. *Mad H* —5B **30**
Keele Rd. *New* —5J **31**
Keele Science Pk. *Uni K* —6J **31**
Keele St. *Stoke* —7G **21**
Keeling Rd. *C'dle* —3H **45**
Keelings Dri. *Stoke* —2H **39**
Keelings Rd. *Stoke* —7C **28**
Keelings Ter. Stoke —7C 28 (off Keelings Rd.)
Keeling St. *New* —6F **27**
Keene Clo. *Stoke* —1D **28**
Keepers Clo. *B Bri* —1H **49**
Kelly Grn. *Stoke* —5A **22**
Kelman Rd. *Stoke* —7F **35**
Kelmore Clo. *Stoke* —2G **41**
Kelsall St. *Cong* —4G **9**
Kelsall St. *Stoke* —3A **28**
Kelsall Way. *A'ly* —3E **24**
Kelvin Av. *Stoke* —6C **28**
Kelvin St. *New* —1G **33**
Kemball Av. *Stoke* —2B **40**
Kemnay Av. *Stoke* —3A **22**
Kempthorne Rd. *Stoke* —3C **34**
Kempton Gro. *C'dle* —1H **45**
Kendal Ct. *Cong* —5C **8**
Kendal Gro. *Stoke* —3J **35**
Kendal Pl. *New* —7E **32**
Kendrick St. *Stoke* —3H **41**
Kenelyn Cres. *Stoke* —2D **40**
Kenilworth Gro. *New* —2H **33**
Kenilworth Gro. *Stoke* —5A **42**
Kenley Av. *End* —1K **23**
Kennedy Rd. *Stoke* —7A **40**
Kennedy Wlk. *Werr* —1C **36**
Kennermont Rd. *Stoke* —7H **29**
Kennet Clo. *New* —3E **38**
Kennet Dri. *Cong* —6H **9**
Kensington Ct. *Als* —7A **10**
Kensington Ct. *Stoke* —3H **39** (Trent Vale)
Kensington Ct. *Stoke* —7H **21** (Tunstall)
Kensington Rd. *Stoke* —2J **39**
Kensworth Clo. *New* —3D **38**
Kent Dri. *Cong* —3F **9**
Kent Dri. *End* —5K **23**
Kent Gro. *New* —4A **26**
Kentmere Clo. *Stoke* —1G **41**
Kentmere Pl. *New* —7E **32** (in two parts)
Kent Pl. *Stoke* —7D **34**
Kents Row. *B'stn* —5D **46**
Kenworthy St. *Stoke* —7H **21**
Kersbrook Clo. *Stoke* —1B **46**
Kervis Gro. *Stoke* —1C **48**
Kesteven Wlk. *Stoke* —2G **35**
Kestral Clo. *Knyp* —4A **14**
Kestrel Av. *Stoke* —7D **42**
Kestrel Clo. *Cong* —6G **9**
Kestrel La. *C'dle* —3H **45**
Keswick Ct. *Cong* —5C **8**
Keswick Pl. *New* —7E **32**
Kettering Dri. *Stoke* —3E **34**
Ketton Clo. *Stoke* —3A **22**
Keynsham Wlk. *Stoke* —2B **28**
Keyworth Wlk. *Stoke* —3F **35**
Kibworth Gro. *Stoke* —7B **28**
Kidbrooke Pl. *Stoke* —6C **40**
Kidsgrove Bank. *Kid* —3E **20**
Kidsgrove Rd. *Stoke* —3F **21**
Kilburn Pl. *Stoke* —3E **34**
Kildare St. *Stoke* —4H **41** (in two parts)
Kilndown Clo. *Stoke* —3K **33** (6B **4**)
Kiln La. *Leek* —3D **16**
Kilsby Gro. *Stoke* —2G **29**
Kimberley Grange. *New* —3E **32**
Kimberley Rd. *New* —3E **32**
Kimberley Rd. *Stoke* —2K **33** (5A **4**)
Kimberley St. *Stoke* —4G **41**
Kinder Pl. *New* —4J **31**
Kingcross St. *Stoke* —3H **41**
King Edward St. *C'dle* —2H **45**
Kingfisher Clo. *Cong* —6G **9**
Kingfisher Clo. *Mad* —6A **30**
Kingfisher Cres. *C'dle* —3J **45**
Kingfisher Cres. *Ful* —7F **49**
Kingfisher Gro. *Stoke* —1B **28**
King George St. *Stoke* —7C **28** (1H **5**)
King's Av. *New* —7F **27**
Kingsbridge Av. *New* —1E **38**
Kingsbury Gro. *Stoke* —6E **28**
Kingsclere Gro. *Stoke* —5D **28**
King's Croft. *Stoke* —4G **33** (3H **7**)
Kingsdale Clo. *Stoke* —7B **42**
Kingsdown M. *New* —2F **39**
Kingsfield Cres. *Bid* —2C **14**
Kingsfield Oval. *Stoke* —4G **33** (2G **7**)
Kingsfield Rd. *Bid* —2C **14**
Kingsfield Rd. *Stoke* —4G **33** (2H **7**)
Kingsford Pl. *Stoke* —6B **42**
Kingside Gro. *Stoke* —2B **46**
Kingsland Av. *Stoke* —2J **39**
Kingsley Clo. *Tal P* —5A **20**
Kingsley Rd. *Cong* —4J **9**
Kingsley Rd. *Tal P* —5A **20**
Kingsley Rd. *Werr* —1G **37**
Kingsley St. *Stoke* —5B **42**
Kingsmead Rd. *Stoke* —7A **42**
Kingsnorth Pl. *Stoke* —1C **48**
Kings Pl. *Stoke* —3G **33** (1H **7**)
Kings Rd. *Stoke* —5K **39**
Kings Ter. *Stoke* —4G **33** (1H **7**)
Kingston Av. *Stoke* —5D **28**
Kingston Pl. *Bid* —2K **15**
Kingston Pl. *Stoke* —1D **28**
King St. *A'ly* —3E **24**
King St. *Bid* —2B **14**
King St. *Bug* —3H **9**
King St. *C H'th* —2D **32**
King St. *Kid* —1D **20**
King St. *Leek* —4F **17**
King St. *New* —5B **26** (Chesterton)
King St. *New* —4F **33** (3E **7**) (Newcastle)
King St. *Tal P* —6A **20** (in two parts)
Kingsway. *Stoke* —6A **34**
Kingsway E. *New* —7E **32**
Kingsway W. *New* —7D **32**
Kingswell Rd. *Stoke* —3H **7**
Kingswinford Pl. *Stoke* —5C **28**
Kingswood. *Kid* —2E **20**
King William St. *Stoke* —1H **27**
Kinnersley Av. *Kid* —3C **20**
Kinnersley St. *Kid* —1D **20**
Kinsey St. *Cong* —5G **9**
Kinsey St. *New* —4J **31**
Kinver St. *Stoke* —3B **28**
Kipling Way. *Stoke* —4J **35**
Kirby St. *Stoke* —6K **27**
Kirkbride Clo. *Stoke* —2J **41**
Kirkham St. *Stoke* —7K **33**
Kirkland La. *Stoke* —6K **33**
Kirkstall Pl. *New* —1E **38**
Kirkstone Ct. *Cong* —6C **8**
Kirk St. *Stoke* —2B **28**
Kirkup Wlk. *Stoke* —3G **41**
Kirkwall Gro. *Stoke* —2G **29**
Kite Gro. *Kid* —7G **13**
Kite Gro. *Stoke* —7B **42**
Knarsdale Clo. *Stoke* —1J **41**
Knightley. *Mad* —7A **30**
Knightsbridge Way. Stoke —1G 27 (off Madeira Pl.)
Knights Croft. *K'le* —6G **31**
Knight St. *Stoke* —7G **21**
Kniveden La. *Leek* —4H **17**
Knowlbank Rd. *A'ly* —6A **24**
Knowle Rd. *Bid* —3B **14**
Knowle St. *Stoke* —5K **33**
Knowle Wood View. *Stoke* —3E **40**
Knowsley La. *Chu L* —7B **12**
Knutsford Old Rd. *Chu L* —5G **11**
Knutsford Rd. *Chu L* —5G **11**
Knutton La. *New* —3C **32**
Knutton Rd. *New* —7F **27**
Knype Clo. *New* —5D **26**
Knypersley Rd. *Stoke* —6D **22**
Knype Way. *Knyp* —4A **14**
Knype Way. *New* —5D **26**
Kyffin Rd. *Stoke* —6G **29**

Laburnum Clo. *B Bri* —1H **49**
Laburnum Clo. *Cong* —3B **8**
Laburnum Clo. *Kid* —3B **20**
Laburnum Gro. *Stoke* —3D **40**
Laburnum Pl. *New* —3A **26**
Laburnum Pl. *Stoke* —6A **42**
Ladderedge. *Leek* —7B **16**
Lad La. *New* —4E **32** (3D **6**)
Ladybank Gro. *Stoke* —6D **40**
Lady Bennett Ct. *Stoke* —3F **41**
Ladydale Clo. *Leek* —5G **17**
Ladymoor La. *Brn E* —6G **15**
Ladysmith Rd. *Stoke* —2K **33** (5A **4**)
Ladysmith St. *Stoke* —4G **41**
Ladywell Rd. *Stoke* —1G **27**
Lagonda Clo. *Knyp* —5A **14**
Lake View. *Cong* —5D **8**
Lakewood Dri. *B'stn* —3D **46**
Lakewood Gro. *Stoke* —3A **4**
Lally Pl. *B Frd* —1A **22**
Lambert's La. *Cong* —6D **8**
Lambert St. *Stoke* —1H **27**
Lambourne Dri. *Stoke* —3H **29**
Lambourn Pl. *Stoke* —6C **40**
Lamb St. *Kid* —1D **20**
Lamb St. *Stoke* —1B **34** (3F **5**)
Lamerton Gro. *Stoke* —4A **42**
Lamotte Clo. *Stoke* —1G **41**
Lanark Walks. *New* —6C **32**
Lancaster Av. *Ful* —6F **49**
Lancaster Av. *Leek* —2G **17**
Lancaster Av. *New* —5G **33** (4G **7**)
Lancaster Cres. *Stoke* —5G **33** (5G **7**)
Lancaster Dri. *Stoke* —7E **22**
Lancaster Rd. *New* —5G **33** (4G **7**)
Lanchester Clo. *Knyp* —4A **14**
Lancia Clo. *Knyp* —5A **14**
Lander Pl. *Stoke* —5B **22**
Landon St. *Stoke* —3H **41**
Landrake Gro. *Stoke* —4J **21**
Landseer Pl. *New* —6B **26**
Lane Farm Gro. *Stoke* —5D **28**

Lanehead Rd. Stoke —2J 33
Langdale Ct. Cong —6C 8
Langdale Cres. Stoke —5C 28
Langdale Rd. New —1E 38
Langford Rd. New —2D 38
Langford Rd. Stoke —2G 35
Langford St. Leek —4E 16
Langham Rd. Stoke —3F 29
Langland Dri. Stoke —4E 40
Langley Clo. New —2A 26
Langley St. Stoke —4G 33 (2H 7)
Langton Ct. Werr —1B 36
Lansbury Gro. Stoke —3C 42
Lansdell Av. New —6D 26
Lansdowne Clo. Leek —4C 16
Lansdowne Cres. Werr —1C 36
Lansdowne Rd. Stoke —5H 33
Lansdowne St. Stoke —5G 41
Lapwing Rd. Kid —7G 13
Larch Clo. Kid —3D 20
Larch Gro. Stoke —4D 40
Larchmount Clo. Stoke —7A 40
Larch Pl. New —4B 26
Larchwood. K'le —7H 31
Larkfield. Kid —2E 20
Larkin Av. Stoke —2J 41
Larksfield Rd. Stoke —3C 28
Larkspur Gro. New —3F 33
Lascelles St. Stoke —1G 27
Laski Cres. Stoke —4C 42
Latebrook Clo. Stoke —4F 21
Latham Gro. Stoke —4A 22
Latimer Way. Stoke —3H 35
Lauder Pl. N. Stoke —5K 35
Lauder Pl. S. Stoke —6K 35
Laundry Ho. Stoke —7H 39
Laurel Cres. Werr —2B 36
Laurel Dri. Har —7H 13
Laurel Gro. Stoke —4C 40
Lauren Clo. Stoke —7D 34
Lavender Av. B Bri —1G 49
Lavender Clo. Stoke —1D 42
Laverock Gro. Mad —2B 30
Lawley St. Stoke —3J 41
Lawrence St. Stoke —3A 34 (6D 4)
Lawson Ter. Knut —2B 32
Lawson Ter. New —6E 26
Lawton Av. Chu L —7A 12
Lawton Coppice. Chu L —6B 12
Lawton Cres. Bid —2C 14
Lawtongate Est. Chu L —5H 11
Lawton Heath Rd. Chu L —4F 11
Lawton Rd. Als —6E 10
Lawton St. Bid —2C 14
Lawton St. Cong —5G 9
Lawton St. Rook —6F 13
Lawton St. Stoke —2A 28
Laxey Rd. New —3D 32
Laxton Gro. Stoke —3B 46
Leacroft Rd. Stoke —6B 42
Leadbeater Av. Stoke —1J 39
Leadendale La. R'gh C —4K 47
Leaford Wlk. Stoke —3E 34
Leaks All. Stoke —4G 41
Leamington Gdns. New —2H 33
Leamington Rd. Cong —4B 8
Lea Pl. Stoke —4C 42
Leaside Rd. Stoke —1G 39
Leason Rd. Stoke —4B 42
Leason St. Stoke —6A 34
Leaswood Clo. New —4F 39
Leaswood Pl. New —4F 39
Lea, The. Stoke —7K 39
Lea Way. Als —7E 10
Leawood Rd. Stoke —3H 39
Ledbury Cres. Stoke —7E 28
Ledstone Way. Stoke —2K 41
Leech Av. New —6C 26
Leech St. New —5F 33 (5F 7)
Leeds St. Stoke —1E 40
Lee Gro. New —2E 38
Leek New Rd. Stoke & Stoc B (Milton) —3E 28
Leek New Rd. Stoke —5A 28 (Sneyd Green)
Leek Rd. Brn E —4H 23
Leek Rd. C'dle —1E 44
Leek Rd. Cong —7H 9
Leek Rd. Stoc B & End —6J 23
Leek Rd. Stoke —5B 34
Leek Rd. Werr —1J 37
Leek Rd. W Coy —7C 36
Leese St. Stoke —6A 34
Legge St. New —5F 33 (5F 7)
Leicester Av. Als —5D 10
Leicester Clo. New —1F 39
Leicester Pl. Stoke —3H 35
Leigh La. Stoke —3F 27
Leigh Rd. Cong —2K 9
Leigh St. Stoke —2K 27
Leighton Clo. Stoc B —7H 23
Lennox Rd. Stoke —4J 41
Lenthall Av. Cong —7H 9
Leonard Av. Bad G —1G 29
Leonard Dri. Brn E —5G 23
Leonard St. Leek —4G 17
Leonard St. Stoke —2A 28
Leonora St. Stoke —5J 27
Leopold St. Stoke —7D 34
Lessways Clo. New —4E 26
Lessways Wlk. Stoke —5J 27
Lester Clo. Als —6E 10
Leveson Rd. Stoke —5J 39
Leveson St. Stoke —4H 41
Levita Rd. Stoke —2J 39
Lewisham Dri. Stoke —4F 21
Lewis St. Stoke —5A 34
Lexham Pl. Stoke —4K 41
Leycett La. Mad H & Ley —5C 30
Leycett Rd. S Hay —1E 30
Leyfield Rd. Stoke —1A 46
Ley Gdns. Stoke —4F 41
Leyland Grn. Stoke —5K 21 (off Coppull Pl.)
Leys Dri. New —2B 38
Leys La. Stoke —2H 29
Liberty La. Stoke —1B 28 (off Unwin St.)
Libra Pl. Stoke —5J 21
Lichfield Clo. New —3A 32
Lichfield Rd. Tal —4A 20
Lichfield St. Stoke —2B 34 (4F 5)
Liddle St. Stoke —7K 33
Lidgate Wlk. New —4F 39
Lid La. C'dle —3F 45
Light Oaks Av. L Oaks —3J 29
Lightwater Gro. Stoke —3E 28
Lightwood Rd. New —3A 26
Lightwood Rd. R'gh C —7K 41
Lightwood Rd. Stoke —4H 41
Lilac Clo. New —3A 26
Lilac Clo. Stoke —1D 42
Lilac Gro. Stoke —3D 40
Lilleshall Rd. New —1G 39
Lilleshall St. Stoke —4H 41
Lillydale Rd. Stoke —2G 35
Lily St. New —7F 27
Limbrick Rd. A'ly —3B 24
Lime Clo. Stoke —1D 42
Lime Gro. Als —7F 11
Lime Gro. B'stn —3E 46
Lime Heath Pl. Stoke —6H 21
Lime Kiln La. Chu L —1B 20
Limes, The. New —5F 27
Lime St. Cong —5F 9
Lime St. Stoke —1A 40
Lime Tree Av. Cong —4D 8
Limewood Clo. B Bri —1H 49
Linacre Way. Stoke —1K 41
Lincoln Av. New —1F 39
Lincoln Gro. New —1F 39
Lincoln Rd. Kid —1C 20
Lincoln Rd. Stoke —5K 27
Lincoln St. Stoke —2C 34 (4H 5)
Lindale Clo. Cong —2J 9
Lindale Gro. Stoke —7C 42
Linda Rd. Stoke —6H 21
Linden Clo. Cong —7J 9
Linden Clo. New —2E 32
Linden Dri. Gil H —1B 14
Linden Gro. New —2E 32
Linden Pl. Stoke —5E 40
Lindley Pl. Stoke —3B 48
Lindley St. Stoke —5A 28
Lindop Ct. Stoke —3H 5
Lindops La. Mad —6A 30
Lindop St. Stoke —1C 34 (3G 5)
Lindsay St. Stoke —2A 34 (5D 4)
Lindsay Way. Stoke —6B 10
Lindum Av. Stoke —7B 40
Linfield Rd. Stoke —1C 34 (3G 5)
Lingard St. Stoke —4K 27
Lingfield Av. Brn E —3F 23
Linhope Gro. Stoke —7C 42
Linkend Clo. Stoke —7E 28
Links Av. New —1E 32
Linksway. Cong —7G 9
Linksway Clo. Cong —7H 9
Linley Gro. Als —7G 11
Linley La. Als —6G 11
Linley Rd. Als —7G 11
Linley Rd. Stoke —5G 33
Linley Rd. Tal —2J 19
Linley Trad. Est. Tal —2K 19
Linnburn Rd. Stoke —2J 41
Linnet Way. Bid —2D 14
Linwood Way. Stoke —6H 21
Lionel Gro. Stoke —6H 33
Lion Gro. New —4B 26
Lion St. Cong —5F 9
Lion St. Stoke —6K 33
Lisbon Pl. New —6B 32
Liskeard Clo. Stoke —4F 35
Litley Dri. C'dle —6G 45
Lit. Chell La. Stoke —6J 21
Lit. Cliffe Rd. Stoke —2D 40
Lit. Eaves La. Stoke —6H 29
Little-Field. Stoke —2H 39
Little La. R'gh C —3K 47
Lit. Moss Clo. Sch G —5B 12
Lit. Moss La. Sch G —5B 12
Little Row. Fen I —5E 34
Little St. Cong —5F 9
Littondale Clo. Cong —2H 9
Liverpool Rd. Kid —1C 20
Liverpool Rd. New —7D 26 (1C 6) (in two parts)
Liverpool Rd. Red S —1A 26
Liverpool Rd. Stoke —6A 34
Liverpool Rd. E. Chu L —7A 12
Liverpool Rd. W. Chu L —6G 11
Livingstone St. Leek —4G 17
Livingstone St. Stoke —2B 28
Lloyd St. Stoke —4H 41
Loachbrook Av. Cong —5C 8
Lockerbie Clo. Leek —4J 17
Locketts La. Stoke —4H 41 (in three parts)
Lockett St. Stoke —6C 28
Lockington Av. Stoke —3J 35
Lockley St. Stoke —7D 28
Lockwood St. New —4G 33 (3G 7)
Lockwood St. Stoke —1G 29
Lodge Barn Rd. Knyp —4E 14
Lodge Gro. New —6F 27
Lodge Rd. Als —6D 10
Lodge Rd. Stoke —6H 33
Lodge Rd. Tal P —5A 20
Loftus St. Stoke —7A 28 (1D 4)
Loganbeck Gro. Stoke —1J 41
Lomas St. Stoke —3K 33
Lombardy Gro. Stoke —4B 42
Lomond Gro. C'dle —2H 45
Lomond Wlk. Stoke —7E 40
London Rd. Ches —4B 26
London Rd. New —5F 33 (5E 7)
London Rd. Stoke —3H 39
London St. Leek —4G 17
Longbridge Hayes Rd. Long H —4F 27
Longbrook Av. Stoke —4E 40
Longclough Rd. New —2A 26
Longdoles Av. Stoke —3K 41
Longdown Rd. Cong —4A 8
Longfield Rd. Stoke —5G 33 (5H 7)
Longford Wlk. Stoke —3F 35
Long La. Ful —7F 49
Long La. Har —6H 13
Longley Rd. Stoke —1H 41
Long Meadow. New —3F 39
Longnor Pl. Stoke —3F 35
Longport Rd. Stoke —5G 27
Long Row. Cav —3E 42
Long Row. Kid —2D 20
Longsdon Clo. New —3K 25
Longsdon Gro. Stoke —2K 41
Longshaw Av. New —5E 26
Longshaw St. Stoke —4G 27
Longton Exchange. Stoke —3G 41 (off Strand, The.)
Longton Hall Rd. Stoke —4E 40
Longton Rd. B'stn —6D 46
Longton Rd. Oul —7J 47
Longton Rd. Stoke —7K 39
Long Valley Rd. Gil H —2H 15
Longview Av. Als —6F 11
Longview Clo. Stoke —1J 41
Lonsdale St. Stoke —7A 34
Loomer Rd. New —7A 26
Loomer Rd. Ind. Est. New —7B 26
Lord Nelson Ind. Est. Stoke —2C 34 (off Commercial Rd.)
Lordship La. Stoke —6B 34
Lordshire Pl. Pac —2J 21
Lord St. Bid —3C 14
Lord St. Stoke —3B 28
Lorien Clo. Leek —5D 16
Loring Rd. New —6E 26
Loring Ter. S. New —6F 27
Lorne St. Stoke —3K 27
Lorraine St. Pac —2J 21
Lotus Av. Knyp —4A 14
Loughborough Wlk. Stoke —2H 41
Louise Dri. Stoke —3E 40
Louise St. Stoke —3K 27
Louvain Av. Stoke —5C 28
Lovatt Av. New —1D 32
Lovatt St. Stoke —6A 34
Loveage Dri. Stoke —2G 35
Love La. B'ton —1D 10
Loveston Gro. Stoke —2J 41
Lowe Av. Cong —5G 9
Lowell Dri. Stoke —2K 41
Lwr. Ash Rd. Kid —3B 20
Lwr. Bedford St. Stoke —3K 33 (6A 4)
Lwr. Bethesda St. Stoke —2B 34 (5F 5)
Lwr. Bryan St. Stoke —7B 28 (1E 5)
Lower Cres. Stoke —5H 33
Lwr. Foundry St. Stoke —1B 34 (3E 5)
Lwr. Hadderidge. Stoke —4J 27
Lwr. Heath. Cong —3G 9
Lwr. Heath Av. Cong —3G 9
Lwr. High St. Mow C —3G 13
Lwr. Mayer St. Stoke —7C 28 (1G 5)
Lwr. Milehouse La. New —3C 32
Lwr. Oxford Rd. New —3H 33
Lwr. Park St. Cong —4G 9
Lwr. Spring Rd. Stoke —4J 41 (in two parts)
Lower St. New —4E 32 (2C 6)
Lower St. Stoke —5K 27
Lowe's Pas. Stoke —4J 41
Lowe St. Stoke —6A 34
Lowhurst Dri. Stoke —4J 21
Lowlands Rd. Stoke —7D 20
Lowndes Clo. Stoke —7J 33
Lowther Pl. Leek —4H 17
Lowther St. Stoke —7A 28 (1C 4)
Lowthorpe Way. Stoke —4K 35
Loxley Pl. Stoke —7A 42
Lucas St. Stoke —5H 27
Lucerne Pl. New —6B 32
Ludbrook Rd. Stoke —1G 41
Ludford Clo. New —2A 26
Ludlow St. Stoke —1C 34 (3H 5)
Ludwall Rd. Stoke —5K 41
Lugano Clo. New —7C 32
Lukesland Av. Stoke —7H 33
Luke St. Stoke —5H 27
Lulworth Gro. Stoke —5J 21
Lumpy St. Cong —4E 8
Lundy Rd. Stoke —3E 40
Lune Clo. Cong —6H 9
Lydford Pl. Stoke —3A 42
Lydia Dri. Stoke —6E 28
Lyme Brook Pl. Stoke —3H 39
Lyme Ct. New —5F 33 (off Leech St.)
Lyme Gro. New —2F 33
Lyme Rd. Stoke —5C 42
Lymes Rd. But —7G 31
Lymevale Rd. Stoke —2H 39

Lyme Valley Rd. *New* —6E **32** (5D **6**)
Lymewood Clo. *New* —5E **32** (5C **6**)
Lymewood Gro. *New* —6E **32** (6C **6**)
Lyminster Gro. *Stoke* —3G **29**
Lynalls Clo. *Cong* —4B **8**
Lynam St. *Stoke* —6K **33**
Lynam Way. *Mad* —1B **30**
Lyndhurst Dri. *Brn L* —4K **13**
Lyndhurst St. *Stoke* —4H **27**
Lyneside Rd. *Knyp* —4A **14**
Lynmouth Clo. *Bid* —4B **14**
Lynmouth Gro. *Stoke* —4J **21**
Lynn Av. *Tal* —3K **19**
Lynn St. *Stoke* —1C **42**
Lynsey Clo. *Halm* —5F **25**
Lynton Gro. *Stoke* —6A **42**
Lynton Pl. *Als* —6E **10**
Lynton Rd. *New* —1C **38**
Lysander Rd. *Stoke* —7B **42**
Lytton St. *Stoke* —6B **34**

Macclesfield Rd. *Eat* —2G **9**
Macclesfield Rd. *Leek* —1C **16**
Macclesfield St. *Stoke* —3A **28**
McConnell Av. *Leek* —4F **17**
Macdonald Cres. *Stoke* —3B **42**
Mace St. *Stoke* —2J **39**
McGough St. *Stoke* —1G **27**
Machin Cres. *New* —5D **26**
Machin St. *Stoke* —7H **21**
Macintyre St. *Stoke* —5K **27**
McKellin Clo. *Big E* —2F **25**
Mackenzie Cres. *C'dle* —5H **45**
McKinley St. *Stoke* —7G **21**
Maclagan St. *Stoke* —7A **34**
Maddock St. *A'ly* —3E **24**
Maddock St. *Stoke* —5H **27**
Madeira Pl. *Stoke* —1G **27**
Madeley St. *New* —4J **31**
Madeley St. *Stoke* —7G **21**
Madeley St. N. *New* —3J **31**
Madison St. *Stoke* —7G **21**
Mafeking St. *Stoke* —4G **41**
Magdalen Rd. *Stoke* —6D **40**
Magdalen Wlk. *Stoke* —7D **40**
Magnolia Dri. *Stoke* —2E **28**
Magnus St. *Stoke* —5J **27**
Magpie Cres. *Kid* —1F **21**
Maidstone Gro. *Stoke* —3H **35**
Main St. *Stoke* —1C **42**
Majors Barn. *C'dle* —4F **45**
Malam St. *Stoke* —7B **28**
Malcolm Clo. *Stoke* —2G **29**
Malcolm Ct. *Stoke* —7H **29**
Malcolm Dri. *Stoke* —7H **29**
Malhamdale Rd. *Cong* —2J **9**
Malham Rd. *New* —2B **32**
Malkin Way. *Stoke* —6H **27**
Mallard Way. *Stoke* —1B **28**
Mallorie Rd. *Stoke* —7C **22**
Mallory Ct. *Cong* —4B **8**
Mallory Way. *C'dle* —3J **45**
Mallowdale Clo. *Stoke* —1B **46**
Malpas Wlk. *Stoke* —4F **21**
Malstone Av. *Stoke* —2H **29**
Malthouse La. *B'stn* —5D **46**
Malthouse La. *Stoke* —5C **36**
Malthouse Rd. *Stoke* —2G **35**
Malt La. *Stoke* —4J **41**
Malton Gro. *Stoke* —6G **21**
Malvern Av. *New* —3G **31**
Malvern Clo. *Cong* —4B **8**
Malvern Clo. *Stoke* —7K **39**
Manchester Rd. *Eat* —1G **9**
Mandela Way. *Stoke* —4J **41**
Mandeville Clo. *Stoke* —1B **28**
Manifold Clo. *New* —4J **31**
Manifold Rd. *For* —6G **43**
Manifold Wlk. *Stoke* —4H **35**
Mannin Clo. *Stoke* —2B **42**
Mann St. *Stoke* —4D **42**
Manor Clo. *Cong* —6J **9**
Manor Clo. *Dray* —1K **49**
Manor Ct. St. *Stoke* —7J **33**
Manor Rd. *Mad* —3B **30**
Manor Rd. *Mow C* —3G **13**
Manor St. *Stoke* —7D **34**
Manse Clo. *Stoke* —2H **41**
Mansfield Clo. *New* —4F **39**
Mansfield Dri. *Brn L* —5K **13**
Mansion Clo. *C'dle* —4H **45**
Maple Av. *Als* —1F **19**
Maple Av. *New* —3B **26**
Maple Av. *Tal* —3A **20**
Maple Clo. *C'dle* —4H **45**
Maple Clo. *Cong* —3B **8**
Maple Clo. *Stoke* —6F **23**
Maple Cres. *B Bri* —1H **49**
Maplehurst Clo. *Hot I* —4A **28**
Maple Pl. *Rode H* —3G **11**
Maple Pl. *Stoke* —4C **42**
Maples Clo. *Stoke* —2K **41**
Marcel Clo. *Stoke* —4K **39**
March La. *Werr* —2H **37**
March Rd. *Stoke* —2G **41**
Marchwood Ct. *Stoke* —7H **33**
Marcus Ind. Est. *Stoke* —2E **34**
Mardale Clo. *Cong* —2J **9**
Margaret Av. *Stoke* —6J **39**
Margaret St. *Stoke* —1D **34**
Margery Av. *Sch G* —3B **12**
Margill Clo. *Stoke* —2A **34** (5C **4**)
Marina Dri. *New* —1F **33**
Marina Dri. *Stoke* —1J **33**
Marina Rd. *Stoke* —3J **39**
Market Arc. *New* —5E **32** (4D **6**)
Market La. *New* —4E **32** (3D **6**)
Market La. *Stoke* —1B **34** (3F **5**)
Market Pas. *Stoke* —4J **27**
Market Pl. *Stoke* —4J **27**
Market Sq. *Cong* —5F **9**
Market Sq. *Stoke* —1B **34** (3F **5**)
Market Sq. Arc. *Stoke* —3F **5**
Market St. *Cong* —5F **9**
Market St. *Kid* —2D **20**
Market St. *Leek* —3G **17**
Market St. *Stoke* —2H **41**
Marlborough Clo. *End* —3K **23**
Marlborough Rd. *Stoke* —2H **41**
Marlborough St. *Stoke* —1C **40**
Marldon Pl. *Stoke* —5F **21**
Marlow Clo. *Stoke* —1J **41**
Marlow Rd. *Stoke* —1J **41**
Marney Wlk. *Stoke* —2A **28**
Marriott St. *Stoke* —1F **41**
Marsden St. *Stoke* —1C **34** (3G **5**)
Marshall Av. *Brn E* —4G **23**
Marshall St. *Stoke* —3J **27**
Marsh Av. *New* —7F **27**
Marsh Av. *N'cpl* —1H **21**
Marsh Av. *Stoke* —3A **28**
Marsh Clo. *Als* —7B **10**
Marsh Clo. *Werr* —1B **36**
Marshfield La. *Gil H* —2H **15**
Marsh Grn. Clo.*Bid* —2J **15**
Marshgreen Rd. *Bid* —1J **15**
Marsh Gro. *Gil H* —1H **15**
Marshland Gro. *Stoke* —3K **21**
Marsh La. *Als* —7B **10**
Marsh Pde. *New* —5F **33** (3F **7**)
Marsh St. N. *Stoke* —1B **34** (2E **5**)
Marsh St. S. *Stoke* —1B **34** (3E **5**)
Marsh View. *Stoke* —2B **48**
Marsh Way. *New* —7F **27**
Mars St. *Stoke* —3B **28**
Marston Gro. *Stoke* —4C **28**
Martindale Clo. *Stoke* —6A **42**
Martin St. *Stoke* —5A **28**
Marton Clo. *Cong* —2G **9**
Marychurch Rd. *Stoke* —2G **35**
Maryfield Wlk. *Stoke* —6H **33**
Maryhill Clo. *Kid* —7D **12**
Maryrose Clo. *Stoke* —2G **35**
Masefield Clo. *C'dle* —1G **45**
Masefield Rd. *Stoke* —4F **41**
Maskery Pl. *Cong* —3F **9**
Mason Dri. *Bid* —2A **14**
Mason St. *Stoke* —1E **40**
Masterson St. *Stoke* —7C **34**
Matlock Pl. *New* —3H **31**
Matlock St. *Stoke* —3B **34**
Matthews Ct. Stoke —*2C* *34* *(off Wellington St.)*
Matthews Pl. *Cong* —5J **9**
Matthews Wlk. *Stoke* —3G **5**
Maud St. *Stoke* —6D **34**
Maunders Rd. *Stoke* —3F **29**
Maureen Av. *Stoke* —5G **21**
Maureen Gro. *New* —2F **33**
Mawdesley St. *Stoke* —6A **28**
Mawdsley Clo. *Als* —7A **10**
Mawson Gro. *Stoke* —4C **34**
Maxton Way. *Stoke* —4C **42**
Maxwell Pl. *Stoke* —6H **33**
Maxwell Rd. *Cong* —7J **9**
May Av. *New* —2G **33**
May Av. *Stoke* —1H **27**
Maybury Way. *Stoke* —3F **29**
Mayer Av. *New* —3E **32**
Mayer Bank. *Stoke* —4K **27**
Mayer St. *Stoke* —1C **34** (2G **5**)
Mayfair Gdns. Stoke —*1G* *27* *(off Wesley St.)*
Mayfair Gro. *End* —3K **23**
Mayfield Av. *New* —5D **32** (5A **6**)
Mayfield Av. *Stoke* —7D **28**
Mayfield Clo. *Leek* —4C **16**
Mayfield Cres. *Stoke* —1D **34**
Mayfield Dri. *B Bri* —6E **42**
Mayfield Pl. *New* —2F **33**
Mayfield Pl. E. *Stoke* —1H **39**
Mayfield Pl. W. *Stoke* —1H **39**
Mayfield Rd. *Bid* —4C **14**
Maylea Cres. *Stoke* —5B **28**
Mayneford Pl. *Stoke* —5J **39**
Mayne St. *Stoke* —4J **39**
May Pl. *New* —2F **33**
May Pl. *Stoke* —2G **41**
May St. *New* —4K **31**
May St. *Stoke* —3A **28**
Maythorne Rd. *Stoke* —5E **40**
Mead Av. *Sch G* —3B **12**
Meadow Av. *Cong* —6E **8**
Meadow Av. *New* —1D **32**
Meadow Av. *Stoke* —6H **41**
Meadow Clo. *B Bri* —1F **49**
Meadow Clo. *For* —6J **43**
Meadow Ct. *B'stn* —5B **46**
Meadow Croft. *Als* —1F **19**
Meadowcroft Av. *Stoke* —6D **42**
Meadow Dri. *C'dle* —3G **45**
Meadow Dri. *Stoke* —6F **41**
Meadow La. *Ful* —7F **49**
Meadow La. *New* —1D **32**
Meadow La. *Stoke* —7B **40**
Meadow Pl. *Stoke* —5C **42**
Meadow Rd. *B'stn* —5C **46**
Meadow Rd. *Brn E* —5G **23**
Meadow Rd. *Stoke* —6B **22**
Meadow Side. *Knyp* —4A **14**
Meadowside. *Sav G* —5J **49**
Meadowside. *Stoke* —7A **40**
Meadowside Av. *A'ly* —3D **24**
Meadowside La. *Sch G* —3E **12**
Meadows Rd. *Kid* —2C **20**
Meadows, The. *Cong* —4F **9**
Meadows, The. *End* —2K **23**
Meadows, The. *Kid* —2C **20**
Meadows, The. *Stoke* —4G **35**
Meadow Stile Cvn. Site. *Brn L* —4K **13**
Meadow St. *New* —6C **26**
Meadow St. *Stoke* —3G **29**
Meadow Way. *Chu L* —5H **11**
Meads Rd. *Als* —6E **10**
Mead, The. *Stoke* —7A **40**
Meaford Dri. *Stoke* —4D **40**
Meaford Rd. *B'stn* —6C **46**
Meakin Av. *New* —3E **38**
Meakin Clo. *C'dle* —5F **45**
Meakin Clo. *Cong* —6K **9**
Meakins Row. *Stoke* —1E **40**
Medina Way. *Kid* —1E **20**
Medway Dri. *Bid* —1C **14**
Medway Pl. *New* —2E **38**
Medway Wlk. *Stoke* —7K **21**
Meerbrook Clo. *Stoke* —2A **46**
Meere Clo. *Stoke* —1D **28**
Megacre. *Big E* —2H **25**
Meigh Rd. *Ash B & Werr* —2B **36**
Meigh St. *Stoke* —1B **34** (3G **5**)
Meiklejohn Pl. *Stoke* —5K **21**
Meirhay Rd. *Stoke* —4J **41**
Meir Rd. *Stoke* —5K **41**
Meir St. *Stoke* —7G **21**
Meir View. *Stoke* —4B **42**
Melbourne St. *Stoke* —1J **41**
Melchester Gro. *Stoke* —5K **41**
Melfont St. *Stoke* —1H **27**
Meliden Way. *Stoke* —7J **33**
Mellard St. *A'ly* —3E **24**
Mellard St. *New* —3D **32** (1B **6**)
Mellors Bank. *Mow C* —4G **13**
Mellor St. *Pac* —2J **21**
Melrose Av. *Meir H* —3B **48**
Melrose Av. *New* —1D **38**
Melrose Av. *S Grn* —5C **28**
Melrose Pl. *Leek* —4C **16**
Melstone Av. *Stoke* —1J **27**
Melton Clo. *Cong* —4B **8**
Melton Dri. *Cong* —4B **8**
Melville Ct. *New* —5F **39**
Melville Rd. *Stoke* —4K **41**
Melville St. *Stoke* —2D **34**
Melvyn Cres. *New* —5F **27**
Menai Dri. *Knyp* —4C **14**
Mendip Grn. *Stoke* —3F **29**
Mendip Pl. *New* —2B **32**
Menzies Ho. *Stoke* —6A **42**
Mercer St. *Stoke* —5G **41**
Mercia Cres. *Stoke* —6K **27**
Mercury Pl. *Stoke* —3C **28**
Mere Ct. *Als* —6E **10**
Merelake Rd. *Tal P* —2F **19**
Meremore Dri. *New* —2A **26**
Mereside Av. *Cong* —5D **8**
Merevale Av. *Stoke* —3F **35**
Meriden Rd. *New* —4F **39**
Merlin Clo. *Stoke* —3K **21**
Merlin Grn. *Mad* —2B **30**
Merlin Way. *Rook* —7G **13**
Merrial St. *New* —4E **32** (3D **6**)
Merrick St. *Stoke* —7C **28**
Merrion Dri. *Stoke* —2A **28**
Mersey Rd. *New* —3D **38**
Mersey St. *Stoke* —2A **34** (4E **5**)
Merton St. *Stoke* —2H **41**
Metcalfe Rd. *Stoke* —1K **27**
Mews Clo. *Stoke* —3F **35**
Mews, The. *New* —1G **33**
Michael Clo. *Stoke* —3C **42**
Michaels Clo. *New* —5F **27**
Michigan Gro. *Stoke* —6A **40**
Micklea La. *Long* —7A **16**
Mickleby Way. *Stoke* —7D **42**
Middle Cross St. *Stoke* —2H **41**
Middlefield Rd. *Stoke* —5J **35**
Middle La. *Cong* —3K **9**
Middleton Clo. *Stoke* —1D **28**
Midfield Clo. *Gil H* —2H **15**
Midhurst Clo. *Pac* —3J **21**
Midway Dri. *B Bri* —1F **49**
Midway, The. *New* —5E **32** (4C **6**)
Milan Dri. *New* —7B **32**
Milborne Dri. *New* —1F **39**
Milburn Rd. *Stoke* —5A **28**
Milehouse La. *New* —1E **32**
Miles Bank. *Stoke* —3F **5**
Miles Grn. Rd. *Big E* —4F **25**
Milford Av. *Werr* —1C **36**
Milford Rd. *New* —6D **32** (6B **6**)
Milford St. *Stoke* —1E **40**
Milgreen Av. *Stoke* —5C **28**
Milk St. *Cong* —4F **9**
Milk St. *Leek* —2G **17**
Millbank Pl. *New* —4C **32**
Millbank St. *Stoke* —3H **41**
Millbridge Clo. *Stoke* —1C **48**
Millbrook Gro. *Stoke* —3F **29**
Millbrook Way. *C'dle* —4H **45**
Mill Clo. *Cav* —3D **42**
Mill Ct. *Stoke* —7H **39**
Millend La. *Big E* —6D **18**
Millennium Way. *High B* —2C **26**
Millers La. *Stoke* —3F **29**
Miller St. *New* —4F **33** (2F **7**)
Millers View. *C'dle* —4J **45**
Millers View. *Kid* —3D **20**
Millers Wharf. *Rode H* —3F **11**
Millett Rd. *Stoke* —2F **35**
Millfield Cres. *Stoke* —3F **29**
Mill Fields. *Cong* —4F **9**
Mill Grn. *Cong* —4F **9**

Mill Gro. *C'dle* —4H **45**
Mill Gro. *Tal* —2A **20**
Mill Hayes Rd. *Knyp* —7B **14**
Mill Hayes Rd. *Stoke* —3H **27**
Mill Hill Cres. *Stoke* —7K **21**
Mill Ho. Dri. *C'dle* —5H **45**
Millicent St. *Stoke* —7D **34**
Mill La. *Mad* —6A **30**
Mill La. *Sch G* —3D **12**
Millmead. *Rode H* —3G **11**
Mill Rise. *Kid* —2D **20**
Millrise Rd. *Stoke* —3F **29**
Mills La. *C'dle* —4H **45**
Millstone Av. *Tal* —2B **20**
Mill Stream Clo. *C'dle* —4H **45**
Mill St. *Bug* —3H **9**
Mill St. *Cong* —4F **9**
Mill St. *Leek* —3E **16**
Mill St. *New* —4A **32**
Milltown Way. *Leek* —4H **17**
Mill View. *Stoke* —5C **22**
Millward Rd. *Stoke* —2H **35**
Millwaters. *C'dle* —4H **45**
Milner Ter. *Leek* —2H **17**
Milnes Clo. *Stoke* —4F **41**
Milton Cres. *Tal* —3K **19**
Milton Rd. *Stoke* —5C **28**
Milton St. *Stoke* —2A **34** (5C **4**)
Milvale St. *Stoke* —5H **27**
Milverton Pl. *Stoke* —3F **41**
Milward Gro. *Stoke* —1A **48**
Minard Gro. *Stoke* —2B **42**
Minden Gro. *Stoke* —4C **28**
Minerva Clo. *Knyp* —5A **14**
Minerva Rd. *Stoke* —7E **34**
Minfield Clo. *Kid* —3D **20**
Minshall St. *Stoke* —1B **40**
Minster St. *Stoke* —3A **28**
Minton Clo. *C'dle* —5G **45**
Minton Clo. *Cong* —6K **9**
Minton Pl. *New* —7G **27**
Minton St. *New* —7G **27**
Minton St. *Stoke* —5H **33**
Miranda Gro. *Stoke* —3C **28**
Mistley Wlk. *Stoke* —4F **21**
Mitchell Av. *Tal* —2A **20**
Mitchell Dri. *Tal* —2A **20**
Mitchell St. *Stoke* —3J **27**
Moat La. *A'ly* —2B **24**
Moat, The. *Stoke* —2B **42**
Mobberley Rd. *Stoke* —3F **21**
Moffat Gro. *Stoke* —6K **35**
Moffatt Way. *New* —3G **31**
Mollatts Clo. *Leek* —7C **16**
Mollatts Wood Rd. *Leek* —7C **16**
Mollison Rd. *Stoke* —6B **42**
Monaco Pl. *New* —6B **32**
Monkleigh Clo. *Stoke* —2A **46**
Monks Clo. *New* —7F **33**
Monkton Clo. *Stoke* —5F **41**
Monmouth Pl. *New* —2G **39**
Monsal Gro. *Stoke* —7E **28**
Montfort Pl. *New* —7E **32**
Montgomery Pl. *Stoke* —4C **42**
Montrose St. *Stoke* —1E **40**
Monty Pl. *Stoke* —1G **41**
Monument Rd. *Tal P* —5A **20**
Monument View. *Big E* —2G **25**
Monument View. *Mad H* —5B **30**
Monyash Clo. *Stoke* —7D **42**
Monyash Dri. *Leek* —4H **17**
Moody St. *Cong* —5F **9**
Moor Clo. *Bid* —1D **14**
Moorcroft Av. *New* —3E **38**
Moorcroft Clo. *C'dle* —5F **45**
Moore St. *Stoke* —5K **27**
Moorfield Av. *Bid* —2B **14**
Moorfields. *Leek* —4G **17**
Moorhead Dri. *Bag* —7K **23**
Moorhouse Av. *Als* —6E **10**
Moorhouse St. *Leek* —4G **17**
Moorings. *Cong* —6G **9**
Moorland Av. *Werr* —1C **36**
Moorland Clo. *Werr* —1C **36**
Moorland Rd. *Bid* —1C **14**
Moorland Rd. *Leek* —4J **17**
Moorland Rd. *Mow C* —3G **13**
Moorland Rd. *Stoke* —4K **27**
Moorland View. *Stoke* —1B **28**
Moorland Wlk. *C'dle* —3G **45**
Moor La. *C'dle* —2J **45**
Moorside Rd. *Werr* —1E **36**
Moorson Av. *Sch G* —2C **12**
Moor St. *Cong* —5G **9**
Moorsyde Rd. *Stoke* —1H **39**
Moorthorne Cres. *New* —6D **26**
Moorview Gdns. *Har* —5H **13**
Moran Gro. *Stoke* —5H **27**
Moran Rd. *New* —3C **32**
Moresby Clo. *Stoke* —3G **29**
Moreton Av. *New* —6G **39**
Moreton Clo. *Kid* —3E **20**
Moreton Clo. *Werr* —3C **36**
Moreton Dri. *Als* —7D **10**
Moreton Ho. *New* —1G **33**
Moreton Pde. *New* —1G **33**
Morgan Way. *Stoke* —5K **21**
Morley Dri. *Cong* —6J **9**
Morley St. *Leek* —4E **16**
Morley St. *Stoke* —2A **34** (4D **4**)
Morningside. *Mad* —2B **30**
Mornington Rd. *Stoke* —4C **28**
Morpeth St. *Stoke* —3H **41**
Morris Sq. *New* —7G **27**
Morston Dri. *New* —4E **38**
Mortimer Pl. *Stoke* —2A **42**
Morton St. *Stoke* —5H **27**
Morville Clo. *Stoke* —6D **34**
Mosedale Av. *Stoke* —6K **41**
Mosley Ct. *Cong* —7H **9**
Moss Clo. *Werr* —1C **36**
Mossfield Cres. *Kid* —1E **20**
Mossfield Rd. *Stoke* —6H **35**
Moss Fields. *Als* —7B **10**
Moss Gro. *New* —1A **26**
Moss Hill. *Stoc B* —6J **23**
Mossland Rd. *Stoke* —1H **41**
Moss La. *C'dle* —5J **45**
Moss La. *Eat* —1G **9**
Moss La. *Hild* —7D **48**
Moss La. *Mad* —2A **30**
Moss La. *Sch G* —6B **12**
Moss Pk. Av. *Werr* —1B **36**
Moss Pl. *Kid* —7E **12**
Moss Rise. *New* —5F **39**
Moss Rd. *A'bry* —7H **9**
Moss Side. *Stoke* —4D **28**
Moss St. *Stoke* —6D **22**
Moss Way. *Als* —7B **10**
Moston Ct. Cong —4H ***9***
(off Brunswick St.)
Moston St. *Stoke* —7C **28**
Mott Pl. *Stoke* —4H **27**
Moulton Rd. *Stoke* —2G **41**
Mounfield Pl. *Stoke* —7C **34**
Mount Av. *Stoke* —6J **33**
Mountbatten Way. *Cong* —4F **9**
Mount Clo. *Werr* —1D **36**
Mountford St. *Stoke* —3J **27**
Mount Pl. *For* —7H **43**
Mt. Pleasant. *C'dle* —3F **45**
Mt. Pleasant. *Ches* —6B **26**
Mt. Pleasant. *Kid* —2D **20**
Mt. Pleasant. *Leek* —3F **17**
Mt. Pleasant. *New* —5F **33** (4F **7**)
Mt. Pleasant. *Stoke* —2A **34** (5C **4**)
Mt. Pleasant Dri. Leek —3F ***17***
(off Mt. Pleasant La.)
Mount Pleasant Rd. *Sch G* —3E **12**
Mount Rd. *B Bri* —7H **43**
Mount Rd. *Kid* —2D **20**
Mount Rd. *Leek* —3J **17**
Mountside Gdns. *Leek* —3J **17**
Mountsorrel Clo. *Stoke* —1B **46**
Mount St. *New* —6B **26**
Mount St. *Stoke* —7C **28** (1H **5**)
Mount, The. *Cong* —5C **8**
Mount, The. *Kid* —2D **20**
Mount, The. *New* —6B **26**
Mount, The. *Sch G* —3B **12**
Mousley St. *Stoke* —4H **27**
Mowbray Wlk. *Stoke* —4E **28**
Mow Cop Rd. *Mow C* —5F **13**
Mow La. *Gil H* —1A **14**
Mow La. *Mow C* —5D **12**
Moxley Av. *Stoke* —5C **28**
Mulberry Pl. *New* —4B **26**
Mulberry St. *Stoke* —2C **34** (4H **5**)
Mulgrave St. *Stoke* —7A **28**
Mulliner Clo. *Stoke* —2J **35**
Munro St. *Stoke* —1K **39**
Munster Ter. *Stoke* —1J **39**
Murhall St. *Stoke* —4H **27**
Murray St. *Stoke* —4F **21**
Myatt St. *Stoke* —7C **28**
Mynors St. *Stoke* —1C **34** (2H **5**)
Myott Av. *New* —6D **32** (5B **6**)
Myrtle Av. *Stoke* —3C **42**

Nabbs Clo. *Kid* —1E **20**
Nabbswood Rd. *Kid* —1E **20**
Nab Hill Av. *Leek* —3D **16**
Nab Hill Ct. *Leek* —3D **16**
Nantwich Rd. *A'ly* —3A **24**
Napier Gdns. *Kid* —1D **20**
Napier St. *Stoke* —7C **34**
Naples Dri. *New* —7C **32**
Narvik Cres. *Stoke* —2B **28**
Naseby Rd. *Cong* —3C **8**
Nashe Dri. *Stoke* —4E **40**
Nash Peake St. *Stoke* —1F **27**
Nash St. *New* —3B **32**
Natham Clo. *Cav* —3E **42**
Navigation Rd. *Stoke* —5J **27**
Navigation St. *Stoke* —5H **27**
Naylor St. *Stoke* —6J **21**
Naylor Yd. Leek —3F ***17***
(off Mt. Pleasant La.)
Neale Pl. *Stoke* —7G **29**
Neath Clo. *Stoke* —3J **41**
Neath Pl. *Stoke* —7H **35**
Nellan Cres. *Stoke* —3C **28**
Nelson Bank. *Stoke* —4D **20**
Nelson Bldgs. *Kid* —2D **20**
Nelson Gro. *Als* —1G **19**
Nelson Ind. Est. *Tal* —2K **19**
Nelson Pl. *New* —4F **33** (3E **7**)
Nelson Pl. *Stoke* —2C **34** (4H **5**)
Nelson Rd. *Stoke* —5H **33**
Nelson St. *Cong* —5F **9**
Nelson St. *Leek* —2G **17**
Nelson St. *New* —7F **27**
Nelson St. *Stoke* —1C **40**
Nephew St. *Stoke* —5H **27**
Neptune Gro. *Stoke* —6E **28**
Ness Gro. *C'dle* —1H **45**
Nethercote Pl. *Stoke* —5J **35**
Netherset Hey La. *Mad* —7A **30**
Netherton Gro. *Stoke* —2G **29**
Netley Pl. *Stoke* —7D **40**
Nevada La. *Hot I* —4A **28**
Neville St. *Stoke* —2J **39**
Nevin Av. *Knyp* —5C **14**
Newark Gro. *Stoke* —4F **21**
New Av. *Dray* —1K **49**
Newbold Ct. Cong —4H ***9***
(off Herbert St.)
Newborough Clo. *Stoke* —6D **28**
New Bldgs. *Knyp* —7B **14**
Newburn Gro. *Stoke* —6A **40**
Newbury Gro. *Stoke* —7D **40**
Newby Ct. *Cong* —6C **8**
Newcastle La. *Stoke* —7G **33**
Newcastle Rd. *A'bry* —7C **8**
Newcastle Rd. *Clay* —6F **39**
Newcastle Rd. *Leek* —6D **16**
Newcastle Rd. *Mad* —1B **30**
Newcastle Rd. *Stoke* —7G **33**
Newcastle Rd. *Tal* —3A **20**
Newcastle St. *New* —3K **31**
Newcastle St. *Stoke* —4G **27**
New Century St. *Stoke* —1A **34** (3C **4**)
New Chapel Ct. *Stoke* —7F **21**
Newchapel Rd. *Kid* —7E **12**
New Clo. Av. *For* —6J **43**
Newcroft Ct. *New* —7F **27**
Newcrofts Wlk. *Stoke* —5C **22**
Newfield St. *Stoke* —7G **21**
Newfold Cres. *Brn E* —3F **23**
Newford Cres. *Stoke* —3E **28**
New Forest Ind. Est. *Stoke* —7C **28**
New Haden Rd. *C'dle* —4E **44**
New Hall Rd. *Stoke* —4J **41**
New Hall St. *Stoke* —1B **34** (2E **5**)
Newhaven Gro. *Stoke* —2A **46**
New Hayes Rd. *Stoke* —7H **21**
Newhouse Ct. *Stoke* —7G **29**
Newhouse Rd. *Stoke* —7G **29**
Newington Gro. *Stoke* —2B **46**
New Inn La. *Stoke* —5J **39**
New King St. *A'ly* —3D **24**
New Kingsway. *W Coy* —2B **42**
Newlands Clo. *New* —1E **38**
Newlands St. *Stoke* —4A **34**
New La. *Brn E* —2G **23**
New Leek La. *Bid* —2F **15**
Newleigh St. *Stoke* —3G **29**
Newlyn Av. *Cong* —7H **9**
Newmarket Way. *C'dle* —1H **45**
Newmill St. *Stoke* —3F **29**
Newmount Rd. *Stoke* —1G **41**
Newpool Cotts. *Bid* —5A **14**
Newpool Rd. *Knyp* —4K **13**
Newpool Ter. *Brn L* —5A **14**
Newport Gro. *New* —2B **26**
Newport La. *Stoke* —4H **27**
Newport St. *Stoke* —4H **27**
Newquay Ct. *Cong* —7G **9**
New Rd. *Big E* —2E **24**
New Rd. *Dil* —3K **43**
New Rd. *Mad* —1B **30**
New Rd. *Stoke* —2A **36**
Newshaw Wlk. *Stoke* —1C **34** (3H **5**)
Newstead Rd. *Stoke* —7G **29**
Newstead Trad. Est. *Stoke* —7C **40**
New St. *Bid M* —4E **14**
New St. *Cong* —5G **9**
New St. *Leek* —3G **17**
New St. *New* —7G **27**
New St. *Stoke* —4J **27**
Newton Ct. *Werr* —1B **36**
Newton Pl. *Cong* —5H **9**
Newton Rd. *New* —7E **26**
Newton St. *Stoke* —3H **33**
Newtown. *N'cpl* —1H **21**
Niall Rd. *Stoke* —5J **39**
Nicholas Gro. *Leek* —5C **16**
Nicholas St. *Stoke* —4J **27**
Nicholls St. *Stoke* —1A **40**
Nicholson Way. *Leek* —3E **16**
Nidderdale Clo. *Cong* —2J **9**
Nile St. *Stoke* —4K **27**
Noblett Rd. *Stoke* —5D **28**
Norbury Av. *Stoke* —3G **29**
Norbury Dri. *Cong* —3G **9**
Norfolk Clo. *New* —4E **38**
Norfolk Gro. *Bid* —1B **14**
Norfolk Rd. *Cong* —3G **9**
Norfolk Rd. *Kid* —1C **20**
Norfolk St. *Stoke* —3A **34**
Normacot Grange Rd. *Stoke* —7A **42**
Normacot Rd. *Stoke* —3H **41**
(in two parts)
Norman Av. *Stoke* —1J **27**
Normandy Gro. *Stoke* —2F **29**
Norman Gro. *New* —3G **33**
Normanton Gro. *Stoke* —7J **35**
Norris Rd. *Stoke* —1J **27**
Northam Rd. *Stoke* —6C **28**
North Av. *Leek* —4E **16**
Northcote Av. *Stoke* —5K **33**
Northcote Ct. *New* —4F **33** (2F **7**)
Northcote Pl. *New* —4F **33** (2F **7**)
Northcote St. *Stoke* —4A **34**
Northesk Pl. *New* —1D **38**
Northfield Dri. *Bid* —2K **15**
Northfleet St. *Stoke* —2F **35**
Northgate Clo. *Stoke* —5J **39**
Northolme Gdns. *Als* —7D **10**
North Pl. *Stoke* —6G **29**
North Rd. *Stoke* —5A **28**
North St. *Cong* —4F **9**
North St. *Leek* —3D **16**
North St. *Mow C* —4E **12**
North St. *New* —4F **33** (3F **7**)
North St. *Stoke* —4J **33**
North Ter. *New* —7E **26**
North Wlk. *Stoke* —5C **42**
N. West Ter. *Stoke* —3B **28**
Northwood Clo. *New* —4G **39**
Northwood Ct. *Stoke* —3H **5**
Northwood Grn. *Stoke* —1D **34**

Northwood La. *New* —4F **39**
Northwood Pk. Rd. *Stoke*
(in two parts) —7C **28** (1H **5**)
Norton Av. *Stoke* —1K **27**
Norton Cres. *Stoke* —4C **28**
Norton Dri. *Stoke* —3C **28**
Norton Hall Clo. *Stoke* —1D **28**
Norton Ind. Est. *Stoke* —1D **28**
Norton La. *Stoke* —7D **22**
Norton St. *Stoke* —3G **29**
Norwich Pl. *New* —1F **39**
Norwich Rd. *Stoke* —3J **35**
Novi La. *Leek* —2H **17**
Nunn's Clo. *Stoke* —1D **42**
Nunn St. *Leek* —3E **16**
Nursery Av. *Stoc B* —1H **29**
Nursery Clo. *C'dle* —3F **45**
Nursery Clo. *Tal* —2A **20**
Nursery Dri. *Gil H* —2H **15**
Nursery La. *Cong* —5G **9**
Nursery La. *Stoc B* —1H **29**
Nursery Rd. *Als* —7A **10**
Nursery Rd. *Sch G* —5B **12**
Nursery St. *Stoke* —1K **39**
Nutbrook Av. *Stoke* —1B **40**
Nyewood Av. *Stoke* —1J **41**

Oak Av. *Als* —1F **19**
Oakdale. *New* —3F **39**
Oakdene Av. *New* —6D **26**
Oakdene Clo. *B Bri* —1J **49**
Oakdene Clo. *New* —6D **26**
Oakdene Gro. *New* —6D **26**
Oakdene Way. *Bid* —3C **14**
Oakham Way. *Stoke* —3H **35**
Oakhill Av. *Stoke* —2J **39**
Oakhill Hall. *Stoke* —2J **39**
Oakhurst Cres. *Stoke* —1B **48**
Oaklands Av. *New* —6F **27**
Oak Lea. *Leek* —5C **16**
Oakleigh Ct. *Cong* —4B **8**
Oakley Pl. *Stoke* —3K **21**
Oakmoor Rd. *C'dle* —2J **45**
Oak Mt.Rd. *Werr* —1D **36**
Oak Pl. *Stoke* —4A **42**
Oak Rd. *New* —2A **32**
Oakshaw Gro. *Stoke* —6A **40**
Oak St. *C'dle* —3G **45**
Oak St. *New* —2G **33**
Oak St. *Rode H* —2F **11**
Oak St. *Stoke* —6D **28**
Oaktree La. *Tal P* —6A **20**
Oak Tree Rd. *Stoke* —1A **46**
Oakville Av. *Stoke* —2A **28**
Oakwell Ct. *Stoke* —5H **41**
Oakwell Gro. *Stoke* —5H **41**
Oakwood Pl. *New* —4B **26**
Oakwood Rd. *Leek* —3D **16**
Oakwood Rd. *Rode H* —2F **11**
Oakwood Rd. *Stoke* —5D **40**
Oban Clo. *New* —5C **32**
Oberon Clo. *Stoke* —3C **28**
Occupation St. *New* —6F **33** (6F **7**)
Odell Gro. *Stoke* —3H **27**
Odger Clo. *Stoke* —4C **42**
Ogden Rd. *Stoke* —2B **34** (5F **5**)
Ogmore Gro. *Stoke* —6B **42**
Ohio Gro. *Hot I* —4A **28**
Oldacres Rd. *Stoke* —2A **46**
Old Butt La. *Tal* —1K **19**
Oldcastle Av. *New* —6D **26**
Old Chapel Clo. *K'le* —5F **31**
Oldcott Cres. *Kid* —3F **21**
Oldcott Dri. *Kid* —3F **21**
Oldcourt St. *Stoke* —1G **27**
Oldfield Av. *Stoke* —6C **22**
Oldfield Bus. Pk. *Stoke* —1E **40**
Oldfield St. *Stoke* —1F **41**
Old Hall Dri. *New* —4D **26**
Old Hall St. *Stoke* —2B **34** (3F **5**)
Oldham St. *Join I* —3C **34** (6H **5**)
Oldhill Clo. *Tal P* —6B **20**
Old La. *Brn E* —2F **23**
Oldmill St. *Stoke* —6B **34**
Old Rd. *B'stn* —4B **46**
Old Rd. *Big E* —1F **25**
Old Rd. *Oul* —7H **47**
Old Town Rd. *Stoke* —7B **28** (1F **5**)
Old Tramway. *Stoke* —1E **40**
Oldway Pl. *Stoke* —1H **41**
Old Wharf Pl. *Stoke* —3D **34**
Old Whieldon Rd. *Stoke* —7B **34**
Olive Gro. *New* —3A **26**
Oliver Lodge Ho. Stoke —6K 33
(off Epworth St.)
Oliver Rd. *Stoke* —6H **33**
Olof Palme Gro. *Stoke* —4H **41**
Omega Way. *Stoke* —6K **39**
Onslow Dri. *New* —4E **26**
Ontario Clo. *Stoke* —6K **39**
Opal Rd. *Stoke* —1D **40**
Orb St. *Stoke* —2B **34** (4E **5**)
Orchard Ct. *Als* —6F **11**
Orchard Cres. *Tal* —2A **20**
Orchard Gdns. *Leek* —3D **16**
Orchard Pl. *B'stn* —6C **46**
Orchard Rise. *B Bri* —7F **43**
Orchard St. *New* —7F **27**
Orchard, The. *Brn E* —3F **23**
Orchard Way. *Cong* —4C **8**
Orford Rd. *End* —2K **23**
Orford St. *New* —5G **27**
Orford Way. *Stoke* —6D **40**
Orgreaves Clo. *New* —4E **26**
Orgreave St. *Stoke* —5K **27**
Oriel St. *Stoke* —6K **33**
Orion St. *Stoke* —3B **28**
Orkney Av. *Pac* —3J **21**
Orlestone Pl. *Stoke* —4K **21**
Orme Rd. *Knyp* —5C **14**
Orme Rd. *New* —4C **32**
Orme St. *Stoke* —4H **27**
Ormonde St. *Stoke* —1E **40**
Orpheus Gro. *Stoke* —6E **28**
Orton Rd. *New* —3D **32**
Orwell Dri. *Stoke* —1A **42**
Orwell Pl. *New* —2E **38**
Osborne Rd. *Stoke* —5H **33**
Osborne St. *Leek* —3H **17**
Oslo Gro. *Stoke* —6D **28**
Osprey Av. *Stoke* —7B **42**
Osprey View. *Kid* —7F **13**
Ostend Pl. *New* —6C **32**
Oswald Av. *Stoke* —1B **42**
Oulton Dri. *Cong* —4B **8**
Oulton Rd. *C'dle* —3J **45**
Oulton Rd. *Stoke* —4A **22**
Outclough Rd. *B Frd* —1A **22**
Oval, The. *Stoke* —4F **41**
Oval, The. *Werr* —1F **37**
Overdale Pl. *Leek* —4C **16**
Overhouse St. *Stoke* —3J **27**
Overland Dri. *Brn E* —3F **23**
Oversley Rd. *Stoke* —4K **21**
Over The Hill. *Bid M* —1F **15**
Overton Bank. Leek —3F 17
(off Mill St.)
Overton Clo. *Cong* —4E **8**
Overwood Pl. *Stoke* —4J **21**
Owen Gro. *Stoke* —3K **27**
Oxford Av. *Stoke* —5C **28**
Oxford Cres. *Stoke* —6K **33**
Oxford Rd. *New* —2G **33**
Oxford Rd. *Stoke* —4A **22**
Oxford St. *Stoke* —5K **33**
Oxhay Ct. *New* —2F **33**
Oxhay View. *New* —2F **33**
Ox-Hey Cres. *Bid* —1C **14**
Ox-Hey Dri. *Bid* —2J **15**

Pacific Rd. *Stoke* —7K **39**
Packett St. *Stoke* —2G **41**
Pack Horse La. *Stoke* —4J **27**
Paddock Cotts. *Stoke* —7K **39**
Paddock Rise. *Stoke* —7K **39**
Paddocks Grn. *Cong* —7H **9**
Paddock, The. *C'dle* —4G **45**
Padgbury Clo. *Cong* —6C **8**
Padgbury La. *Cong* —5B **8**
Padlowe St. *Stoke* —3H **27**
Padston Dri. *Als* —7C **10**
Padstow Way. *Stoke* —2A **46**
Padworth St. *Stoke* —3B **42**
Page St. *Stoke* —1B **34** (2E **5**)
Paisley Clo. *Stoke* —5K **35**
Paladin Av. *Stoke* —2C **42**
Palatine Dri. *New* —6A **26**
Pall Mall. *Stoke* —2B **34** (4E **5**)
Palmers Grn. *Stoke* —5G **33** (4H **7**)
Palmerston St. *Join I* —3C **34**
Palmerston St. *New* —7F **27**
Palmerston Way. *Stoke* —2C **14**
Palmer St. *Stoke* —2J **41**
Palmers Way. *New* —5G **33** (5G **7**)
Pandora Gro. *Stoke* —6E **28**
Parade, The. *New* —4K **31**
Paradise St. *New* —5E **32** (4D **6**)
Paradise St. *Stoke* —1G **27**
Paragon Av. *New* —3E **38**
Paragon Clo. *C'dle* —5F **45**
Paragon Rd. *Stoke* —3J **41**
Paris Av. *New* —6B **32**
Parish Clo. *Als* —6C **10**
Park Av. *C'dle* —4H **45**
Park Av. *Kid* —3B **20**
Park Av. *New* —7F **27**
Park Av. *Werr* —1E **36**
Park Av. *W Coy* —1B **42**
Park Av. W. *New* —7E **26**
Park Bank. *Cong* —5H **9**
Park Clo. *Mad* —5A **30**
Park Dri. *B'stn* —6B **46**
Park Dri. *C'dle* —2F **45**
Park Dri. *Stoke* —7H **39**
Park Dri. *Werr* —1D **36**
Park End. *For* —6J **43**
Parker Jervis Rd. *Stoke* —2A **42**
Parker St. *Leek* —3H **17**
Parker St. *Stoke* —1A **34** (4D **4**)
Pk. Farm View. *Stoke* —4G **21**
Parkfield Rd. *Stoke* —5H **41**
Parkfields. *End* —2K **23**
Parkfields Clo. *B'stn* —6B **46**
Parkfields Clo. *New* —3H **31**
Pk. Hall Av. *Stoke* —2B **42**
Pk. Hall Cres. *Stoke* —2B **42**
Pk. Hall Ind. Est. *Stoke* —1K **41**
Pk. Hall Rd. *Stoke* —7K **35**
(in two parts)
Park Hall St. *Stoke* —2H **41**
Parkhead Cres. *Stoke* —3B **42**
Parkhead Dri. *Stoke* —2B **42**
Parkhead Gro. *Stoke* —2B **42**
Parkhouse Ind. Est. E. *New* —3C **26**
Parkhouse Ind. Est. W. *New*
—4C **26**
Parkhouse Rd. E. *Park I* —3C **26**
Parkhouse Rd. W. *New* —3B **26**
Parkhouse St. *Stoke* —3A **34** (6C **4**)
Parklands. *Kid* —2E **20**
Parklands, The. *Bid M* —1G **15**
Parklands, The. *Cong* —5J **9**
Park La. *A'ly* —6B **18**
Park La. *C'dle* —2F **45**
Park La. *Cong* —5G **9**
Park La. *End* —1K **23**
Park La. *Knyp* —4B **14**
Park La. *Stoke* —1E **40**
Park La. Clo. *C'dle* —3F **45**
Park Pl. *Stoke* —7D **34**
Park Rd. *But* —4B **38**
Park Rd. *Cong* —4G **9**
Park Rd. *Leek* —2E **16**
Park Rd. *Sil* —4J **31**
Park Rd. *Stoke* —3K **27**
Park Rd. *Werr* —1D **36**
Parkside. *Mad* —6A **30**
Parkside. *Stoke* —7A **40**
(Trentham)
Parkside. *Stoke* —2A **42**
(Weston Coyney)
Parkside Cres. *End* —1K **23**
Parkside Dri. *New* —2G **33**
Parkside Gro. *New* —2G **33**
Parkstone Av. *New* —5F **33** (5F **7**)
Park St. *Cong* —5G **9**
Park St. *Stoke* —7E **34**
Park Ter. *Leek* —4H **17**
Park Ter. *Ley* —5B **26**
Park Ter. *Stoke* —1H **27**
Park View. *B Bri* —1F **49**
Pk. View Ct. *Stoke* —5G **41**
Pk. View Rd. *Kid* —7D **12**
Park Way. *For* —6H **43**
Parkway. *Tren* —7H **39**
Parkway, The. *New* —7E **32**
Parkway, The. *Stoke* —3B **34**
Parkwood Av. *Stoke* —6J **39**
Parliament Row. *Stoke*
—1B **34** (3F **5**)
Parliament Sq. *Stoke*
—1B **34** (3F **5**)
Parnell Sq. *Cong* —5J **9**
Parsonage St. *Stoke* —7G **21**
Parson St. *Cong* —5E **8**
Parton Gro. *Stoke* —2B **42**
Partridge Clo. *Cong* —6G **9**
Partridge Clo. *Stoke* —7B **42**
Pastoral Clo. *Mad* —7A **30**
Patch Meadow. *C'dle* —4E **44**
Patrick Pl. *B Frd* —1A **22**
Patterdale St. *Stoke* —1K **27**
Paxton St. *Stoke* —3C **34** (6G **5**)
Paynter St. *Stoke* —1E **40**
Peacehaven Gro. *Stoke* —2B **46**
Peacock Gro. *Stoke* —2H **29**
Peacock Hay Rd. *Tal P* —7B **20**
Peacock Ho. *Stoke* —7J **39**
Peacock La. *New & Han* —6D **38**
Peacock Rd. *New* —7C **26**
Peacock View. *Fen I* —4E **34**
Peak Dale Av. *Stoke* —4E **20**
Peake St. *New* —2B **32**
Peak View. *Leek* —4H **17**
Pear Tree Clo. *B'stn* —6C **46**
Pear Tree Dri. *Mad* —1A **30**
Pear Tree La. *New* —4A **26**
Pear Tree Rd. *Big E* —3G **25**
Peascroft Rd. *Stoke* —7C **22**
Pebble Mill St. *Stoke* —2J **33**
Peckforton View. *Kid* —4D **20**
Peck Mill La. *B Frd* —2B **22**
Pedley Ct. *Stoke* —6E **40**
Pedley Gro. *Stoke* —3C **28**
Peebles Grn. *Stoke* —3H **35**
Peebles Rd. *New* —3G **31**
Peel Ct. Kid —1D 20
(off Attwood St.)
Peel Dri. *A'bry* —7D **8**
Peel Hollow. *A'ly* —3B **24**
Peel La. *A'bry* —7D **8**
Peel St. *Stoke* —5G **41**
(Dresden)
Peel St. *Stoke* —4F **27**
(Longport)
Peel St. *Wol* —7F **27**
Pegasus Gro. *Stoke* —3C **28**
Peggy's Bank. *Big E* —4G **25**
Pegroy Gro. *Stoke* —3C **28**
Pelham St. *Stoke* —3C **34** (6G **5**)
Pemberton Dri. *Stoke* —2B **48**
Pembridge Rd. *Stoke* —7D **40**
Pembroke Dri. *New* —6D **32** (6A **6**)
Pembroke Rd. *Stoke* —3F **29**
Penarth Gro. *Stoke* —7B **28** (1E **5**)
Penarth Pl. *New* —6D **32** (6B **6**)
Pendine Gro. *Stoke* —7G **35**
Penfleet Av. *Stoke* —5B **42**
Pengrove Clo. *Stoke* —3H **21**
Penkhull Ct. *Stoke* —6K **33**
Penkhull New Rd. *Stoke* —7J **33**
Penkhull Ter. *Stoke* —6K **33**
Penk Rd. *For* —7H **43**
Penkville St. *Stoke* —1K **39**
Penmark Gro. *Stoke* —6K **41**
Penmere Dri. *New* —5F **39**
Penmere Dri. *Werr* —2B **36**
Pennell St. *Stoke* —1G **35**
Pennine Way. *Bid* —2K **15**
Pennine Way. *New* —2B **32**
Pennington Clo. *Stoke* —4D **42**
Pennyfields Rd. *N'cpl* —1F **21**
Pennymore Clo. *Stoke* —6A **40**
Penport Gro. *Stoke* —4F **41**
Penrhyn Av. *Stoke* —3A **28**
Penrith Clo. *Stoke* —2B **46**
Penrith Ct. *Cong* —5C **8**
Penrith Ct. *New* —7E **32**
Pensford Gro. *Stoke* —7E **28**
Pentland Gro. *New* —2B **32**
Penton Pl. *Stoke* —7D **40**
Penton Wlk. *Stoke* —7D **40**
Pepper St. *K'le & Sil* —5F **31**
Pepper St. *New* —5E **32** (3C **6**)

Perceval St. Stoke —7D 28
Percival Dri. Stoc B —1H 29
Percy James Clo. Als —6F 11
Percy St. Stoke —1B 34 (3F 5)
Peregrine Gro. Stoke —7B 42
Perivale Clo. Stoke —6F 29
Perkins St. Stoke —4F 21
Perry Clo. Stoke —2C 34 (4G 5)
Perrymount Ct. Stoke —7J 33
Persia Wlk. Stoke —1G 27
Perth St. Stoke —1F 41
Perthy Gro. Stoke —7J 39
Petersfield Rd. Stoke —4K 21
Peterson Ho. Stoke —6A 42
Petrel Gro. Stoke —7C 42
Pevensey Gro. Stoke —7H 35
Philip La. Werr —1C 36
Philip St. Stoke —7D 34
Phillipson Way. Stoke —4C 28
Phipp Pl. Stoke —6C 40
Phoenix St. Stoke —1G 27
Picasso Rise. Stoke —7C 42
Piccadilly. Stoke —2B 34 (4E 5)
Piccadilly Arc. Stoke —1B 34 (3E 5)
Piccadilly St. Stoke —1G 27
Pickering Clo. Stoke —5F 41
Pickford Pl. Stoke —5A 42
Pickmere Clo. Stoke —1G 29
Pickwick Pl. Tal —1A 20
Pickwood Av. Leek —4H 17
Pickwood Clo. Leek —4H 17
Pickwood St. Leek —4F 17
Picton St. Leek —3E 16
Picton St. Stoke —2C 34 (4H 5)
Pidduck St. Stoke —5H 27
Pierce St. Stoke —1G 27
Piggott Gro. Stoke —2F 35
Pikemere Rd. Als —5C 10
Pilkington Av. New —7D 32
Pilsbury St. New —6G 27
Pilsden Pl. Stoke —7D 42
Pine Clo. Tal —4A 20
Pine Ct. Als —6F 11
Pine Ct. B Bri —7E 42
Pinehurst Clo. New —3E 38
Pine Rd. Stoke —2B 40
Pine Tree Dri. B Bri —7E 42
Pinewood Cres. Stoke —4C 42
Pinewood Gro. B Bri —1H 49
Pinewood Gro. New —3B 26
Pinfold Av. Stoke —7C 22
Pinhoe Pl. Stoke —3K 41
Pinnox St. Stoke —2H 27
Pippins, The. New —3F 39
Pireford Pl. New —3D 26
Pirehill Rd. New —3E 26
Pirie Clo. Cong —3J 9
Pirie Rd. Cong —2J 9
Pitcairn St. Stoke —1H 27
Pitcher La. Leek —4J 17
Pitfield Av. New —2G 33
Pitgreen La. New —6F 27
Pit La. Tal P —5K 19
Pitlea Pl. Stoke —7H 35
Pitsford St. Stoke —4J 41
Pitts Hill Bank. Stoke —6J 21
Pitt St. E. Stoke —4K 27
Pitt St. W. Stoke —5K 27
Plainfield Gro. Stoke —5J 35
Plaisaunce, The. New —7E 32
Plane Gro. New —3B 26
Plantation Rd. Stoke —1C 46
Plant St. C'dle —3H 45
Plant St. Stoke —2H 41
Platts Av. End —5K 23
Pleasant St. Stoke —5J 27
Plex St. Stoke —1G 27
Plex, The. Als —6E 10
Pleydell St. Stoke —5E 28
Plough Croft. Als —7B 10
Plough St. Stoke —7C 28
Plover Clo. Stoke —7B 42
Plover Field. Mad —2A 30
Plumtree Gro. Stoke —6E 28
Plymouth Gro. New —5C 26
Pochard Clo. Stoke —2C 28
Podmore Av. Als B —6G 25
Podmore La. Halm —6F 25
Podmore St. Stoke —5K 27
Pointon Gro. Stoke —6F 23
Polperro Way. Stoke —7B 42
Pomona Rise. Stoke —4C 28
Pool Dam. New —5E 32 (5C 6)
Poole Av. Stoke —2G 29
Pooles Rd. Bid M —2G 15
Poolfield Av. New —5C 32
Poolfield Clo. New —5C 32
Poolside. Mad —2B 30
Poolside. New —4D 32 (3B 6)
Poolside. Sch G —3H 11
Poolside. Stoke —6E 40
Poolside Ct. Als —6F 11
Pool St. New —5D 32 (5B 6)
Pool St. Stoke —7G 35
Poplar Av. New —2D 32
Poplar Clo. B Bri —1H 49
Poplar Clo. Cong —3C 8
Poplar Clo. New —2D 32
Poplar Ct. New —2D 32
Poplar Dri. Als —1F 19
Poplar Dri. Kid —2D 20
Poplar Dri. Meir H —4D 40
Poplar Gro. New —4G 33 (2G 7)
Poplar Gro. Stoke —5F 41
Porlock Gro. Stoke —1A 46
Porthill. New —6F 27
Porthill Bank. New —6F 27
Porthill Grange. New —6F 27
Porthill Grn. New —6F 27
Porthill Rd. Stoke —5G 27
Portland Clo. B Bri —7E 42
Portland Dri. Bid —2J 15
Portland Dri. For —6J 43
Portland Dri. Sch G —4B 12
Portland Gro. New —3E 38
Portland Pl. B'stn —3E 46
Portland Rd. Stoke —2G 41
Portland St. Leek —3G 17
Portland St. Stoke —7A 28 (1C 4)
Port St. Stoke —5H 27
Port Vale Ct. Stoke —3K 27
Port Vale St. Stoke —5H 27
Post La. End —2K 23
Potteries Shopping Cen. Stoke —1B 34
Potteries Way. Stoke —7B 28 (1E 5) (in two parts)
Potters End. Bid —1A 14
Poulson St. Stoke —6A 34
Pound Gdns. Stoke —7C 22
Poundsgate Gro. Stoke —6A 40
Povey Pl. New —3E 26
Powderham Clo. Stoke —3H 21
Powell St. Stoke —7A 28 (1C 4)
Power Gro. Stoke —2F 41
Power Wash Trad. Est. Knyp —5A 14
Powy Dri. Kid —1E 20
Poxon Clo. Bid —1B 14
Premier Gdns. Kid —1C 20
Prestbury Av. New —5E 38
Preston St. Stoke —4B 28
Pretoria Rd. Stoke —2K 33 (5A 4)
Priam Clo. New —3E 26
Price St. Stoke —3J 27
Priestley Dri. Stoke —2J 41
Priesty Ct. Cong —5F 9
Priesty Fields. Cong —5F 9
Prime St. Stoke —7D 28
Primitive St. Mow C —3F 13
Primitive St. Stoke —2C 28
Primrose Dell. Mad —2A 30
Primrose Gro. New —3F 33
Primrose Hill. Stoke —4K 39
Prince Charles Av. Leek —2J 17
Prince's Rd. Stoke —5J 33
Princess Av. A'ly —3E 24
Princess Av. Leek —1J 17
Princess Ct. Tal P —6A 20
Princess Dri. Stoke —3B 42
Princes Sq. Stoke —4G 27
Princess St. Bid —3C 14
Princess St. Cong —4F 9
Princess St. New —5F 33 (4F 7)
Princess St. Tal P —6A 20
Prince St. Leek —2G 17
Priorfield Clo. Stoke —2G 41
Priory Av. Leek —1H 17
Priory Clo. Cong —7K 9
Priory Pl. Kid —7E 12
Priory Rd. New —6D 32 (6C 6)
Priory Rd. Stoke —6G 29
Probyn Ct. Stoke —4H 41
Prospect Pl. Leek —4F 17
Prospect Pl. Stoke —3J 39
Prospect Rd. Leek —4H 17
Prospect St. Cong —5E 8
Prospect St. Stoke —6H 27
Prospect Ter. New —4D 32 (2B 6)
Providence Sq. Stoke —7C 28 (off Town Rd.)
Providence St. Stoke —7C 28
Provost Pl. Leek —2H 17
Pullman Ct. C'dle —4F 45
Pump Bank. K'le —6G 31
Pump St. Leek —2G 17
Pump St. New —5D 32 (5B 6)
Pump St. Stoke —6K 33
Purbeck St. Stoke —5A 28
Purser Cres. New —7E 26
Pyenest St. Stoke —3A 34

Quabbs La. For —6K 43
Quadrangle, The. End —2K 23
Quadrant Rd. Stoke —1B 34 (2E 5)
Quadrant, The. Stoke —2F 5
Quail Gro. Stoke —7B 42
Quarry Av. Stoke —5J 33
Quarry Bank Rd. K'le —4G 31
Quarry Clo. Stoc B —1H 29
Quarry Clo. Werr —1B 36
Quarry Rd. Stoke —5J 33
Quarry Ter. Kid —2D 20
Quayside. Cong —6G 9
Queen Anne St. Stoke —5A 34
Queen Elizabeth II Ct. Stoke —7C 34
Queen Mary Rd. Stoke —5K 39
Queen Mary's Dri. B'stn —3D 46
Queens Av. Stoke —1H 27
Queensberry Rd. Stoke —4J 41
Queens Clo. B'stn —5E 46
Queens Ct. New —4F 33 (2E 7)
Queens Ct. Stoke —5G 41 (off Queen's Pk. Av.)
Queen's Dri. Bid —4C 14
Queens Dri. Leek —1J 17
Queens Gdns. Tal P —5A 20
Queensmead Rd. Stoke —7A 42
Queens Pde. New —4E 32 (off Merrial St.)
Queen's Pk. Av. Stoke —5G 41
Queen's Rd. Stoke —5J 33
Queens Row. B'stn —5E 46
Queen's Ter. Stoke —1D 34
Queen St. A'ly —3D 24
Queen St. Bug —3H 9
Queen St. C'dle —3H 45
Queen St. Ches —5B 26
Queen St. Cong —5E 8
Queen St. Kid —1D 20
Queen St. Leek —3G 17
Queen St. New —4F 33 (3E 7)
Queen St. Port —6F 27
Queen St. Stoke —4J 27
Queens Wlk. Stoke —2C 42
Queensway. Als —5C 10
Queens Way. New —7E 32
Queensway Ct. Stoke —5B 42 (off Broadway)
Queensway Ind. Est. Stoke —4F 27
Quinta Rd. Cong —4C 8
Quintin Wlk. Stoke —2B 28
Quinton Gro. New —1E 32

Race Course. New —4K 31
Racecourse Rd. Stoke —2K 39
Rachel Gro. Stoke —7G 35
Radford Rd. Stoke —4J 33
Radley Way. Werr —2C 36
Radnor Clo. Cong —4D 8
Radnor Pk. Trad. Est. Cong —3C 8
Radstone Rise. New —3E 38
Radway Grn. Rd. Rad G —3A 18
Raglan St. Stoke —7C 34
Raglan Wlk. Stoke —7C 34 (off Raglan St.)
Railton Av. Stoke —5F 41
Railway Cotts. Cong —6J 9
Railway Cotts. Stoke —3B 40
Railway Ct. End —2K 23
Railway Pas. Stoke —2H 41
Railway St. Stoke —2H 27
Railway Ter. B Bri —7F 43
Railway Ter. Stoke —3H 41
Rainford Clo. Pac —2J 21
Rainham Gro. Stoke —3K 21
Rakeway. C'dle —5H 45
Ralph Dri. Stoke —4D 28
Ramage Gro. Stoke —5J 41
Ramsay Clo. B'stn —3D 46
Ramsey Rd. New —3D 32
Ramsey St. Stoke —1B 40
Ramshaw Gro. Stoke —7J 35
Ramshaw View. Leek —1H 17
Randel La. Stoke —3E 20
Ranelagh St. Stoke —2B 34 (5E 5)
Rangemore Ter. New —2G 33
Ransome Pl. Stoke —2K 41
Ranworth Clo. New —4E 38
Rathbone Av. New —2G 33
Rathbone St. Stoke —1H 27
Rattigan Dri. Stoke —2A 42
Ratton St. Stoke —1C 34 (2G 5)
Ravenscliffe. New —5F 27 (off First Av.)
Ravenscliffe Rd. Kid —3D 20
Ravens Clo. Big E —1F 25
Raven's La. Big E —1G 25
Ravenswood Clo. New —3D 38
Rawle Clo. C'dle —3F 45
Rawlins St. Stoke —7D 28
Rayleigh Way. Stoke —4J 35
Raymond Av. Stoke —5C 28
Raymond St. Stoke —3B 34 (6E 5)
Reade's La. Cong —7K 9
Reading Way. Stoke —3J 35
Reads Rd. Fen I —5E 34
Rebecca St. Stoke —5A 34
Recorder Gro. Stoke —5A 22
Recreation Rd. Stoke —4K 41
Rectory Pas. Stoke —3A 34 (6D 4)
Rectory Rd. Stoke —3A 34 (6C 4)
Rectory St. Stoke —3A 34 (6C 4)
Rectory View. Tal P —5A 20
Red Bank. Stoke —5H 41
Redbridge Clo. Stoke —5J 39
Redcar Rd. Stoke —7K 39
Redfern Av. Cong —3H 9
Red Hall La. Halm —6D 24
Redheath Clo. New —3H 31
Red Heath Cotts. New —3G 31
Redhills Rd. Stoke —4E 28
Red Ho. Cres. Stoke —3F 41
Redland Dri. Stoke —2J 35
Red La. L Oaks —2H 29
Red La. Mad —3B 30
Red Lion Clo. Tal —4A 20
Red Lion Pas. Stoke —2A 34 (5D 4)
Red Lion Sq. Ches —5B 26
Redman Gro. Stoke —5B 28
Redmine Clo. New —1D 32
Redwing Dri. Bid —2D 14
Redwood Pl. Stoke —5A 42
Reedbed Clo. Stoke —1B 28
Reedham Way. Stoke —3J 35
Reeves Av. New —1E 32
Reeves Av. Stoke —1K 27
Refinery St. New —5F 33 (5E 7)
Regency Clo. Tal P —6A 20
Regent Av. Stoke —1J 27
Regent Ct. New —6E 26
Regent Rd. Stoke —3B 34 (6E 5)
Regent St. Leek —3G 17
Regent St. Stoke —1J 39
Reginald Mitchell Ct. Stoke —2C 34 (5G 5)
Reginald St. Stoke —4K 27
Regina St. Stoke —2C 28
Registry St. Stoke —5A 34
Reid St. Stoke —4H 27
Remer St. Stoke —6A 28
Renard Way. Stoke —7C 42
Renfrew Clo. New —5C 32

Renfrew Pl. *Stoke* —5K **39**
Renown Clo. *Stoke* —4E **34**
Repington Rd. *Stoke* —4D **28**
Repton Dri. *New* —1C **38**
Reservoir Rd. *Stoke* —4K **41**
Reynolds Av. *New* —6B **26**
Reynolds Rd. *Stoke* —1K **27**
Rhodes Ct. *New* —5F **27**
Rhodes St. *Stoke* —6C **28**
Rhondda Av. *Stoke* —5B **28**
Ribble Clo. *New* —3E **38**
Ribble Dri. *Bid* —1D **14**
Ribble Ind. Est. *Stoke* —5H **27**
Ribblesdale Av. *Cong* —2J **9**
Ricardo St. *Stoke* —5G **41**
Riceyman Rd. *New* —3E **26**
Richards Av. *Stoke* —1J **27**
Richardson Pl. *Stoke* —5A **22**
Richmond Av. *Stoke* —5C **28**
Richmond Gro. *New* —2G **33**
Richmond Rd. *Stoke* —5J **39**
Richmond St. *Stoke* —5K **33**
Richmond Ter. *Stoke* —3A **34**
Ridding Bank. *Han* —7E **38**
Ridge Clo. *B'stn* —7B **46**
Ridge Cres. *Stoke* —1A **48**
Ridgefields. *Bid M* —1G **15**
Ridgehill Dri. *Mad H & New* —6C **30**
Ridgehouse Dri. *Stoke* —1K **33** (3A **4**)
Ridge Rd. *Stoke* —5G **21**
Ridge Wlk. *Stoke* —7A **42**
Ridgmont Rd. *New* —2C **38**
Ridgway Dri. *B Bri* —7E **42**
Ridgway Pl. *New* —6G **27**
Ridgway Rd. *Stoke* —4B **34**
Ridley St. *Stoke* —1B **40**
Ridley Wlk. *Stoke* —1B **40**
Rigby Rd. *Kid* —7E **12**
Riley Av. *Stoke* —2A **28**
Riley St. N. *Stoke* —4H **27**
Riley St. S. *Stoke* —4J **27**
Rileys Way. *Big E* —2G **25**
Rill St. *Stoke* —2G **41**
Rindle, The. *C'dle* —3E **44**
Ringland Clo. *Stoke* —1C **34** (3H **5**)
Ripon Av. *New* —5B **26**
Ripon Rd. *Stoke* —6E **40**
Riseley Rd. *Stoke* —5G **33** (4H **7**)
Rists Ind. Est. *New* —1C **32**
Rists Rd. *New* —1C **32**
Rivendell La. *Leek* —7G **17**
Riverdale Dri. *Stoke* —3H **21**
Riverdane Rd. *Eat T* —3G **9**
Riverhead Clo. *Stoke* —6E **22**
River Lea M. *Mad* —2B **30**
Riverside Rd. *Stoke* —3H **39**
Riversmead. *New* —2E **38**
River St. *Cong* —4F **9**
Rivington Cres. *Stoke* —5K **21**
Rixdale Clo. *Stoke* —7B **28**
Robert Heath St. *Stoke* —2B **28**
Roberts Av. *New* —3D **32**
Roberts Clo. *Als B* —6G **25**
Robertson Dri. *New* —2C **32**
Robertson Sq. *Stoke* —2H **39**
Robert St. *Stoke* —7G **21**
Robertville Rd. *Stoke* —2G **35**
Robina Dri. *C'dle* —3H **45**
Robin Croft. *Stoke* —4J **27**
Robin Hill Gro. *Stoke* —1G **41**
Robinson Av. *Stoke* —4C **28**
Robinson Ct. *Stoke* —6E **40**
Robinson Rd. *Stoke* —6J **39**
Robson St. *Stoke* —2A **34** (5D **4**)
Roche Av. *Leek* —1H **17**
Rochester Rd. *Stoke* —1G **41**
Rochford Clo. *Leek* —4D **16**
Rochford Way. *Stoke* —4J **35**
Rockfield Av. *L Oaks* —3J **29**
Rock House Dri. *B'stn* —6C **46**
Rockhouse La. *Tal* —3K **19**
(in two parts)
Rocklands. *New* —5F **27**
Rockside. *Mow C* —4F **13**
Rocks, The. *Brn E* —3G **23**
Rode Ct. *Cong* —4H **9**
Rode House Clo. *Rode H* —3G **11**
Rode, The. *Als* —6E **10**
Rodgers St. *Stoke* —3F **21**
Roebuck Shopping Cen. *New* —5E **32** (4D **6**)
Roebuck St. *Stoke* —5B **34**
Roe La. *New* —2D **38**
Roe St. *Cong* —5G **9**
Rogate Clo. *Stoke* —7G **35**
Rogers Av. *New* —2C **32**
Rogerstone Av. *Stoke* —7H **33**
Rolfe Clo. *Stoke* —4K **39**
Roman Dri. *New* —7A **26**
Romer Side. *Stoke* —5H **35**
Romford Pl. *Stoke* —7C **42**
Romney Av. *New* —6B **26**
Romsey Clo. *Stoke* —5J **35**
Ronald St. *Stoke* —4H **41**
(in two parts)
Ronaldsway Dri. *New* —3D **32**
Ronald Wlk. *Stoke* —4H **41**
Ronson Av. *Stoke* —2H **39**
Rood Hill. *Cong* —4F **9**
Rood La. *Cong* —4F **9**
Rookery Av. *Stoke* —5F **41**
Rookery Ct. *Stoke* —3H **39**
Rookery Cres. *C'wll* —5K **49**
Rookery La. *Stoke* —3J **39**
Rookery Rd. *Kid* —7F **13**
Rookery, The. *New* —4K **31**
Rope St. *Stoke* —4G **33** (3G **7**)
Rope Wlk. *Cong* —4F **9**
Roseacre. *New* —5C **32**
Roseacre Gro. *Stoke* —1A **48**
Roseacre La. *B Bri* —1G **49**
Rose Bank St. *Leek* —3G **17**
Roseberry Dri. *Mad* —1B **30**
Roseberry St. *Stoke* —6J **21**
Rosebery Clo. *Bid* —2D **14**
Rose Cotts. *End* —1K **23**
Rosehill Clo. *Stoke* —3G **29**
Roseland Cres. *Stoke* —3G **29**
Rosemary Pl. *Stoke* —5D **28**
Rosemary St. *New* —4B **32**
Rosendale Av. *New* —6C **26**
Roseneath Pl. *Stoke* —3G **29**
Rosery, The. *Stoke* —7H **39**
Rose St. *Stoke* —7D **28**
Rose Tree Av. *Stoke* —4H **39**
Rosevale Ct. *New* —4B **26**
Rosevale La. *New* —4B **26**
Rosevale Rd. *Park I* —4B **26**
Rosevale St. *Stoke* —3G **29**
Rosevean Clo. *Stoke* —7B **28** (1E **5**)
Roseville Dri. *Cong* —7K **9**
Rosewood Av. *Stoc B* —7H **23**
Rossall Av. *New* —1C **38**
Ross Clo. *Stoke* —2B **42**
Rossett Gro. *Stoke* —3J **21**
Rosslyn Rd. *Stoke* —4H **41**
Rosy Bank. *Werr* —1H **29**
Rothbury St. *Stoke* —3H **41**
Rother Wlk. *Stoke* —7K **21**
Rothesay Av. *New* —6C **32**
Rothesay Ct. *New* —6C **32**
Rothesay Ct. *Stoke* —4J **41**
Rothesay Rd. *Stoke* —4J **41**
Rothley Grn. *Stoke* —6E **40**
Rothsay Av. *Stoke* —4C **28**
Rothwell St. *Stoke* —7J **33**
Rotterdam. *New* —4C **32**
Rotterdam Rd. *New* —4C **32**
Roughcote La. *Cav* —7D **36**
Roughwood La. *Has G* —1B **10**
Roundfields. *Stoc B* —1H **29**
Roundway. *Stoke* —4D **40**
Roundwell St. *Stoke* —1G **27**
Rowanall View. *Leek* —5D **16**
Rowanburn Clo. *Stoke* —1J **41**
Rowan Clo. *Als* —4E **10**
Rowan Clo. *Bid M* —2G **15**
Rowan Clo. *Kid* —3D **20**
Rowan Gro. *Stoke* —3D **40**
Rowan Pl. *New* —4B **26**
Rowhurst Clo. *Row I* —5A **26**
Rowhurst Clo. Ind. Est. *Row I* —5K **25**
Rowhurst Pl. *Stoke* —6B **22**
Rowland St. *Stoke* —5G **41**
Rowley Av. *New* —5B **26**
Rownall Pl. *Stoke* —4B **42**
Rownall Rd. *Stoke* —4B **42**
Rownall Rd. *Wet R* —1E **36**
Roxburghe Av. *Stoke* —4J **41**
*Royal Overhouse Pottery. Stoke (off New St.) —4J **27***
Royal St. *Stoke* —1F **41**
Royce Av. *Knyp* —5A **14**
Roycroft Clo. *New* —4E **26**
Royden Av. *Stoke* —1E **34**
Roylance St. *Stoke* —1G **27**
Royle St. *Cong* —4F **9**
Royston Wlk. *Stoke* —3H **41**
Royville Pl. *Stoke* —4C **28**
Rubens Way. *Stoke* —1C **48**
Rubian St. *Stoke* —7E **34**
Rudyard Gro. *New* —1F **33**
Rudyard Rd. *Bid M* —1G **15**
Rudyard Rd. *Rud* —1A **16**
Rudyard Way. *C'dle* —2J **45**
Rugby Clo. *New* —1C **38**
Rugby Dri. *Stoke* —5G **41**
Runnymede Clo. *Stoke* —2G **35**
Rupert St. *Bid* —2B **14**
Rushcliffe Dri. *Stoke* —7B **42**
Rushmoor Gro. *Stoke* —7C **42**
Rushton. *New* —2C **38**
Rushton Clo. *Brn E* —4G **23**
Rushton Gro. *Stoke* —5K **27**
Rushton Rd. *Stoke* —5K **27**
Rushton Way. *For* —6H **43**
Ruskin Clo. *Stoke* —2J **41**
Ruskin Rd. *Cong* —5E **8**
Rusper Clo. *Stoke* —6E **28**
Russell Av. *Als* —5D **10**
Russell Clo. *Cong* —7H **9**
Russell Gro. *Werr* —1C **36**
Russell Pl. *Stoke* —5G **21**
Russell Rd. *Stoke* —5G **21**
Russell St. *Leek* —4F **17**
Russell St. *New* —7F **27**
Russell St. *Stoke* —5G **41**
Rustington Av. *Stoke* —3K **41**
Ruston Av. *Stoke* —5A **22**
Rutherford Av. *New* —3E **38**
Rutherford Pl. *Stoke* —6H **33**
Ruthin Rd. *Stoke* —3H **35**
Rutland Clo. *Cong* —3G **9**
Rutland Pl. *New* —2F **39**
Rutland Rd. *Kid* —1D **20**
Rutland Rd. *Stoke* —2H **41**
Rutland St. *Stoke* —7A **28** (1C **4**)
Ruxley Ct. *Stoke* —2F **35**
Ruxley Rd. *Stoke* —2E **34**
Rydal Ct. *Cong* —5C **8**
Rydal Way. *Als* —5D **10**
Rydal Way. *New* —2E **38**
Ryder Rd. *Stoke* —6B **42**
Rye Bank. *New* —4E **32** (3D **6**)
Rye Bank Cres. *New* —4F **33** (2D **6**)
Ryebrook Gro. *Stoke* —5J **21**
Rye Clo. *Als* —7C **10**
Ryecroft. *New* —4E **32** (2C **6**)
Ryecroft Rd. *Stoke* —1D **28**
Rye Hills. *Big E* —3F **25**
Rylestone Clo. *Stoke* —7C **42**

Sackville St. *Stoke* —3H **33**
Saffron Clo. *Stoke* —1B **48**
Sage Clo. *Stoke* —3B **34** (6F **5**)
St Aidan's St. *Stoke* —7G **21**
St Andrews Cres. *Stoke* —5C **28**
St Andrews Dri. *Kid* —7F **13**
St Andrew's Dri. *New* —5C **32**
St Andrews Gdns. *Als* —1F **19**
St Andrews Sq. *Stoke* —6K **33**
St Anne's Vale. *Brn E* —2G **23**
St Ann St. *Stoke* —1C **34** (3H **5**)
St Ann Wlk. *Stoke* —3H **5**
St Anthony's Dri. *New* —6C **32**
St Bartholomews Clo. *Stoke* —7D **22**
St Bernard Pl. *Stoke* —7F **29**
St Bernard's Rd. *New* —3C **32**
St Chads Rd. *Stoke* —1H **27**
St Chad's Ter. *New* —2A **26**
St Christopher Av. *Stoke* —6H **33**
St Clair St. *Stoke* —4H **41**
St Dominic's Ct. *Stoke* —5K **33**
St Edmund's Av. *New* —5G **27**
St Edward St. *Leek* —4F **17**
St Georges Av. *End* —5K **23**
St Georges Av. *Stoke* —7K **21**
St Georges Av. N. *New* —7E **26**
St George's Av. S. *New* —7E **26**
St George's Av. W. *New* —7E **26**
St Georges Cres. *Stoke* —5K **39**
St George's Rd. *New* —5D **32** (4A **6**)
St Giles Rd. *New* —3C **32**
St Gregorys Rd. *Stoke* —3F **41**
St Helier Clo. *New* —3C **38**
St James Av. *Cong* —5E **8**
St James Pl. *Stoke* —5K **39**
St James St. *Stoke* —2A **34** (5D **4**)
St John's Av. *New* —1F **33**
St John's Av. *Stoke* —2H **39**
St Johns Pl. *Bid* —3C **14**
St John's Pl. *New* —3C **32**
St John's Rd. *Bid* —4B **14**
St John's Rd. *Cong* —3H **9**
St John's Sq. *Stoke* —4J **27**
St John St. *Stoke* —7C **28** (1G **5**)
St Johns Wood. *Kid* —2C **20**
St Joseph St. *Stoke* —4G **21**
St Lucy's Dri. *New* —5F **27**
St Luke's Clo. *New* —3J **31**
St Luke's Ct. *Stoke* —4G **5**
St Luke St. *Stoke* —2C **34** (4H **5**)
St Luke St. *Stoke* —2C **34**
St Margaret's Ct. *New* —7G **27**
St Margaret's Dri. *Stoke* —4D **28**
St Margarets Gro. *Stoke* —3D **40**
St Mark's Clo. *Stoke* —3A **34** (5D **4**)
St Mark's St. *Stoke* —3A **34** (6D **4**)
St Martin's La. *Stoke* —3H **41**
St Martin's Rd. *New* —5C **32**
St Martin's Rd. *Tal P* —5B **20**
St Mary's Clo. *Als* —5D **10**
St Mary's Ct. *Cong* —5C **8**
St Mary's Dri. *New* —5D **32** (4A **6**)
St Mary's Rd. *New* —7G **27**
St Mary's Rd. *Stoke* —1J **41**
St Matthew St. *Stoke* —7E **34**
St Michael's Cotts. *Hul W* —1D **8**
St Michael's Ho. *Stoke* —5J **21**
St Michael's Rd. *New* —2E **32**
St Michael's Rd. *Stoke* —6J **21**
St Nicholas Av. *Stoke* —1D **28**
St Patrick's Dri. *New* —5C **32**
St Paul's Ct. *Stoke* —4E **40**
*St Pauls Ct. Stoke —4H **27** (off St Pauls St.)*
St Paul's Rd. *New* —4D **32** (3A **6**)
St Pauls St. *Stoke* —4H **27**
St Peters Rd. *Cong* —6G **9**
St Peter's Wlk. *Stoke* —6K **27**
St Saviours St. *Tal* —2A **20**
*St Stephens Ct. Cong —4H **9** (off Herbert St.)*
St Thomas Pl. *Stoke* —7J **33**
St Thomas St. *Mow C* —3G **13**
St Vincent Pl. *New* —3B **32**
Salcombe Pl. *Stoke* —5C **28**
Salem St. *Stoke* —2J **33**
Salford Pl. *Cong* —4G **9**
Salisbury Av. *Stoke* —3B **34**
Salisbury Clo. *Mad* —6A **30**
Salisbury St. *Leek* —3F **17**
Salisbury St. *Stoke* —1H **27**
Salkeld Pl. *Stoke* —6A **22**
Salop Gro. *New* —2F **39**
Salop Pl. *Kid* —7D **12**
Saltdean Clo. *Stoke* —4K **41**
Salters Clo. *Werr* —2C **36**
Salters La. *Werr* —2C **36**
Salt Line. *Wint* —2B **10**
Sampson St. *Stoke* —1A **34** (2D **4**)
Samuel St. *Pac* —2J **21**
Sancton Grn. *Stoke* —4H **27**
Sandbach Rd. *Chu L* —4E **10**
Sandbach Rd. *Cong* —4B **8**
Sandbach Rd. *Rode H* —1E **10**
Sandbach Rd. *Stoke* —5A **28**
Sandbach Rd. N. *Als* —6D **10**
Sandbach Rd. S. *Als* —7E **10**

Sandcrest Pl. Stoke —5A 42
Sandcrest Wlk. Stoke —5A 42
Sanderson Pl. New —6E 26
Sandford St. New —4B 26
Sandford St. Stoke —1H 41
Sandgate St. Stoke —3J 41
Sandhurst Av. Stoke —5A 42
Sandhurst Clo. New —1F 33
Sandhurst Pl. Stoke —6A 42
Sandiway Pl. Stoke —6D 28
Sandon Av. New —1D 38
Sandon Clo. C'wll —5K 49
Sandon Ct. Stoke —7A 42
Sandon Old Rd. Stoke —7A 42
Sandon Rd. C'wll —5K 49
Sandon Rd. Stoke —7A 42
Sandon St. Leek —5F 17
Sandon St. Stoke —2K 33 (4B 4)
Sandown Clo. C'dle —1H 45
Sandown Pl. Stoke —2H 29
Sandra Clo. Stoke —2K 27
Sandringham Cres. Stoke —5K 39
Sandsdown Clo. Bid —1B 14
Sandside Rd. Als —7C 10
Sands La. Stoke —7F 15
Sands Rd. Har —4H 13
Sandwell Pl. Stoke —6K 41
Sandwick Cres. Stoke —7E 28
Sandwood Cres. Stoke —1H 41
Sandy Brook Clo. Leek —6G 17
Sandybrook La. Leek —7G 17
Sandyfield Rd. Stoke —7D 28
Sandy Hill. Werr —1D 36
Sandylands Cres. Chu L —5F 11
Sandy La. Brn E —3G 23
Sandy La. Cong —5D 8
Sandy La. New —3F 33 (1G 7)
Sandy La. Som —3A 8
Sandy La. Stoke —2H 29
Sandy Rd. Gil H —2H 15
Sandy Rd. Stoke —4G 21
Sangster La. Stoke —2C 28
Sant St. Stoke —4H 27
Saplings, The. New —3F 39
Saracen Way. Stoke —5B 42
Sargeant Av. Stoke —5K 21
Sark Clo. New —2B 38
Sark Pl. Stoke —7J 35
Sarver La. Dil —2K 43
Saturn Rd. Stoke —3B 28
Saunders Rd. New —1E 32
Saverley Grn. Rd. Ful —7F 49
Sawpit Yd. Mad —6A 30
Sawyer Dri. Bid —1B 14
Scarlett St. New —5E 32 (4D 6)
Scarratt Clo. For —6J 43
Scarratt Dri. For —7J 43
Sceptre St. Stoke —2B 34 (5E 5)
School Clo. Big E —4H 25
School Clo. Leek —5D 16
School La. A'bry —7D 8
School La. Bid M —1G 15
School La. Cav —3E 42
School La. Long —6A 16
School La. Stoke —6E 40
School Rd. Bag —2K 29
School Rd. Stoke —7F 29
School St. Ches —6C 26
School St. Leek —3F 17
School St. New —4F 33 (3E 7)
School St. Stoke —3H 39
Scot Hay Rd. Als B —1F 31
Scot Hay Rd. Sil —2F 31
Scotia Bus. Pk. Stoke —2H 27
Scotia Rd. Stoke —1H 27
Scott Clo. Rode H —2F 11
Scott Lidgett Ind. Est. Stoke —5G 27
Scott Lidgett Rd. Stoke —5G 27
Scott Rd. Stoke —6J 21
Scott St. New —4F 33 (3E 7)
Scragg St. Pac —3J 21
Scrimshaw Dri. Stoke —1B 28
Scrivener Rd. Stoke —4J 33
Seabridge La. New —2B 38
Seabridge Rd. New —6D 32
Seaford St. Stoke —4A 34
Seagrave Pl. New —7D 32
Seagrave St. New —4F 33 (3F 7)
Seaton Clo. Stoke —6K 41
Sebring Av. Stoke —6K 41
Second Av. Kid —2B 20
Second Av. New —5F 27
Second Av. Stoke —1J 35
Sedbergh Clo. New —2B 38
Seddon Ct. Stoke —3H 5
Seddon Rd. Stoke —6A 42
Sedgley Wlk. Stoke —2H 41
Seedfields Rd. Stoke —3D 40
Sefton Av. Cong —6J 9
Sefton Av. Stoke —5D 28
Sefton Rd. Stoke —4K 41
Sefton St. Stoke —2K 33 (4B 4)
Selborne Rd. Leek —5F 17
Selbourne Dri. Stoke —4J 21
Selby Clo. New —1D 38
Selby St. Stoke —1C 42
Selby Wlk. Stoke —7D 40
Selwood Clo. Stoke —5J 41
Selworthy Rd. Stoke —6F 23
Selwyn St. Stoke —7A 34
Semper Clo. Cong —3J 9
Settle Gro. Stoke —7B 42
Seven Arches Way. Stoke —6B 34
Sevenoaks Gro. Stoke —1C 48
Severn Clo. Bid —2D 14
Severn Clo. Cong —6H 9
Severn Dri. New —3E 38
Severn St. Stoke —7A 28
Seymour St. Stoke —2D 34
Shackson Clo. Stoke —3B 34
Shady Gro. Als —6E 10
Shaftesbury Av. Stoke —2K 27
Shakerley Av. Cong —4H 9
Shakespeare Clo. Kid —3C 20
Shakespeare Clo. Stoke —2F 29
Shakespeare Ct. Bid —3B 14
Shaldon Av. Stoc B —7H 23
Shallowford Ct. Stoke —2K 33 (5B 4)
Shannon Dri. Stoke —4E 20
Shardlow Clo. Stoke —7F 35
Sharman Clo. Stoke —6J 33
Sharron Dri. Leek —4J 17
Shaw Pl. Leek —3H 17
Shawport Av. New —4D 26
Shaw St. Bid —3B 14
Shaw St. New —4E 32 (2C 6)
Shaw St. Stoke —7A 28 (1B 4)
Sheaf Pas. Stoke —3H 41
Sheaf St. Stoke —3A 34 (6D 4)
Shearer St. Stoke —3A 34
Sheep Mkt. Leek —3F 17
Shefford Rd. New —3C 38
Shelburne St. Stoke —1K 39
Sheldon Av. Cong —6J 9
Sheldon Gro. New —6C 26
Sheldrake Gro. Stoke —7G 35
Shelford Rd. Stoke —5G 21
Shelley Clo. Kid —3D 20
Shelley Clo. Rode H —2F 11
Shelley Dri. C'dle —4F 45
Shelley Rd. Stoke —6G 29
Shelsley Rd. C'dle —2J 45
Shelton Farm Rd. Stoke —3A 34
Shelton New Rd. Stoke —4G 33 (3G 7)
Shelton Old Rd. Stoke —5K 33
Shemilt Cres. Stoke —1B 28
Shendon Ct. New —5D 26
Shenfield Grn. Stoke —3J 35
Shenton St. Stoke —1J 41
Shepherd St. Bid —3B 14
Shepley Gro. Stoke —7D 40
Sheppard St. Stoke —7K 33
Sherborne Clo. Stoke —7D 40
Sherborne Dri. New —2D 38
Sheridan Gdns. Stoke —4E 40
Sheringham Pl. New —1G 33
Sherratt Clo. Cong —5G 9
Sherratt St. Stoke —1B 28
Sherwin Rd. Stoke —1J 27
Sherwood Rd. Stoke —7A 42
Shetland Rd. Stoke —3E 40
Shillingford Dri. Stoke —6A 40
Shilton Clo. Stoke —1J 39
Shinwell Gro. Stoke —6B 42
Ship Pl. Stoke —2B 28
Shirburn Rd. Leek —3H 17
Shirburn Ter. Leek —4H 17
Shirebrook Clo. Stoke —7D 40
Shirley Av. Werr —1C 36
Shirley Rd. Stoke —3B 34
Shirley St. Leek —4E 16
Shirley St. Stoke —4G 27
Shoobridge St. Leek —4G 17
Short Bambury St. Stoke —7J 35
Short St. Stoke —3H 41
Shorwell Gro. Stoke —3H 21
Shotsfield Pl. Stoke —3F 29
Shotsfield St. Stoke —3F 29
Showan Av. New —2G 33
Shraleybrook Rd. Halm —4B 24
Shrewsbury Dri. New —2B 26
Shugborough Clo. Werr —3B 36
Sidcot Pl. Stoke —5C 28
Sideway. Stoke —3A 40
Sideway Rd. Stoke —2A 40
Sidings Pl. Stoke —2G 41
Sidmouth Av. New —4F 33 (2E 7)
Silk St. Cong —5E 8
Silk St. Leek —3F 17
Sillitoe Pl. Stoke —7K 33
Silsden Gro. Stoke —4D 42
Silver Clo. Bid —2B 14
Silverdale. New —3K 31
Silverdale Rd. Sil —4A 32
Silverdale Rd. Wol —7F 27
Silverdale St. New —2B 32
Silvergate Ct. Cong —7G 9
Silvermine Clo. Kid —1E 20
Silver Ridge. B'stn —7B 46
Silverstone Av. C'dle —2H 45
Silverstone Cres. Stoke —3H 21
Silver St. C'dle —1H 45
Silver St. Cong —5G 9
Silver St. Stoke —7D 22
Silverton Clo. New —4D 26
Silverwood. Kid —2E 20
Simonburn Av. Stoke —6H 33
Simon Pl. Stoke —4A 34
Simpson St. New —7E 26
Simpson St. Stoke —3C 34
Sinclair Av. Als —7C 10
Siskin Pl. Stoke —7C 42
Sitwell Gro. Stoke —2J 41
Skellern Av. Stoke —1B 28
Skellern St. Tal —1A 20
Skipacre Av. Stoke —3C 28
Skye Clo. Stoke —3K 41
Slacken La. Tal —1A 20
Slaidburn Gro. Stoke —7E 28
Slaney St. New —6F 33 (6F 7)
Slapton Clo. Stoke —4E 34
Slater St. Bid —3B 14
Slater St. Stoke —5H 27
Sleeve, The. Leek —5D 16
Slindon Clo. New —3A 26
Slippery La. Stoke —2A 34 (4D 4)
Sloane Way. Stoke —7G 35
Smallwood Clo. New —3A 26
Smallwood Ct. Cong —4H 9 (off Fox St.)
Smallwood Gro. Stoke —6E 28
Smith Child St. Stoke —7G 21
Smith Clo. Als —7C 10
Smithfield Ct. Stoke —3B 34 (6E 5)
Smithpool Rd. Stoke —1B 40
Smiths Bldgs. Stoke —5B 42 (off Weston Rd.)
Smiths Pas. Stoke —1F 41
Smith St. Stoke —2H 41
Smithyfield Rd. Stoke —7C 22
Smithy Gro. Has G —1B 10
Smithy La. Bid —2J 15
Smithy La. Hul W —1D 8
Smithy La. Stoke —3H 41
Smokies Way. Bid —1B 14
Sneyd Av. Leek —4F 17
Sneyd Av. New —6C 32
Sneyd Cres. New —6C 32
Sneyd Hill. Stoke —4A 28
Sneyd Hill Trad. Est. Stoke —3A 28
Sneyd Pl. Stoke —5F 21
Sneyd St. Leek —4F 17
Sneyd St. Stoke —6A 28
Sneyd Ter. New —3J 31
Sneyd Trad. Est. Stoke —4A 28
Snowden Way. Stoke —4C 42
Snow Hill. Stoke —3A 34
Soames Cres. Stoke —7G 35
Solly Cres. Cong —5C 8
Solway Gro. Stoke —2K 41
Somerley Rd. Stoke —6E 28
Somerset Av. Kid —1C 20
Somerset Clo. Cong —3F 9
Somerset Rd. Stoke —1D 34
Somerton Rd. Werr —2B 36
Somerton Way. Stoke —1J 41
Somerville Av. New —2G 33
Sonnet, The. C'dle —4F 45
Sorrel Clo. Stoke —2F 35
Sorrento Clo. Stoke —2K 41
Souldern Way. Stoke —2J 41
Southall Way. Stoke —4F 35
Southampton St. Stoke —1G 5
S. Bank Gro. Cong —5H 9
Southbank St. Leek —4G 17
Southborough Cres. Stoke —7A 22
South Clo. Als —6B 10
Southern Ct. Stoke —6K 33
Southern Way. Stoke —3C 28
Southgate Av. Stoke —1B 46
Southlands. New —7F 27
Southlands Av. Stoke —5G 41
Southlands Clo. Leek —3D 16
Southlands Rd. Cong —6J 9
Southlowe Av. Werr —1F 37
Southlowe Rd. Werr —1F 37
South Pl. Stoke —5C 22
South Rd. Stoke —7G 29
South St. Cong —4F 9
South St. Mow C —4E 12
South St. Stoke —5C 22
South Ter. New —7F 27
South Ter. Stoke —1K 39
South View. Bid —2B 14
South View. Stoke —3A 48
South Wlk. Stoke —5C 42
S. Wolfe St. Stoke —6A 34
Spalding Pl. Stoke —5K 35
Sparch Av. New —1F 33
Sparch Gro. New —1F 33
Sparch Hollow. New —1F 33
Spark St. Stoke —6K 33
Spark Ter. Stoke —6K 33
Sparrow Butts Gro. Kid —1F 21
Sparrow St. Stoke —2C 28
Sparrow Ter. New —6E 26
Spa St. Stoke —5B 28
Speakman St. Stoke —4J 41
Spedding Rd. Fen I —5D 34
Spedding Way. Bid —2D 14
Speedwall St. Stoke —1H 41
Speedwell Rd. Park I —3C 26
Spencer Av. End —5K 23
Spencer Av. Leek —4F 17
Spencer Clo. Als —6A 10
Spencer Pl. New —6B 26
Spencer Rd. Stoke —5B 34
Spencroft Rd. New —7C 26
Spens St. Stoke —4J 27
Sperry Clo. Stoke —7C 42
Spey Dri. Kid —1F 21
Spindle St. Cong —4G 9
Spinney Clo. End —3K 23
Spinney, The. Chu L —6B 12
Spinney, The. Mad H —5B 30
Spinney, The. New —4F 39
Spire Clo. Stoke —1D 28
Spode Clo. C'dle —4F 45
Spode Gro. New —3E 38
Spode St. Stoke —1A 40
Spoutfield Rd. Stoke —4J 33
Spout Hollow. Tal P —5A 20
Spout La. Stoke —3H 29
Spragg Ho. La. Stoke —1D 28
Spragg St. Cong —4G 9
Spratslade Dri. Stoke —4G 41
Spring Bank. Sch G —2D 12
Springbank Av. End —5K 23
Spring Clo. Rode H —2F 11
Spring Cres. Brn E —4H 23
Springcroft. B Bri —1G 49
Springfield Clo. Leek —4H 17
Springfield Clo. New —6C 26
Springfield Ct. Leek —3H 17

Springfield Cres. *Stoke* —4G **41**
Springfield Dri. *Cong* —4F **9**
Springfield Dri. *For* —6H **43**
Springfield Dri. *Leek* —3H **17**
Springfield Gro. *Bid* —3C **14**
Springfield Rd. *Bid* —3C **14**
Springfield Rd. *Leek* —4H **17**
Springfields. *B Bri* —1F **49**
Springfields Rd. *Stoke* —7H **33**
Spring Garden Rd. *Stoke* —4G **41**
Spring Gdns. *For* —6J **43**
Spring Gdns. *Leek* —4E **16**
Spring Garden Ter. *Stoke* —4G **41**
Springhead Clo. *Tal P* —5A **20**
Springpool. *K'le* —7K **31**
Spring Rd. *Stoke* —4K **41**
Springside Pl. *Stoke* —7D **40**
Spring St. *Stoke* —4G **33** (3G **7**)
Spring View. *Brn E* —4H **23**
Springwood Rd. *New* —4K **25**
Sprink Bank Rd. *Stoke* —6K **21**
Sprinkwood Gro. *Stoke* —3B **42**
Sproston Rd. *Stoke* —6J **21**
Spruce Gro. *Rode H* —3G **11**
Spur St. *Stoke* —3C **34**
Square, The. *New* —7D **32**
Square, The. *Stoke* —4C **42**
Squires View. *Stoke* —6B **34**
Squirrel Hayes Av. *Knyp* —4D **14**
Squirrels, The. *New* —3F **39**
Stadmorslow La. *Har* —6J **13**
Stafford Av. *New* —1F **39**
Stafford Cres. *New* —2F **39**
Stafford La. *Stoke* —1B **34** (3F **5**)
Stafford St. *Stoke* —1B **34** (3E **5**)
Stallington Clo. *B Bri* —3E **48**
Stallington Gdns. *B Bri* —1G **49**
Stallington Rd. *Stoke* —5C **48**
Stamer St. *Stoke* —7A **34**
Standard St. *Stoke* —7C **34**
Standersfoot Pl. *Stoke* —5A **22**
Standon Av. *New* —2A **26**
Stanfield Cres. *C'dle* —5G **45**
Stanfield Rd. *Stoke* —3K **27**
Stanfield St. *Stoke* —7J **35**
Stanhope St. *Stoke* —3A **34** (6C **4**)
Stanier St. *New* —4D **32** (3B **6**)
Stanier St. *Stoke* —7D **34**
Stanley Ct. *Als* —6D **10**
Stanley Dri. *New* —3K **25**
Stanley Grn. *Stoke* —2F **29**
Stanley Gro. *New* —3G **33**
Stanley Gro. *Stoke* —2G **29**
Stanley Moss La. *Stoc B* —6K **23**
Stanley Moss Rd. *Stoc B* —6K **23**
Stanley Rd. *Gil H* —2H **15**
Stanley Rd. *New* —3G **33**
Stanley Rd. *Stoc B* —7J **23**
Stanley Rd. *Stoke* —5H **33**
Stanley St. *Bid* —2B **14**
Stanley St. *Leek* —4F **17**
Stanley St. *Stoke* —7H **21**
Stansgate Pl. *Stoke* —7A **28** (1C **4**)
Stansmore Rd. *Stoke* —4C **42**
Stanton Clo. *New* —3C **32**
Stanton Rd. *Stoke* —5B **42**
Stanway Av. *Stoke* —5B **28**
Stapleton Cres. *Stoke* —5F **41**
Star & Garter Rd. *Stoke* —5K **41**
Starling Clo. *Kid* —7G **13**
Starwood Rd. *Stoke* —6K **41**
Statham St. *Stoke* —2A **34** (5D **4**)
Station Bri. Rd. *Stoke* —1D **40**
Station Cres. *Stoke* —2C **28**
Station Dri. *K'le* —5E **30**
Station Gro. *Stoke* —3F **29**
Station Rd. *Als* —7D **10**
Station Rd. *B'stn* —6C **46**
Station Rd. *Bid* —1B **14**
Station Rd. *C'dle* —4G **45**
Station Rd. *End* —2K **23**
Station Rd. *Halm* —5E **24**
Station Rd. *K'le* —5F **31**
Station Rd. *Kid* —2C **20**
Station Rd. *Mad* —3B **30**
Station Rd. *Mow C* —2E **12**
Station Rd. *New* —5D **30**
Station Rd. *N'cpl* —2H **21**
Station Rd. *Sch G* —3B **12**
Station Rd. *Sil* —3J **31**
Station Rd. *Stoke* —5A **34**
Station St. *Leek* —4E **16**
Station St. *Stoke* —5G **27**
Station View. *Stoke* —5B **42**
Station Walks. *Halm* —5E **24**
Station Walks. *New* —4E **32** (2D **6**)
(in two parts)
Staveley Clo. *Stoke* —2F **35**
Staveley Pl. *New* —4H **31**
Stead St. *Stoke* —7A **34**
Stedman St. *Stoke* —7C **28**
Steele Av. *Stoke* —2A **28**
Steel St. *Stoke* —5H **33**
Stellar St. *Stoke* —3B **28**
Stephens Way. *Big E* —2G **25**
Step Row. Leek —4F 17
(off Cornhill St.)
Sterndale Dri. *New* —3E **38**
Sterndale Dri. *Stoke* —7G **35**
Stevenson Rd. *Stoke* —1F **35**
Steventon Pl. *Stoke* —4J **27**
Stewart Ct. *Stoke* —4J **35**
Stewart St. *Stoke* —7C **34**
Stile Clo. *Bid* —5A **14**
Stirling St. *Stoke* —4K **27**
Stockfield Rd. *Stoke* —7A **42**
Stockholm Gro. *Stoke* —5E **28**
Stockwell Clo. *Stoke* —3J **41**
Stockwell Gro. *Stoke* —3J **41**
Stockwell St. *Leek* —3F **17**
Stockwood Rd. *New* —2C **38**
Stoke Old Rd. *Stoke* —4G **33** (3H **7**)
Stoke Rd. *Stoke* —4A **34**
Stokesay Gro. *Stoke* —5K **27**
Stone Bank Rd. *Kid* —3D **20**
Stone Chair La. *Sch G* —2B **12**
Stonehaven Gro. *Stoke* —3C **34**
Stonehouse Cres. *Werr* —2C **36**
Stonehouse Grn. *Cong* —4F **9**
Stonehouse La. *Brn E* —2F **23**
Stonehouse Rd. *Werr* —2C **36**
Stoneleigh Rd. *Stoke* —6K **21**
Stone Rd. *R'gh C* —5K **47**
Stone Rd. *Stoke* —3H **39**
Stone Rd. *T'sor* —5A **46**
Stone St. *Stoke* —6K **33**
(in two parts)
Stonewall Pl. *New* —3A **32**
Stonewall Pl. Ind. Est. *New* —3A **32**
Stonewood Clo. *Stoke* —4H **39**
Stoneycroft. *Stoke* —2G **29**
Stoneyfields. *Bid M* —2G **15**
Stoneyfields Av. *Stoke* —2G **29**
Stoneyfields Ct. *New* —3G **33** (1G **7**)
Stoney La. *End* —4K **23**
Stonor St. *Stoke* —6K **27**
Stony La. *A'bry* —6E **8**
Stopsley Clo. *Cong* —3B **8**
Stormont Clo. *Stoke* —2B **28**
Stowford Gro. *Stoke* —6A **40**
Stradbroke Dri. *Stoke* —5F **41**
Strand Clo. *Stoke* —3F **35**
Strand Pas. Stoke —3G 41
(off Strand, The.)
Strand, The. *Stoke* —3G **41**
Strangman St. *Leek* —4F **17**
Stranraer Clo. *Stoke* —2C **42**
Stratford Av. *New* —2G **33**
Stratford Clo. *For* —6H **43**
Stratford Clo. *Stoke* —3E **28**
Stratheden Rd. *Stoke* —2A **28**
Street La. *Rode H* —1G **11**
Stretton Rd. *New* —3G **31**
Stringer Ct. *Stoke* —1G **27**
Stringer St. *Bid* —2B **14**
Stroma Clo. *Stoke* —5J **27**
Stross Av. *Stoke* —6J **21**
Stroud Clo. *Stoke* —7C **42**
Stuart Av. *Dray* —1K **49**
Stuart Av. *Stoke* —7K **39**
Stuart Gro. *New* —1F **33**
Stuart Rd. *Stoke* —3C **34**
Stubbsfield Rd. *New* —6F **33** (6F **7**)
Stubbs Ga. *New* —5F **33** (5E **7**)
Stubbs La. *Stoke* —2C **34** (5G **5**)
Stubbs St. *New* —5E **32** (4E **7**)
Stubbs St. *Stoke* —4H **27**
Stubbs' Walks. *New* —5F **33**
Sturgess St. *Stoke* —7K **33**
Sudbourne Clo. *Stoke* —3H **21**
Sudbury Pl. *New* —4E **38**
Sudgrove Pl. *Stoke* —7C **42**
Sudlow St. *Stoke* —5A **28**
Suffolk Clo. *Cong* —3F **9**
Suffolk Clo. *New* —2G **39**
Sumerford Ct. Cong —4H 9
(off Fox St.)
Summerbank Rd. *Stoke* —7G **21**
Summerfield. *Kid* —2E **20**
Summerhill Dri. *New* —3A **26**
Summer Row. *Stoke* —4G **41**
Summer St. *Stoke* —1K **39**
Summerville Rd. *Stoke* —3H **39**
Sunbury Clo. *Stoke* —1B **46**
Sundorne Pl. *Stoke* —3G **35**
Sunningdale Clo. *Stoke* —1A **28**
Sunningdale Gro. *New* —4A **26**
Sunny Bank. *Stoke* —6H **27**
Sunnycroft Av. *Stoke* —5F **41**
Sunnyfield Oval. *Stoke* —3H **29**
Sunnyhills Rd. *Leek* —6E **16**
Sunny Hollow. *New* —2F **33**
Sunnyside. *Als* —6B **10**
Sunnyside Av. *Stoke* —1J **27**
Sunridge Clo. *Stoke* —2G **29**
Sun St. *C'dle* —3H **45**
Sun St. *Stoke* —3K **33** (6B **4**)
Sun Wlk. *Stoke* —5D **4**
Surrey Dri. *Cong* —3G **9**
Surrey Rd. *Kid* —1D **20**
Surtees Gro. *Stoke* —1G **41**
Sussex Dri. *Kid* —1C **20**
Sussex Pl. *Cong* —2G **9**
Sutherland Av. *Stoke* —5G **41**
Sutherland Cres. *B Bri* —7F **43**
Sutherland Dri. *New* —1C **38**
Sutherland Pl. *Stoke* —4J **41**
Sutherland Rd. *Long* —7B **16**
Sutherland Rd. *Stoke* —3H **41**
Sutherland St. *Stoke* —7B **34**
Sutton Dri. *Stoke* —2J **39**
Sutton Pl. *Stoke* —6A **22**
Sutton St. *Ches* —6B **26**
Swaffham Way. *Stoke* —3J **35**
Swainsley Clo. *Stoke* —5K **27**
Swaledale Av. *Cong* —2J **9**
Swallow Clo. *Kid* —1D **20**
Swallow Clo. *Stoke* —7B **42**
Swallow Croft. *Leek* —6D **16**
Swallowmore View. *Tal* —3K **19**
Swallow Wlk. *Bid* —3D **14**
Swanage Clo. *Stoke* —7C **42**
Swan Bank. *Cong* —5F **9**
Swan Bank. *Tal* —4A **20**
Swan Clo. *Tal* —3A **20**
Swanland Gro. *Stoke* —2J **41**
Swan La. *Stoke* —3H **39**
Swan Sq. *Stoke* —4J **27**
Swan St. *Cong* —5F **9**
Swan St. *Stoke* —5K **33**
Swanton Pl. *Stoke* —7J **39**
Swaythling Gro. *Stoke* —4J **35**
Swettenham Clo. *Als* —7D **10**
Swift Clo. *Kid* —1E **20**
Swift Dri. *Bid* —2D **14**
Swift Ho. *Stoke* —2E **5**
Swift Pl. *Stoke* —1A **42**
Swinburne Clo. *Stoke* —4E **40**
Swingle Hill Rd. *Stoke* —3E **40**
Swithin Dri. *Stoke* —7G **35**
Sycamore Av. *Als* —1F **19**
Sycamore Av. *Cong* —3B **8**
Sycamore Av. *Rode H* —3G **11**
Sycamore Clo. *Bid* —2K **15**
Sycamore Clo. *Kid* —3B **20**
Sycamore Clo. *Stoke* —2B **48**
Sycamore Gro. *New* —2G **33**
Sycamore Gro. *Stoke* —3D **40**
Sydenham Pl. *Stoke* —5J **35**
Sydney St. *New* —3G **33**
Sylvan Gro. *Stoke* —3H **39**
Sylvester St. *Stoke* —4K **27**
Sytch Rd. *Brn E* —4G **23**

Talbot St. *Leek* —4G **17**
Talbot St. *Stoke* —3C **34** (6G **5**)
Talke Rd. *Als* —7F **11**
Talke Rd. *B'well* —7B **20**
Talke Rd. *Ches* —4C **26**
Talke Rd. *Red S* —1A **26**
Tall Ash Av. *Cong* —3J **9**
Tallis Gro. *Stoke* —7E **28**
Talsarn Gro. *Stoke* —1B **46**
Tamar Clo. *Cong* —6H **9**
Tamar Gro. *C'dle* —5H **45**
Tamar Rd. *Kid* —1E **20**
Tame Clo. *Bid* —1C **14**
Tame Wlk. *Stoke* —2B **42**
Tanners Rd. *Stoke* —5G **29**
Tanner St. *Cong* —5G **9**
Tansey Clo. *Stoke* —2F **35**
Tape St. *C'dle* —3G **45**
Target Clo. *Tal P* —5B **20**
Tarleton Rd. *Stoke* —1D **34**
Tarporley Gro. *Stoke* —1H **39**
Tarragon Dri. *Stoke* —1B **48**
Tarvin Gro. *Stoke* —5J **21**
Tasman Sq. *Stoke* —1D **34**
Tatton Clo. *Als* —7D **10**
Tatton Clo. *Leek* —4C **16**
Tatton St. *Stoke* —4H **41**
Taunton Pl. *New* —5C **26**
Taunton Way. *Stoke* —3J **35**
Taurus Gro. *Stoke* —5J **21**
Tavistock Cres. *New* —1D **38**
Tavistock Pl. *Stoke* —4H **33**
Tawney Clo. *Kid* —1E **20**
Tawney Cres. *Stoke* —3C **42**
Tay Clo. *Bid* —1D **14**
Tay Clo. *C'dle* —1H **45**
Taylor Av. *New* —1F **33**
Taylor Rd. *Stoke* —6G **29**
Taylor St. *New* —1F **33**
Taylor St. *Stoke* —4F **21**
Taynton Clo. *Stoke* —3K **21**
Teal View. *Stoke* —2C **28**
Tean Rd. *C'dle* —5G **45**
Telford Clo. *Cong* —6K **9**
Telford Clo. *Kid* —3B **20**
Telford Way. *Stoke* —7K **21**
Tellwright Gro. *New* —5D **26**
Tellwright St. *Stoke* —3K **27**
Temperance Pl. Stoke —4G 21
(off Willoughby St.)
Templar Cres. *New* —6E **26**
Templar Ter. *New* —6E **26**
Temple St. *Stoke* —7C **34**
Templeton Av. *Stoke* —5H **35**
Tenbury Grn. *Stoke* —4H **35**
Tenby Gro. *New* —5C **26**
Tennant Pl. *New* —5E **26**
Tennyson Av. *Kid* —3D **20**
Tennyson Clo. *C'dle* —4E **44**
Tennyson Clo. *Rode H* —2F **11**
Tennyson Gdns. *Stoke* —4E **40**
Tercel Gro. *Stoke* —7B **42**
Terence Wlk. *B Frd* —1A **22**
Tern Av. *Kid* —1F **21**
Tern Clo. *Bid* —2D **14**
Terrace, The. *C'dle* —3G **45**
Terrington Dri. *New* —4E **38**
Terry Clo. *Stoke* —3C **42**
Terson Way. *Stoke* —2A **42**
Tetton Ct. *Cong* —4H **9**
Tewkesbury Gro. *Stoke* —1F **35**
Tewson Grn. *Stoke* —5B **28**
Thackeray Dri. *Stoke* —4F **41**
Thames Clo. *Cong* —6H **9**
Thames Dri. *Bid* —1C **14**
Thames Dri. *C'dle* —5H **45**
Thames Rd. *New* —3D **38**
Thanet Gro. *Stoke* —3F **41**
Thatcham Grn. *Stoke* —7D **40**
Thatcher Gro. *Bid* —2A **14**
Thelma Av. *Brn E* —4G **23**
Theodore Rd. *Stoke* —2G **35**
Theresa Clo. *Stoke* —4K **39**
Third Av. *Kid* —2B **20**
Third Av. *Stoke* —1J **35**
Thirlmere Ct. *Cong* —5C **8**
Thirlmere Gro. *Stoke* —3K **41**
Thirlmere Pl. *New* —1E **38**
Thirsk Pl. *New* —3H **31**
Thistleberry Av. *New* —6C **32**
Thistleberry Ho. *New* —5C **32**

Thistleberry Vs. *New* —5D **32** (5A **6**)
Thistles, The. *New* —6C **32**
Thistley Hough. *Stoke* —7J **33**
Thomas Av. *New* —1D **32**
Thomas Clo. *Als* —6F **11**
Thomas St. *Bid* —1C **14**
Thomas St. *Cong* —4G **9**
Thomas St. *Leek* —3E **16**
Thomas St. *Pac* —2J **21**
Thomas St. *Tal* —3A **20**
Thompstone Av. *New* —2C **32**
Thorley Dri. *C'dle* —4J **45**
Thornburrow Dri. *Stoke* —6H **33**
Thorncliffe Rd. *Thor* —2J **17**
Thorncliffe View. *Leek* —1J **17**
Thorncliff Gro. *Stoke* —7E **28**
Thorndyke St. *Stoke* —3A **34** (6C **4**)
Thorne Pl. *Stoke* —3C **42**
Thorneycroft Av. *Stoke* —2A **28**
Thornfield Av. *Leek* —4J **17**
Thornham Clo. *New* —4E **38**
Thornham Grn. *Stoke* —4H **35**
Thornhill Dri. *Mad* —1B **30**
Thornhill Rd. *Leek* —5D **16**
Thornhill Rd. *Stoke* —5K **35**
Thornley Rd. *Stoke* —1J **27**
Thornton Rd. *Stoke* —5B **34**
Thorpe Grn. *Stoke* —7E **40**
Thorpe Rise. *C'dle* —1H **45**
Three Fields Clo. *Cong* —4C **8**
Thurlwood Dri. *Stoke* —2E **28**
Thursfield Av. *Kid* —7F **13**
Thursfield Pl. *Stoke* —7C **22**
Thursfield Wlk. *Stoke* —6C **22**
Thurston Way. *Stoke* —5H **35**
Thyme Gro. *Stoke* —1C **48**
Tibb St. *Big E* —2G **25**
Tiber Dri. *New* —7A **26**
Tickhill La. *Dil* —1G **43**
Tidebrook Pl. *Stoke* —4H **21**
Tideswell Rd. *Stoke* —1H **41**
Tidnock Av. *Cong* —2G **9**
Tierney St. *Stoke* —7C **28** (1H **5**)
Tilbrook Clo. *Stoke* —5H **35**
Tilehurst Pl. *Stoke* —5D **40**
Tilery La. *Stoke* —5C **40**
Tilewright Clo. *Stoke* —1E **20**
Tillet Grn. *Stoke* —3C **42**
Till Wlk. *Stoke* —7J **35**
Tilson Av. *Stoke* —6J **33**
Tilstone Clo. *Kid* —3D **20**
Timble Clo. *Stoke* —5H **35**
Times Sq. *Stoke* —2G **41**
Timmis St. *Stoke* —2K **33** (5B **4**)
Timor Gro. *Stoke* —6A **40**
Timothy Clo. *Stoke* —7H **35**
Tintagel Pl. *Stoke* —5J **35**
Tintern Pl. *New* —5C **26**
Tintern St. *Stoke* —2D **34**
Tipping Av. *Stoke* —5C **42**
Tirley St. *Stoke* —1D **40**
Tissington Pl. *Stoke* —7D **42**
Tittensor Rd. *New* —1F **39**
Tittensor Rd. *T'sor* —7A **46**
Titterton St. *Stoke* —7B **34**
Tittesworth Av. *Leek* —2H **17**
Tiverton Rd. *Stoke* —4H **35**
Toft End Rd. *New* —3E **26**
Tolkien Way. *Stoke* —5K **33**
Toll Bar Rd. *Werr* —1E **36**
Tollgate Clo. *Tal* —3K **19**
Tollgate Ct. *Stoke* —6E **40**
Tomfields. *Big E* —4G **25**
Tomlinson St. *Stoke* —4G **27**
Tommy's La. *Cong* —3H **9**
Tonbridge Av. *Stoke* —7A **22**
Toney Pl. *Stoke* —2E **34**
Tongue La. *Brn E* —3D **22**
Tontine Sq. *Stoke* —1B **34** (3F **5**)
Tontines Shopping Cen. Stoke
(off Tontine St.) —1B ***34***
Tontine St. *Stoke* —1B **34** (3F **5**)
(in two parts)
Topham Pl. *Stoke* —2F **35**
Top Heath's Row. *Brn E* —3G **23**
Top Sta. Rd. *Mow C* —3F **13**
Torres Wlk. *Stoke* —7D **28**
Torridon Clo. *Stoke* —1B **46**
Tor St. *Stoke* —5C **28**
Torville Dri. *Bid* —2D **14**
Tower Clo. *Brn L* —4A **14**
Tower Hill Rd. *Mow C & Brn L*
—2H **13**
Tower Sq. *Stoke* —1G **27**
Town End. *C'dle* —3F **45**
Townend. *Ful* —7F **49**
Townfield Clo. *Tal* —1A **20**
Town Rd. *Stoke* —1B **34** (2F **5**)
Townsend La. *Rode H* —2H **11**
Townsend Pl. *Stoke* —2G **35**
Townsend Rd. *Cong* —5G **9**
Trade St. *Stoke* —6A **34**
Trafalgar Rd. *Stoke* —5H **33**
Trafalgar St. *Stoke* —7B **28** (1E **5**)
Trafford Clo. *Leek* —4J **17**
Transport La. *Stoke* —3G **41**
Tranter Rd. *Stoke* —6G **29**
Travers Ct. *Stoke* —7C **34**
Travers St. *Stoke* —5H **27**
Trecastle Gro. *Stoke* —5K **41**
Tregaron Ct. *Ash B* —2B **36**
Tregenna Clo. *Stoke* —7B **42**
Tregew Pl. *New* —3A **32**
Tregowan Clo. *Stoke* —1A **28**
Trent Clo. *C'dle* —5H **45**
Trentfields Rd. *Stoke* —2F **29**
Trent Gro. *Bid* —4C **14**
Trent Gro. *New* —3D **38**
Trentham Ct. *Stoke* —7H **39**
Trentham Gdns. Clo. *Stoke* —7J **39**
Trentham Gro. *New* —1F **33**
Trentham M. *Stoke* —7K **39**
Trentham Rd. *But* —6A **38**
Trentham Rd. *Hem H* —7B **40**
Trentley Dri. *Bid M* —2G **15**
Trentley Rd. *Stoke* —7J **39**
Trentmill Rd. *Stoke* —3D **34**
Trent Rd. *For* —6H **43**
Trentside Rd. *Stoke* —6F **23**
Trent St. *Stoke* —2E **34**
Trent Ter. *Stoke* —6F **23**
Trent Valley Rd. *Stoke* —2J **39**
Trent Wlk. *Stoke* —3C **34**
Trentway Clo. *Stoke* —2F **35**
Trevor Dri. *Cav* —3E **42**
Trimley Way. *Stoke* —3G **35**
Triner Pl. *Stoke* —7D **22**
Tring Clo. *Stoke* —5H **35**
Trinity Ct. *New* —4B **26**
Trinity Pl. *Cong* —7K **9**
Trinity Pl. *Stoke* —1G **35**
Trinity St. *Stoke* —1A **34** (3D **4**)
Triton Wlk. *Stoke* —3C **28**
Troutbeck Av. *Cong* —5C **8**
Troutdale Clo. *Stoke* —7G **35**
Trowbridge Cres. *Stoke* —2H **35**
Trubshaw Ct. *Kid* —1F **21**
Trubshawe Cross. *Stoke* —4G **27**
Trubshawe St. *Stoke* —4G **27**
Trubshaw Pl. *Kid* —7E **12**
Truro Clo. *Cong* —7G **9**
Truro Pl. *Stoke* —3G **35**
Tudor Clo. *Stoke* —7K **33**
Tudor Ct. *Ful* —6F **49**
Tudor Ct. *New* —6E **26**
Tudor Gro. *New* —1F **33**
Tudor Hollow. *Ful* —6F **49**
Tudors, The. *Stoke* —7H **21**
Tudor Way. *Cong* —6F **9**
Tulip Gro. *New* —3F **33**
Tulley Pl. *Stoke* —2F **35**
Tulsa Clo. *Stoke* —4F **35**
Tunbridge Dri. *New* —3G **31**
Tunnel Ter. *Stoke* —6E **20**
Tunnicliffe Clo. *Stoke* —3K **41**
Tunstall Greenway. *Stoke* —6H **21**
Tunstall Rd. *Knyp* —5B **14**
Tunstall Rd. Ind. Est. *Knyp* —6A **14**
Tunstall Western By-Pass. *Stoke*
—2E **26**
Turin Dri. *New* —7B **32**
Turnberry Dri. *Stoke* —6J **39**
Turner Av. *Big E* —3H **25**
Turner Cres. *New* —6B **26**
Turner St. *Stoke* —7C **28** (1H **5**)
Turnhill Gro. *New* —5E **26**
Turnhurst Rd. *Pac* —2J **21**
Turnlea Clo. *Knyp* —4A **14**
Turnock St. *Stoke* —1H **35**
Tuscan Clo. *C'dle* —5F **45**
Tuscan Ho. *Stoke* —4G **41**
Tuscan St. *Stoke* —2H **41**
Tuscan Way. *New* —6A **26**
Tutbury Gro. *Stoke* —2J **41**
Tweed Gro. *New* —2D **38**
Tweed St. *Stoke* —2D **40**
Twemlow St. *Stoke* —2K **33** (4B **4**)
Twigg St. *Stoke* —3G **35**
Twyning Grn. *Stoke* —7E **40**
Tyler Gro. *Stoke* —4H **27**
Tyndall Pl. *Stoke* —6H **33**
Tyneham Gro. *Stoke* —2F **29**
Tyne Way. *New* —2D **38**
Tynwald Grange. *New* —3D **32**
Tyrell Gro. *Stoke* —4E **28**
Tyson Grn. *Stoke* —5J **35**

Ubberley Grn. *Stoke* —3H **35**
Ubberley Rd. *Stoke* —3G **35**
Uffington Pde. *Stoke* —4H **35**
Ufton Clo. *Stoke* —1E **46**
Ullswater Av. *Stoke* —4H **27**
Ullswater Dri. *C'dle* —2H **45**
Ullswater Rd. *Cong* —5B **8**
Ulster Ter. *Stoke* —1K **39**
Ulverston Rd. *Stoke* —7E **40**
Umberleigh Rd. *Stoke* —7D **40**
Under The Hill. *Bid M* —1F **15**
Underwood Rd. *New* —4G **31**
Unicorn Pl. *Stoke* —6J **21**
Union Clo. *Cong* —4F **9**
Union Ct. *Stoke* —7B **28** (1E **5**)
Union St. *Cong* —4F **9**
Union St. *Leek* —3G **17**
Union St. *Stoke* —7B **28** (1E **5**)
Unity Av. *Stoke* —5C **28**
Unity Way. *Tal* —3A **20**
Unwin St. *Stoke* —1A **28**
(in two parts)
Uplands Av. *Stoke* —5J **21**
Uplands Av. *Werr* —2B **36**
Uplands Croft. *Werr* —1B **36**
Uplands Dri. *Werr* —2B **36**
Uplands Rd. *Stoke* —5G **29**
Uplands, The. *Bid* —2K **15**
Uplands, The. *New* —3F **33** (1E **7**)
Up. Belgrave Rd. *Stoke* —5J **41**
Upper Cres. *Stoke* —5H **33**
Up. Cross St. *Stoke* —2H **41**
Up. Furlong St. *Stoke* —7C **34**
Up. Hillchurch St. *Stoke*
—1C **34** (2G **5**)
Up. Huntbach St. *Stoke*
—1C **34** (2G **5**)
Up. Market Sq. *Stoke*
—1B **34** (3F **5**)
Up. Marsh. *New* —2G **33**
Up. Normacot Rd. *Stoke* —4J **41**
Urmston Pl. *Stoke* —7E **40**
Utterby Side. *Stoke* —5H **35**
Uttoxeter Rd. *B Bri* —6D **42**
Uttoxeter Rd. *Stoke* —3H **41**

Valentine Rd. *Kid* —2D **20**
Vale Pl. *Stoke* —7A **28**
Vale Pleasant. *New* —4K **31**
Valerian Way. *Stoke* —1B **48**
Vale St. *New* —4B **26**
Vale St. *Sil* —3J **31**
Vale St. *Stoke* —6A **34**
Vale View. *New* —5G **27**
Valley Clo. *Als* —7A **10**
Valley Dri. *Leek* —4C **16**
Valley Pk. Way. *Stoke* —3E **40**
Valley Rd. *W Coy* —3C **42**
Varey Rd. *Eat T* —3H **9**
Vaudrey Cres. *Cong* —4H **9**
Veitch Wlk. *H'ly* —2A **34**
Velvet St. *Stoke* —5J **27**
Venice Ct. *New* —6B **32**
Venn Pl. *Stoke* —3D **34**
Ventnor Gro. *Stoke* —1E **46**
Venton Clo. *Stoke* —7D **22**
Venture Way. Stoke —1B ***28***
(off Unwin St.)
Verney Way. *Stoke* —7E **40**
Vernon Av. *A'ly* —2D **24**
Vernon Av. *Cong* —7H **9**
Vernon Clo. *A'ly* —2E **24**
Vernon Rd. *Stoke* —5A **34**
Vessey Ter. *New* —5F **33** (5E **7**)
Vicarage Cres. *Cav* —3E **42**
Vicarage Cres. *New* —6F **33** (6F **7**)
Vicarage Cres. *T'sor* —6A **46**
Vicarage La. *B'stn* —5D **46**
Vicarage La. *Mad* —3B **30**
Vicarage La. *Stoke* —3H **39**
Vicarage Rd. *Leek* —3G **17**
Vicarage Rd. *Stoke* —5J **33**
Vichy Clo. *New* —6B **32**
Vickers Rd. *Stoke* —6K **21**
Victoria Av. *Halm* —5F **25**
Victoria Av. *Kid* —1C **20**
Victoria Av. *Stoke* —3B **34**
Victoria Clo. *Sil* —3K **31**
Victoria Cotts. *Stoke* —4K **41**
Victoria Ct. Kid —1D ***20***
(off Attwood St.)
Victoria Ct. *New* —2F **33**
Victoria Ct. Stoke —7D ***34***
(off Beville St.)
Victoria Pk. Rd. *Stoke* —1H **27**
Victoria Pl. *New* —5B **26**
(Chesterton)
Victoria Pl. *New* —7G **27**
(Wolstanton)
Victoria Pl. *Stoke* —7D **34**
Victoria Rd. *New* —5F **33** (4F **7**)
Victoria Rd. *Stoke* —4C **34**
Victoria Row. *Knyp* —6B **14**
Victoria Sq. *Stoke* —2A **34** (5D **4**)
Victoria St. *C'dle* —3H **45**
Victoria St. *Ches* —5B **26**
Victoria St. *Leek* —3H **17**
Victoria St. *New* —5F **33** (5E **7**)
Victoria St. *Sil* —3K **31**
Victoria St. *Stoke* —3G **33** (1H **7**)
Victory Clo. *C'dle* —2H **45**
Vienna Pl. *New* —7C **32**
Views, The. *N'cpl* —1H **21**
Viggars Pl. *New* —3C **32**
Villa Clo. *Bid* —3B **14**
Village, The. *K'le* —6G **31**
Villas, The. *Stoke* —1K **39**
Villa St. *Stoke* —1K **39**
Villiers St. *Stoke* —5G **41**
Vincent St. *Stoke* —7D **28**
Vine Bank Rd. *Kid* —1D **20**
Vinebank St. *Stoke* —7K **33**
Vine Row. *Stoke* —7K **33**
Viscount Wlk. *Stoke* —7B **42**
Vivian Rd. *Stoke* —7E **34**
Vowchurch Way. *Stoke* —4H **35**

Wade Av. *New* —6G **27**
Wadebridge Rd. *Stoke* —4G **35**
Wade Clo. *C'dle* —5G **45**
Wade St. *Stoke* —3A **28**
Wadham St. *Stoke* —6K **33**
Waggs Rd. *Cong* —6E **8**
Wagg St. *Cong* —5F **9**
Wain Av. *New* —5C **32**
Wain Av. *Stoke* —6D **22**
Wain Dri. *Stoke* —7H **33**
Wain St. *Stoke* —3J **27**
Wainwood Rise. *Stoke* —1J **39**
Wainwright Wlk. *Stoke* —3G **5**
Wakefield Rd. *Stoke* —2J **39**
Walcot Gro. *Stoke* —4F **35**
Walfield Av. *Cong* —2F **9**
Walgrave Clo. *Cong* —3C **8**
Walkergreen Rd. *New* —2A **26**
Walker Rd. *Stoke* —7J **21**
Walkers La. *Sch G* —1J **11**
Walker St. *Stoke* —2G **27**
Walklate Av. *New* —2G **33**
Walks, The. *Leek* —4E **16**
Wallbridge Clo. *Leek* —5D **16**
Wallbridge Dri. *Leek* —4D **16**
Waller La. *Eat* —1H **9**
Waller Rd. *Ful* —7F **49**
Walley Dri. *Stoke* —5G **21**
Walley Pl. *Stoke* —5K **27**

Walley's Dri. New —3G 33
Walley St. Bid —1B 14
Walley St. Stoke —5K 27
Wallhill La. B'lw —6A 8
Wallis Pl. Stoke —7G 29
Wallis St. Stoke —7E 34
Wallis Way. Stoke —2F 29
Wallmires La. Werr —4E 36
Wallworth's Bank. Cong —5G 9
Walmer Pl. Stoke —1G 41
Walney Gro. Stoke —7B 28
Walnut Av. Stoke —4H 39
Walnut Gro. New —4A 26
Walnut Rise. Cong —5D 8
Walpole St. Stoke —1J 41
Walsingham Gdns. New —4E 38
Walton Cres. Stoke —1B 40
Walton Gro. Tal —3K 19
Walton Pl. New —6C 26
Walton Rd. Stoke —3J 39
Walton Way. Tal —3K 19
Warburton St. Stoke —5K 27
Wardle Cres. Leek —5F 17
Wardle La. L Oaks —3H 29
Wardle St. Stoke —1H 27
Ward Pl. Stoke —6A 22
Warminster Pl. Stoke —3F 41
Warmson Clo. Stoke —7H 35
Warner St. Stoke —2B 34 (4E 5)
Warren Pl. Stoke —4J 41
Warren Rd. Stoke —5A 22
Warren St. Stoke —4H 41
Warrilow Heath Rd. New —3K 25
Warrington Dri. Leek —4D 16
Warrington Rd. Stoke —4C 34
Warrington St. Stoke —7E 34
Warsill Gro. Stoke —2J 41
Warwick Av. New —2F 39
Warwick Av. Stoke —5A 42
Warwick Clo. Kid —1D 20
Warwick Gro. New —2H 33
Warwick St. Bid —3B 14
Warwick St. New —5B 26
Warwick St. Stoke —2K 33 (5B 4)
Washerwall La. Werr —1B 36
Washerwall St. Stoke —5J 35
Washington Clo. Gil H —2H 15
Washington St. Stoke —2H 27
Watchfield Clo. Stoke —5A 42
Waterbeck Gro. Stoke —2B 46
Waterdale Gro. Stoke —3K 41
Waterfall Cotts. Werr —5J 23
Watergate St. Stoke —2F 27
Waterhead Rd. Stoke —5A 42
Watering Trough Bank. Mad H & New —5C 30
Waterloo Gro. Kid —1D 20
Waterloo Rd. Stoke —4K 27 (1D 4)
Waterloo St. Leek —4E 16
Waterloo St. Stoke —2C 34 (4G 5)
Waterside Clo. Mad —2B 30
Waterside Dri. Stoke —7D 40
Water St. Ches —2A 26
Water St. New —4F 33 (3F 7)
Water St. Stoke —1K 39
Watery La. Stoke —5J 41
Watford St. Stoke —5B 34
Watkin St. Stoke —1C 40
Watlands Av. New —7F 27
Watlands Rd. Big E —2F 25
Watlands View. New —7E 26
Watson Rd. Stoke —2J 39
Watson St. Stoke —5J 33
Watt Pl. C'dle —3G 45
Waveney Ct. New —2E 38
Waveney Gro. New —2E 38
Waveney Wlk. N. Stoke —7K 21
Waveney Wlk. S. Stoke —7K 21
Waverley Pl. New —1D 38
Waverton Rd. Stoke —6K 35
Wavertree Av. Sch G —3B 12
Wayfield Gro. Stoke —5G 33 (5H 7)
Wayside. Als —1G 19
Wayside Av. New —1F 33
Wayte St. Stoke —7A 28
Weaver Clo. Als —7B 10
Weaver Clo. Bid —1C 14
Weaver Clo. C'dle —1H 45
Weaver Pl. New —2E 38
Weaver St. Stoke —1B 34 (3E 5)
Webberley La. Stoke —3H 41
Webb St. Stoke —3C 42
Webster Av. Stoke —1K 41
Webster St. New —5F 33 (5F 7)
Wedgewood Rd. C'dle —5F 45
Wedgwood Av. Big E —3G 25
Wedgwood Av. New —6C 32
Wedgwood Ct. Stoke —2K 33 (4A 4)
Wedgwood Dri. B'stn —4B 46
Wedgwood La. B'stn —3D 46
Wedgwood La. Gil H —2H 15
Wedgwood Pl. Stoke —4J 27
Wedgwood Rd. Stoke —7E 34
Wedgwood Rd. Tal P —4A 20
Wedgwood St. Red S —1A 26
Wedgwood St. Stoke —4J 27
Wedgwood St. Wol —7G 27
Weetman Clo. Stoke —4F 21
Weighton Gro. Stoke —4K 35
Weir Gro. Kid —1E 20
Welbeck Pl. Stoke —7H 29
Welby St. Stoke —1C 40
Welch St. Stoke —6A 34
Weldon Av. Stoke —2C 42
Welland Gro. New —3D 38
Wellbury Clo. Stoke —2B 46
Weller St. Stoke —5J 33
Wellesley St. Stoke —3A 34
Wellfield Rd. Stoke —3G 35
Wellington Ct. Stoke —1C 34 (3H 5)
Wellington Rd. Kid —1D 20
Wellington Rd. Stoke —1C 34 (4H 5)
Wellington St. Leek —3F 17
Wellington St. New —7F 27
Wellington St. Stoke —2C 34 (4H 5)
Wellington Ter. Stoke —2C 34 (4H 5)
Well La. Als —7D 10
Well La. Gil H —2H 15
Wells Clo. Bid —2C 14
Well St. Bid —2B 14
Well St. C'dle —3H 45
Well St. For —6H 43
Well St. Leek —4G 17
Well St. Mow C —3G 13
Well St. New —5F 33 (4E 7)
Well St. Stoke —2C 34 (4G 5)
Welsh Row. Mow C —3H 13
Wem Gro. New —2B 26
Wendling Clo. Stoke —4J 35
Wendover Gro. Stoke —4G 35
Wendy Clo. Stoke —4G 35
Wenger Cres. Stoke —7J 39
Wenham Dri. Stoke —7C 42
Wenlock Clo. New —2B 26
Wenlock Clo. Stoke —3A 22
Wensleydale Av. Cong —2J 9
Wentworth Dri. Kid —7F 13
Wentworth Gro. Stoke —5E 28
Werburgh Dri. Stoke —7J 39
Wereton Rd. A'ly —3E 24
Werrington Rd. Stoke —2F 35
Wesker Pl. Stoke —2A 42
Wesley Av. Als —6E 10
Wesley Ct. Cong —5F 9
Wesley Gdns. Kid —1D 20
Wesley Pl. Halm —5E 24
Wesley Pl. New —5C 32
Wesley St. Big E —3H 25
Wesley St. B Bri —7H 43
Wesley St. Stoke —1G 27
Wesley St. Tal —3A 20
Wessex Dri. Stoke —6K 39
Westacre. Stoke —2E 34
West Av. New —3G 33 (1H 7)
West Av. Stoke —5J 33
West Av. Tal —3K 19
W. Bank. Stoke —7K 33
Westbourne Clo. Leek —3D 16
Westbourne Dri. Stoke —6H 21
W. Brampton. New —4E 32 (2D 6)
Westbury Cen., The. New —4F 39
Westbury Clo. Stoke —7E 28
Westbury Rd. New —3E 38
Westcliffe Av. New —3D 38
West Cres. Stoke —4D 28
W. End Av. Leek —4E 16
W. End Cotts. Cong —5E 8
Westerby Dri. Werr —2B 36
Westerham Clo. Stoke —7J 39
Westfield Av. A'ly —2D 24
Westfield Rd. Mow C —3F 13
Westfield Rd. Stoke —2G 35
Westfields. Leek —4G 17
West Gro. Als —6F 11
Westhead Wlk. Stoke —2A 34 (5C 4)
W. Heath Shopping Cen. Cong —4C 8
Westlands Big E —2G 25
Westlands Av. New —6C 32
Westlands, The. Cong —5E 8
Westland St. Stoke —6K 33
Westmarsh Gro. Stoke —7K 21
Westmill St. Stoke —3C 34
Westminster Pl. Stoke —5K 39
Westminster Rd. Leek —2H 17
Westmorland Av. Kid —4C 20
Westmorland Clo. Stoke —3K 21
Weston Clo. Ash B —2B 36
Weston Clo. New —2C 32
Weston Coyney Rd. Stoke —3J 41
Weston Dri. Stoke —2B 42
Westonfields Dri. Stoke —3K 41
Weston Rd. Stoke —5B 42
Weston St. Leek —3H 17
Weston St. Stoke —1J 41
Westonview Av. Stoke —1J 41
West Pde. Stoke —1B 40
Westport Greenway. Stoke —3G 27
Westport Rd. Stoke —3H 27
W. Precinct. Stoke —2B 34 (4F 5)
West Rd. Cong —4D 8
Westsprink Cres. Stoke —4K 41
West St. Bid —3B 14
West St. Cong —4E 8
West St. Leek —3F 17
West St. Mow C —4E 12
West St. New —5F 33 (4E 7)
West St. Port —5G 27
West St. Sil —4J 31
West St. Stoke —1C 42
West Ter. Kid —2D 20
West Ter. Stoke —5A 22
West View. New —7E 26
West View. R'gh C —3A 48
Westview Clo. Leek —3D 16
Westville Dri. Cong —5C 8
Westwood Ct. Stoke —1C 34 (3H 5)
Westwood Gro. Leek —3E 16
Westwood Heath Rd. Leek —4D 16
Westwood Pk. Av. Leek —4C 16
Westwood Pk. Dri. Leek —4C 16
Westwood Rd. Leek —4D 16
Westwood Rd. New —6G 27
Westwood Rd. Stoke —4B 42
Westwood Ter. Leek —3E 16 (off Wellington St.)
Wetenhall Dri. Leek —4C 16
Wetherby Clo. C'dle —1H 45
Wetherby Clo. New —5B 26
Wetherby Rd. Stoke —7A 40
Wetley Av. Werr —1G 37
Weybourne Av. Stoke —1G 29
Whalley Av. Stoke —6H 33
Wharfdale Rd. Cong —2J 9
Wharfe Clo. Cong —6H 9
Wharfedale Wlk. Stoke —3F 41
Wharf Pl. Stoke —6B 34
Wharf Rd. Bid —2B 14
Wharf St. New —4F 33 (3F 7)
Wharf Ter. Mad H —5C 30
Whatmore St. Stoke —3B 28
Wheatfields. Stoke —1B 28
Wheatley Bank Cotts. Stoke —2F 35
Wheatly Av. Stoke —7H 33
Wheelock Clo. Als —7B 10
Wheelock Way. Kid —1E 20
Whetstone Rd. Gil H —2H 15
Whieldon Cres. Stoke —1B 40
Whieldon Ind. Est. Stoke —7B 34
Whieldon Rd. Stoke —7B 34
Whimple Side. Stoke —4G 35
Whitaker Rd. Stoke —3D 40
Whitbread Dri. Bid —2D 14
Whitchurch Gro. New —2B 26
Whitcliffe Pl. Stoke —3E 40
Whitcombe Rd. Stoke —4B 42
Whitebeam Clo. New —3A 26
Whitehall Av. Kid —1C 20
Whitehall Rd. Kid —1C 20
Whitehaven Dri. Stoke —7A 28
Whitehead Rd. Stoke —6A 22
Whitehill Rd. Kid —1D 20
Whitehill Ter. Kid —1E 20
Whitehouse Rd. New —2E 32
Whitehouse Rd. Stoke —7F 29
Whitehouse Rd. N. New —1E 32
Whitehurst La. Dil —6K 37
Whitemore Rd. New & Stoke —6E 38
Whiteridge Rd. Kid —1D 20
Whitesands Gro. Stoke —1C 48
Whitestone Rd. Stoke —1C 48
Whitethorn Av. B'stn —6C 46
Whitethorn Way. New —3B 26
Whitfield Av. New —5D 32 (5A 6)
Whitfield Greenway. Stoke —6J 21
Whitfield Rd. Kid —1E 20
Whitfield Rd. Stoke —4C 22
Whitfield St. Leek —5F 17
Whitfield Vs. Stoke —5C 22
Whitley Rd. Stoke —5C 22
Whitmore Av. Werr —1C 36
Whitmore Rd. K'le —7F 31
Whitmore Rd. Whit & But —5A 38
Whitmore St. Stoke —3K 33 (6B 4)
Whitridge Gro. Stoke —5J 35
Whittle Rd. Stoke —6C 42
Whygate Gro. Stoke —6E 28
Widecombe Rd. Stoke —6E 28
Wigmore Pl. Stoke —7H 35
Wignall Rd. Stoke —5G 21
Wilbraham Rd. Cong —4H 9
Wilbraham's Wlk. A'ly —2E 24
Wilbrahams Way. Als —6E 10
Wild Goose Av. Kid —1G 21
Wilding Rd. Stoke —5C 22
Wileman Pl. Stoke —7D 34
Wileman St. Stoke —7D 34
Wilfred Pl. Stoke —5H 33
Wilkinson St. Stoke —2G 27
Wilks St. Stoke —7H 21
Willatt Pl. Stoke —3F 29
Willdale Gro. Stoke —7E 28
Willeton St. Stoke —2F 35
Willfield La. Brn E —4G 23
William Av. Bid —3C 14
William Av. Stoke —6D 42
William Birch Ct. Stoke —4F 35
William Birch Rd. Stoke —4F 35
William Clo. For —7J 43
William Clowes St. Stoke —4J 27
William Fiske Ct. Stoke —2H 39
William Rd. Kid —1D 20
William Ruston Rd. Stoke —2C 28
Williamson Av. Stoke —5C 22
Williamson St. Stoke —2H 27
William St. Cong —3J 9
William St. Stoke —7D 34
William Ter. Stoke —5A 22
Willmer Cres. Mow C —4E 12
Willotts Hill Rd. New —3A 26
Willoughby St. Stoke —4G 21
Willow Clo. Kid —4D 20
Willow Clo. New —3A 26
Willow Ct. Als —6F 11
Willowdale Av. Stoke —1B 40
Willow Gro. Stoke —4D 40
Willow La. Stoke —4B 48
Willowood Gro. Stoke —6D 42
Willow Pl. Bid M —1G 15
Willow Row. Stoke —3G 41
Willows Dri. Stoke —3B 48
Willows, The. Leek —4D 16
Willow St. Cong —4G 9
Willow Tree Gro. Rode H —3G 11
Willow Way. For —6H 43
Wilmot Clo. New —2C 32
Wilmot Dri. New —2C 32
Wilmot Gro. Stoke —7H 35
Wilson Rd. Stoke —5J 39
Wilson St. New —4E 32 (2D 6)
Wilson St. Stoke —2A 28

Wilson Way. *Stoke* —4F **21**
Wilton Av. *Werr* —1G **37**
Wilton St. *New* —3D **32**
Wiltshire Dri. *Cong* —3G **9**
Wiltshire Gro. *New* —2F **39**
Wimberry Dri. *New* —3A **26**
Wimborne Av. *Stoke* —7E **40**
Winchester Av. *Stoke* —3H **35**
Winchester Dri. *New* —2C **38**
Windermere Rd. *New* —2E **38**
Windermere St. *Stoke* —7A **28**
Windermere Way. *C'dle* —2J **45**
Windmill Av. *Kid* —3D **20**
Windmill Clo. *R'gh C* —3A **48**
Windmill Hill. *R'gh C* —3A **48**
Windmill St. *Stoke* —1C **34** (2G **5**)
Windmill View. *Werr* —1D **36**
Windrush Clo. *Stoke* —2B **46**
Windsmoor St. *Stoke* —1A **40**
Windsor Av. *Stoke* —4J **41**
Windsor Dri. *Als* —6A **10**
Windsor Dri. *Leek* —2J **17**
Windsor Pl. *Cong* —5H **9**
Windsor Rd. *Stoke* —5K **39**
Windsor St. *New* —4F **33** (3E **7**)
Windy Arbour. *C'dle* —2H **45**
Windycote La. *Dil* —3H **37**
Wingate Wlk. *Stoke* —1E **46**
Winghay Clo. *Kid* —1E **20**
Winghay Clo. *Stoke* —4F **27**
Winghay Pl. *Stoke* —6A **22**
Wingrove Av. *Stoke* —5J **41**
Winifred Gdns. *Stoke* —6D **40**
Winifred St. *Stoke* —7A **28** (1D **4**)
Winnipeg Clo. *Stoke* —6A **40**
Winpenny Rd. *Park I* —4C **26**
Winsford Av. *Stoke* —4K **41**
Winslow Grn. *Stoke* —4H **35**
Winston Av. *Als* —6D **10**
Winston Pl. *Stoke* —2F **35**
Winston Ter. *New* —6F **27**
Winterbourne Gro. *Stoke* —3K **41**
Winterfield La. *Hul* —5C **36**
Winterside Clo. *New* —3A **26**
Wintonfield St. *Stoke* —6B **34**
Winton Sq. *Stoke* —5A **34**
Wise St. *Stoke* —5H **41**
Witchford Cres. *Stoke* —7E **40**
Witham Way. *Bid* —1D **14**
Withies Rd. *Stoke* —2H **39**
Withington Rd. *Stoke* —4K **21**
Withnell Grn. *Stoke* —4K **21**
Withystakes Rd. *Werr* —1E **36**
Witney Wlk. *Stoke* —7E **40**
Woburn Clo. *Stoke* —2B **46**
Wolfe St. *Stoke* —7A **34**
Wolseley Rd. *New* —7E **26**
Wolseley Rd. *Stoke* —2J **39**
Wolstanholme Clo. *Cong* —6H **9**
Wolstanton Retail Pk. *Stoke* —1G **33**
Wolstanton Rd. *New* —6C **26**
Wolstern Rd. *Stoke* —1J **41**
Woodall St. *Stoke* —7A **28**
Woodbank St. *Stoke* —4J **27**
Woodberry Av. *Stoke* —1H **39**
Woodberry Clo. *Stoke* —1J **39**
Woodbridge Rd. *New* —4E **38**
Woodcock La. *Mow C* —4F **13**
Wood Cotts. *Werr* —4K **23**
Woodcroft. *Big E* —3H **25**
Woodcroft Av. *Leek* —5E **16**
Woodcroft Rd. *Leek* —5E **16**
Wood Dri. *Als* —7B **10**
Woodend St. *Stoke* —1E **40**
Woodfield Ct. *Leek* —3H **17**
Woodgate Av. *Chu L* —5H **11**
Woodgate St. *Stoke* —5B **42**
Woodhall Pl. *New* —3G **31**
Woodhall Rd. *Kid* —7F **13**
Woodhead Rd. *L Oaks* —5G **29**
Woodhead Yd. *C'dle* —1H **45**
Woodhouse La. *Bid M* —2J **15**
Woodhouse La. *Brn E* —5D **22**
Woodhouse St. *Stoke* —7A **34**
Wooding Dean Clo. *Stoke* —1J **41**
Woodkirk Clo. *Stoke* —3K **21**
Woodland Av. *New* —7F **27**
Woodland Av. *Stoke* —7E **22**
Woodland Ct. *Als* —6E **10**
Woodland Gro. *Bur* —2A **28**
Woodland Hills. *Mad* —4A **30**
Woodland Rd. *Rode H* —2F **11**
Woodlands. *Stoke* —7J **27**
Woodlands Av. *Cong* —3F **9**
Woodlands Av. *Tal* —1A **20**
Woodlands Gro. *Stoke* —3B **48**
Woodlands La. *B Bri* —2J **49**
Woodlands Rd. *Stoke* —2H **39**
Woodlands, The. *Stoke* —2H **39**
Woodland St. *Bid* —3C **14**
Woodland St. *Stoke* —1H **27**
Woodman St. *Stoke* —3G **29**
Woodpark La. *Stoke* —1H **47**
Wood Pl. *Stoke* —4C **42**
Woodruff Clo. *Pac* —2J **21**
Woodshutts St. *Tal* —2A **20**
Woodside. *Chu L* —6B **12**
Woodside. *Mad* —1B **30**
Woodside Av. *Als* —6F **11**
Woodside Av. *Brn E* —5G **23**
Woodside Av. *Kid* —2D **20**
Woodside Cres. *New* —4F **39**
Woodside Dri. *Stoke* —3B **48**
Woodside La. *Leek* —7D **16**
Woodside Pl. *Stoke* —3G **29**
Woodside Vs. *Stoke* —2J **41**
Woodstock Clo. *New* —2F **33**
Woodstock Rd. *Stoke* —4D **20**
Woodstock St. *Stoke* —3E **20**
Woodstone Av. *End* —5K **23**
Wood St. *Big E* —1F **25**
Wood St. *Cong* —4F **9**
Wood St. *Leek* —4G **17**
Wood St. *Mow C* —3F **13**
Wood St. *Stoke* —2G **41**
Wood Ter. *Stoke* —3A **34** (6D **4**)
Wood, The. *Stoke* —4C **42**
Woodvale Cres. *End* —3K **23**
Wood View. *Big E* —3H **25**
Woodville Pl. *Stoke* —4B **42**
Woodville Rd. *Stoke* —4B **42**
Woodville Ter. *Stoke* —4C **42**
Woodward St. *Stoke* —6C **28**
Woolaston Dri. *Als* —7E **10**
Wooliscroft Rd. *Stoke* —2G **35**
Woolliscroft Av. *New* —2G **33**
Woolrich St. *Stoke* —5H **27**
Woolridge Ct. Stoke —3C ***28***
(off Community Dri.)
Woolston Av. *Cong* —5H **9**
Worcester Clo. *Tal* —4A **20**
Worcester Pl. *Stoke* —3J **35**
Wordsworth Clo. *C'dle* —4F **45**
Wordsworth Way. *Als* —6E **10**
Worrall St. *Cong* —4G **9**
Worsley Dri. *Cong* —6K **9**
Worth Clo. *Stoke* —2J **41**
Worthing Pl. *Stoke* —3G **41**
Wraggs La. *Bid M* —1G **15**
Wrenburry Clo. *New* —3A **26**
Wrenbury Cres. *Stoke* —4G **35**
Wren Clo. *Bid* —2D **14**
Wren View. *Stoke* —4J **41**
Wrexham Clo. *Bid* —1C **14**
Wright Av. *New* —5C **26**
Wrighton Clo. *Stoke* —3E **34**
Wright St. *Tal* —2A **20**
Wroxham Way. *New* —4D **38**
Wulstan Dri. *New* —2F **33**
Wulstan Rd. *Stoke* —6K **27**
Wyatt St. *Stoke* —4F **21**
Wycliffe St. *Stoke* —4J **27**
Wye Clo. *C'dle* —5H **45**
Wye Rd. *New* —2D **38**
Wymondley Gro. *Stoke* —1A **46**
Wynbank Clo. *Big E* —4F **25**
Wyndham Rd. *Stoke* —7E **40**
Wynford Pl. *Stoke* —4G **35**
Wynstay Av. *Werr* —2B **36**
Wynstay Ct. *New* —5F **39**

Yale St. *Stoke* —5H **27**
Yardley Pl. *Stoke* —1E **46**
Yardley St. *Stoke* —6E **22**
Yardley Wlk. *Stoke* —1E **46**
Yarmouth Wlk. *Stoke* —1J **41**
Yarnbrook Gro. *Stoke* —1C **28**
Yarnfield Clo. *Stoke* —4B **42**
Yarrow Pl. *Stoke* —1B **48**
Yateley Clo. *Stoke* —3G **35**
Yates St. *Stoke* —2A **34** (5D **4**)
Yaxley Ct. *New* —4E **38**
Yaxley Pl. *Stoke* —1E **46**
Yeaman St. *Stoke* —7A **34**
Yeldham Pl. *Stoke* —1E **46**
Yeovil Pl. *Stoke* —1E **46**
Yew Pl. *New* —4A **26**
Yew Tree Av. *Stoke* —4D **40**
Yew Tree Clo. *L Oaks* —3J **29**
Yew Tree Ct. *Als* —1F **19**
Yew Tree Ter. *Kid* —3D **20**
York Av. *Ful* —6F **49**
York Clo. *For* —6J **43**
York Clo. *Gil H* —2H **15**
York Clo. *Tal P* —4A **20**
York Pl. *New* —4E **32** (3D **6**)
York Rd. *Stoke* —3C **42**
York St. *Leek* —3G **17**
York St. *New* —5F **33** (3F **7**)
York St. *Stoke* —7A **28** (1D **4**)
Youlgreave Av. *Stoke* —3G **35**
Youlton Pl. *Stoke* —4G **35**
Younger St. *Stoke* —7C **34**
Young St. *C'dle* —4H **45**
Young St. *Stoke* —5J **21**
Yoxall Av. *Stoke* —5J **33**

Zamenhof Gro. *Stoke* —3B **28**
Zennor Gro. *Stoke* —3G **35**
Zetland Pl. *Stoke* —1E **46**
Zetland Wlk. *Stoke* —1E **46**
Zion St. *Stoke* —4K **27**
Zodiac Dri. *Stoke* —4H **21**